D0335187

Speelbal

STEPHEN FRY

Speelbal

Vertaling: Paul van den Hout

2001

THOMAS RAP

AMSTERDAM

Speelbal van Stephen Fry werd in het najaar van 2001, in opdracht
van Uitgeverij Thomas Rap te Amsterdam, gedrukt bij Hooiberg, Epe.
Oorspronkelijke titel: *The Stars' Tennis Balls*
Omslag en typografie binnenwerk: Volken Beck, Amsterdam
© 2000 Stephen Fry
ISBN 90 6005 727 9 / NUGI 301

Aan M' Colleague

We zijn slechts speelballen der sterren, geslagen en verstrooid
waarheen het hun goeddunkt

John Webster, *De hertogin van Malfi*, 5de bedrijf, 3de scène

I

De valstrik

Het is allemaal ergens in de vorige eeuw begonnen, in een tijd waarin geliefden elkaar brieven stuurden die ze in enveloppen deden. Soms gebruikten ze gekleurde inkt om van hun liefde te getuigen, of besprenkelden ze hun schrijfpapier met parfum.

Plough Lane 41,
Hampstead,
Londen NW3

maandag, 2 juni 1980

Liefste Ned,

Het spijt me van het luchtje. Ik hoop dat je deze brief ergens hebt opengemaakt waar je helemaal alleen bent. Anders pesten ze je dood. Het heet *Rive Gauche*, dus ik voel me een beetje als Simone de Beauvoir en ik hoop dat jij je voelt als Jean-Paul Sartre. Eigenlijk hoop ik van niet, want als je het mij vraagt heeft hij zich tegenover haar nogal achterlijk gedragen. Ik schrijf dit boven na een ruzie met Pete en Hillary. Ha, ha, ha! Pete en Hillary, Pete en Hillary, Pete en Hillary. Je vindt het vreselijk hè, als ik ze zo noem? Ik hou ontzettend veel van je. Als je mijn dagboek zag, zou je het bestérven. Ik heb vanochtend twee hele bladzijden geschreven. Ik heb een lijst opgesteld van alles wat heerlijk en fantastisch aan je is en op een dag als we voor altijd bij elkaar zijn laat ik het je misschien wel lezen en dan besterf je het wéér.

Ik heb je geschreven dat je ouderwets bent.

Punt één: de eerste keer dat we elkaar zagen stond jij op toen ik binnenkwam, wat lief was, maar het was in het Hard Rock Café en ik kwam uit de keuken om je bestelling op te nemen.

Punt twee: telkens als ik pap en mam Pete en Hillary noem, krijg je een rooie kop en knijp je je lippen samen.

Punt drie: toen je voor het eerst met Pete en – oké, jij je zin – toen je voor het eerst met pap en mam sprak, heb je ze door laten bazelen over particulier onderwijs en de gezondheidszorg en hoe vreselijk het daarmee is gesteld en wat een ramp de regering is en je hebt geen wóórd gezegd. Dat je vader voor de Conservatieven in het Lagerhuis zit, bedoel ik. Je hebt heel leuk over het weer zitten praten en onbegrijpelijk over cricket. Maar je hebt niks laten merken.

En daar ging die ruzie vandaag nou juist over. Je vader was tussen de middag op *Weekend World*, je hebt hem schijnwaarlijk wel gezien. (Trouwens, ik hou van je, jezus, ik hou van je.)

'Waar halen ze die lui vandáán?' blafte Pete, terwijl hij naar de televisie wees. 'Waar halen ze die lui in hémelsnaam vandaan?'

'Welke lui?' vroeg ik kil terwijl ik me voorbereidde op een ruzie.

'Líeden,' zei Hillary.

'Die levende anachronismen met hun tweed jasjes,' zei Pete. 'Moet je die ouwe zak zien. Wat voor recht heeft hij om het over de mijnwerkers te hebben? Hij zou nog geen brok steenkool herkennen als het in zijn bord ossenstaartsoep viel.'

'Herinner je je die jongen nog waar ik vorige week mee thuiskwam?' vroeg ik, met wat neutrale waarnemers vast en zeker een ijzige kalmte zouden hebben genoemd.

'Werkgelegenheid, zegt-ie!' schreeuwde Pete tegen het scherm. 'Wanneer heb jíj je ooit druk hoeven maken over werkgelegenheid, meneer Eton-en-Oxbridge?' Toen keek hij mij aan. 'Huh? Wat voor jongen? Wanneer?'

Dat doet hij altijd als je hem iets vraagt – eerst zegt hij iets anders, wat er helemaal niets mee te maken heeft, en dan beantwoordt hij je vraag met een wedervraag. Of twee wedervragen. Ik word er gék van. (Ook van jou, liefste Neddy. Maar gek van tomeloze liefde.) Als je mijn vader zou vragen: 'Pete, in welk jaar was de slag bij Hastings?' zou hij zeggen: 'Ze gaan snijden in de werkeloosheidsuitkeringen. Ze zijn er in krap twee jaar in koopkracht vijf procent op achteruitgegaan. Tuig. Hastings? Waarom wil je dat weten? Waarom Hastings? Hastings was niets anders dan een botsing tussen krijgsheren en roverhoofdmannen. De enige slag waar je iets over moet weten is de slag tussen...' en dan zou hij niet meer te stoppen zijn. Hij wéét dat ik er gek van word. Het maakt Hillary schijnwaarlijk ook gek. Hoe dan ook, ik heb doorgezet.

'Die jongen die ik mee naar huis heb genomen,' zei ik. 'Hij heet Ned. Je kunt je hem vast nog wel herinneren. Hij zat voor zijn eindexamen. Hij is twee weken geleden in de Hard Rock geweest.'

'Die bekakte uitslover met zijn crickettrui. Wat is daarmee?'

'Hij is niet bekakt!'

'Vond ik wel. Vond jij ook niet, Hills?'

'Hij was in ieder geval erg beleefd,' zei Hillary.

'Precies.' Pete richtte zijn aandacht weer op die ellendige tv, waar je vader in beeld kwam terwijl hij een stel mijnwerkers uit Yorkshire probeerde toe te spreken, wat, moet ik zeggen, inderdaad erg om te lachen was. 'Moet je zien. De eerste keer van zijn leven dat die ouwe fascist ten noorden van Watford is geweest, durf ik te wedden. Behalve wanneer hij erdoorheen rijdt op weg naar Schotland om daar korhoenders uit te moorden. Niet te geloven. Niet te gelóven.'

'Moet jij nodig zeggen, wanneer ben jij voor het laatst noordelijker dan Hampstead geweest?' vroeg ik. Nou ja, schreeuwde ik. Wat terecht was, vond ik, want hij zat me gek te maken en hij kan soms zó'n hypocriet zijn.

Hillary zond me haar zo-spreek-je-niet-tegen-je-vader-blik en verdiepte zich toen weer in haar artikel. Ze schrijft tegenwoordig een column voor *Spare Rib* en is heel snel aangebrand. 'Je bent blijkbaar vergeten dat ik in Sheffield ben gepromoveerd,' zei Pete, alsof hij daarmee in aanmerking kwam voor de onderscheiding van Noorderling van het Decennium.

'Daar gaat het helemaal niet om,' ging ik door. 'Wat ik bedoel is dat Ned toevallig de zoon is van die man.' En ik wees met een triomfantelijke vinger naar het scherm. Helaas was op dat moment juist de presentator in beeld.

Pete keek me vol ontzag aan. 'Die jongen is de zoon van Brian Walden?' vroeg hij met schorre stem. 'Ga jij uit met de zoon van Brian Wálden?'

Het schijnt dat Brian Walden, de presentator, parlementslid is geweest voor Labour. Even had Pete een visioen van zijn dochter die uitging met socialistische royalty. Ik zag hoe zijn hersenen koortsachtig probeerden te berekenen hoeveel kans hij maakte om op slinkse wijze (schoonvaders onder elkaar) Brians vertrouwen en daarmee bij de volgende verkiezingen een zetel te winnen, en vanuit de tredmolen van de Onderwijsraad voor de Binnenstad van Londen op triomfantelijke wijze te promoveren naar de glans van het Lagerhuis en landelijke roem. Peter Fendeman, non-conformistische oproerkraaier en held van de werkende klasse, ik zag het hele droombeeld aan zijn begerige ogen voorbijtrekken. Walgelijk.

'Hij niet,' zei ik. 'Híj!' Je vader was inmiddels weer in beeld en beende met een stapel papieren onder zijn arm naar de deur van Downing Street nummer tien.

Ik hou van je, Ned. Ik hou meer van je dan eb en vloed van de maan houden. Meer dan Mickey van Minnie en Pooh van honing. Ik hou van je grote, donkere ogen en je lekkere ronde kontje. Ik hou van je warrige haar en je knalrode lippen. Ze zijn echt heel rood, ik wed dat je dat niet weet. Heel weinig mensen hebben lippen die rood zijn als het rood waar dichters over schrijven. Die van jou zijn van het roodste rood, een roder rood dan waar ik ooit over heb gelezen, en ik wil ze helemaal over me heen, nú – maar o, hoe rood je lippen ook zijn, hoe rond je kontje ook is, hoe groot je ogen ook zijn, ik hou van jóu. Toen ik je daar bij Tafel Zestien naar me zag staan glimlachen, was het alsof je helemaal zonder lichaam was. Ik was in een pesthumeur de keuken uitgelopen en toen zag ik opeens die stralende ziel voor me. Die Ned. Die jij. Een naakte ziel die naar me glimlachte als de zon, en ik wist dat ik dood zou gaan als ik niet de rest van mijn leven met die ziel zou kunnen doorbrengen.

Maar ja, wat had ik vanmiddag graag gewild dat je vader vakbondsleider was, leraar op een middelbare school, hoofdredacteur van de *Morning Star*, Brian Walden in eigen persoon – alles behalve Charles Maddstone, oorlogsheld, brigadegeneraalbuiten-dienst van het Garderegiment, voormalig koloniaal bestuurder. En, bovenal, wat zou ik graag willen dat hij geen lid was van de ministerraad van een Conservatief kabinet.

Maar dat is onzin, hè? Dan zou jij niet jij zijn, toch?

Toen het tot Pete en Hillary allebei was doorgedrongen, keken ze van mij naar de televisie en weer terug. Hillary keek zelfs naar de stoel waarin je had gezeten toen je bij ons was. Met woeste ogen, alsof ze het ding liefst had laten ontsmetten en verbranden.

'O, Portia!' zei ze met wat ze vroeger een 'theatrale stembuiging' noemden.

Pete werd eerst zo rood als Lenin, slikte toen zijn woede en zijn gefnuikte trots in, en begon daarna uiteraard tegen me te Praten. Serieus. Hij had Begrip voor mijn puberale rebellie tegen alles wat ik had leren koesteren en geloven. Nee, sterker nog, hij had er Respect voor. 'Weet je, in zekere zin ben ik trots op je, Porsh. Trots op die strijdvaardigheid. Je verzet je tegen autoriteit en is dat niet wat ik je altijd heb geleerd?'

'Wat?' krijste ik. (Ik moet eerlijk zijn. Er is geen ander woord voor. Het was ronduit krijsen wat ik deed.)

Hij spreidde zijn armen uit en trok zijn schouders op met een misselijkmakende zelfgenoegzaamheid die ik van mijn leven niet zal vergeten. 'Oké. Je bent uitgegaan met die *upper-class-*

uitslover en je hebt je vaders aandacht. Pete luistert naar je. Laten we praten, goed?'

Ik bedóel maar...

Ik stond waardig op, verliet de kamer en begaf mij naar boven om na te denken.

Nou ja, dat is wat had ik móeten doen, maar niet wat ik deed. Wat ik wél heb gedaan is schreeuwen. 'Lazer op Pete! Ik haat je! Je bent zielig! En weet je wat je nog meer bent? Een snob! Je bent een walgelijke, verachtelijke snob!' En daarna beende ik de kamer uit, smeet de deur dicht, rende de trap op en ben boven een potje gaan liggen janken. De Voorzitter van de Onsterfelijken, om met Aeschylus te spreken, had zijn plezier beleefd aan Portia.

Puh! En nog eens puh!

Goed, ze weten het nu tenminste. Heb jij het al aan jouw ouders verteld? Die zullen ook wel tegen het plafond zijn gesprongen. Hun geliefde zoon gestrikt door een dochter van joodse, linkse intellectuelen! Als je trouwens een deeltijddocent geschiedenis aan de Polytechnische Hogeschool van Noordoost-Londen een intellectueel kunt noemen, wat ik persoonlijk sterk betwijfel.

Maar het zou geen echte liefde zijn, als zij niet op verzet stuitte, toch? Ik bedoel maar, als Julia's vader Romeo om zijn hals was gevallen en had gezegd: 'Ik raak geen dochter kwijt, ik krijg er een zoon bij,' en Romeo's moeder had geglunderd: 'Welkom in de familie Montague, mijn lieve Julia,' hadden ze het doek meteen kunnen laten zakken.

Hoe dan ook, een paar uur na die 'akelige scène' klopte Pete aan mijn deur met een kop thee. Nauwkeurig blijven, Portia, nauwkeurig – hij klopte aan mijn deur met zijn knokkels, maar je snapt wat ik bedoel. Ik dacht dat hij weer met allerlei vervelende dingen zou aankomen, maar – nou ja, hij kwam inderdaad met iets vervelends, letterlijk. Hij had net een telefoontje gehad uit Amerika. Zijn broer, mijn oom Leo, blijkt gisteravond in New York een hartaanval te hebben gehad. Hij was al overleden voordat de ambulance er was. Heel triest. Oom Leo's vrouw Rose is in januari overleden aan baarmoederhalskanker en nu is hij ook dood. Hij was achtenveertig. Achtenveertig en overleden aan een hartaanval. Dus komt mijn arme neef Gordon hier in Engeland bij ons in huis. Hij was degene die de ambulance heeft moeten bellen en zo. Denk je eens in dat je je eigen vader onder je ogen ziet doodgaan. En hij is ook nog eens enig kind. Hij is natuurlijk helemaal radeloos, de stakker. Ik hoop dat hij ons aardig vindt. Volgens mij is hij heel orthodox opgevoed, dus ik vraag me af wat hij van ons gezinsleven vindt. Ons idee van koosjer is een bagel met bacon. Ik heb hem nooit ontmoet. Ik heb me hem altijd voorgesteld met een zwarte baard, wat natuurlijk idioot is, want hij is van onze leeftijd. Zeventien, achttien, in die buurt.

Maar het gevolg daarvan is dat er vrede is uitgebroken in huize Fendeman en ik de volgende week een broer heb met wie ik kan praten. Dan kan ik tenminste over jou praten.

Wat meer is dan jij ooit doet, o Neddy van me. 'Wedstrijd gewonnen. Wel aardig gespeeld, denk ik. Hard aan het studeren. Denk veel aan je.' Ik citeer nu de interessante stukken.

Ik weet dat je het druk hebt met je examen, maar ik ook. Maak je geen zorgen. Elke brief die ik van je krijg, doet me haast in zwijm vallen. Ik kijk naar de regels en stel me dan je hand voor die over het papier glijdt en dat is genoeg om me te laten kronkelen als een krolse paling. Ik stel me voor hoe je haar over je voorhoofd valt terwijl je schrijft en dat is genoeg om me... om me... daar heb ik het nog wel eens over met je. Ik denk aan je benen onder de tafel, en miljoenen, triljoenen cellen bruisen en sprankelen binnen in me. De manier waarop je een puntje op een i zet doet me naar adem snakken. Ik houd de envelop tegen mijn lippen en stel me voor hoe jij hem dichtlikt, en mijn hoofd tolt. Ik ben een mal, maf, mesjokke, melodramatisch romantisch meisje en ik houd zielsveel van je.

Maar ik wou toch zó dat je volgend jaar niet naar school terugging. Ga er toch af, dan ben je vrij, net als wij. Je hoeft toch niet per se naar Oxford? Ik zou het vertikken om naar een universiteit te gaan die me zou dwingen op school te blijven als ik al was geslaagd en al mijn vrienden weg waren, alleen maar om een speciaal toelatingsexamen te doen. Wat verbeelden ze zich wel? Waarom kunnen ze zich niet gedragen als een normale universiteit? Ga met mij mee naar Bristol. Daar zullen we veel meer lol hebben.

Maar ik zal je er niet over aan je hoofd zeuren. Je moet doen wat je zelf wilt.

Ik hou van je, ik hou van je, ik hou van je.

Ik moest net aan iets denken. Stel dat je leraar Kunstgeschiedenis die zaterdag niet met jullie naar de Royal Academy was gegaan? Stel dat hij met jullie naar de Tate Gallery was gegaan, of naar de National Gallery. Dan waren jullie niet in Piccadilly terechtgekomen en gaan lunchen in het Hard Rock Café en was ik nu niet het gelukkigste, tot-over-haar-oren-verliefdste meisje van de wereld geweest.

De wereld is... heel... hmm... (raadpleegt het boek over Thomas Hardy dat ze zou moeten zitten bestuderen)... de wereld hangt van toevalligheden aan elkaar.

Goed dan.

Ik zoen de lucht om me heen.

Liefs, liefs, liefs, liefs en nog eens liefs.

Je Portia X

Maar één X, want een quintiljoen zou nog niet half genoeg zijn.

7 juni 1980

Liefste Portia,

Dank je voor die fantastische brief. Na je (volkomen gerechtvaardigde) kritiek op mijn abominabele stijl van brieven schrijven wordt dit absoluut bloedlink. Bij jou lijkt het eruit te spuiten als een geizer (is dat correct gespeld?) en daar ben ik niet zo'n kei in. Bovendien is je handschrift absoluut volmaakt (zoals alles aan je, trouwens) en het mijne absoluut onleesbaar. Ik heb nog even overwogen om je extraatje te beantwoorden door wat eau de cologne of aftershave over de envelop te sprenkelen, maar ik heb niets. De lijnzaadolie waarmee ik mijn cricketbat insmeer kan je zeker niet verleiden, hè? Dat dacht ik al.

Ik vind het echt rot voor je dat je ruzie hebt gehad met je ouders. Zou het helpen als ik Peter (zo, het is eruit!) vertelde dat ik straatarm ben? We gaan nooit op vakantie naar het buitenland, mijn vader kan zich net deze school voor mij permitteren, en ik weet dat het niet erg links klinkt of zo maar de rest van zijn geld geeft hij uit aan heen en weer reizen tussen Londen en zijn kiesdistrict en pogingen om ons huis voor instorten te behoeden. Als ik broers of zusters had zou ik waarschijnlijk ('schijnwaarlijk', zou jij zeggen, waar heb je dat in hémelsnaam vandaan?) hun afdankertjes moeten dragen, nu draag ik die van hém. Ik ben de enige jongen hier die op de dagen dat we ons schooluniform niet hoeven te dragen, rondloopt in een cavaleristenjasje en een rijbroek. Ik draag zelfs zijn oude strohoed, die bijna oranje is van ouderdom, en waarvan de rand rafelt. Toen mijn moeder nog leefde, breide ze zelfs sokjes voor me, alsof ze nog in de vorige eeuw leefde. Mijn vader mag dus een fascist zijn (ik denk oprecht van niet), maar dan een betrekkelijke arme. Ik heb hem verteld dat ik in Londen een meisje heb leren kennen en hij was erg blij voor me. Hij sprong helemaal niet uit zijn vel toen ik zei dat je op je vrije zaterdagen in een hamburgertent werkte. Hij zei juist dat het klonk alsof je een ondernemend type was. En wat het joods zijn betreft – hij was erg belangstellend en vroeg zich af of je familie voor Hitler was gevlucht. Hij heeft iets te maken gehad met het Oorlogstribunaal in Neurenberg en… ach, ik wil helemaal niet zeggen dat mijn vader beter is dan de jouwe – ik vond je ouders heel aardig, eigenlijk – ik bedoel alleen maar dat je je geen zorgen hoeft te maken dat hij je niet goed genoeg vindt of zo. Hij wil jou heel graag leren kennen, en ik wil heel graag dat jij hem leert kennen. De meeste mensen denken dat hij mijn grootvader is, want hij is ouder dan de meeste vaders, als je begrijpt wat ik bedoel. Hij is een prima kerel, vind ik, maar ik besef dat ik absoluut bevooroordeeld ben. Hoe dan ook, hij is alles wat ik heb. Mijn moeder is gestorven bij mijn geboorte. Had ik je dat nog niet verteld? Mijn schuld. Ik was haar eerste kind en ze was bijna vijftig.

Wat een vervelend bericht over je oom in Amerika. Ik leef met je mee. Ik hoop voor je dat die Gordon een aardige jongen is. Het zal leuk voor je zijn om eindelijk eens een broer te hebben. Al míjn neven zijn een ramp.

Ik verlang verschrikkelijk naar de vakantie. Godzijdank is het examen achter de rug. Ik heb zo hard geblokt dat ik helemaal leeg ben, maar ik vrees toch dat mijn resultaten niet goed genoeg zijn.

Oersaai schoolnieuws, deel één: ik ben hoofdmonitor geworden.

Hoera!

We noemen het eigenlijk 'schoolaanvoerder'. Alleen voor het volgende semester, maar ik zal te hard moeten werken voor mijn toelatingsexamen voor Oxford om er echt iets aan te hebben. (Straks meer hierover.) Trouwens, als je zo oud bent als ik, verliest gezag elke glans. Het betekent gewoon veel werk en eindeloos vergaderen met het schoolhoofd en de monitoren – zo noemen we de prefecten bij ons, vraag me niet waarom.

Ten tweede: de zeilclub gaat in augustus naar de westkust van Schotland. De leraar die het organiseert heeft me uitgenodigd om mee te gaan. Veertien dagen: precies de twee weken waarin jij met je ouders naar Italië gaat, dus ook net de twee weken waarin we elkaar sowieso niet hadden gezien. De rest van de tijd zit ik op mijn vaders flat in Victoria en ik hoop dat je daar zo veel mogelijk bij me zult zijn! Krijg je weer werk bij de Hard Rock?

Maar goed. Oxford. Ik moet er ook niet aan denken dat ik in

september weer hier zit terwijl jij dan zo vrij bent als een vogel. Als het aan mij lag, gaf ik er de brui aan en schreef me in voor Bristol, zodat ik bij je kon zijn. Je moet niet denken dat ik met alle geweld naar Oxford wil, het is alleen zo dat ik mijn vader vreselijk teleur zou stellen als ik er niet heen ging. Zijn over-overgrootvader heeft op St. Mark's College gezeten, en elke Maddstone na hem. Er is daar zelfs een binnenplaats naar ons genoemd. Je denkt misschien dat ik daardoor eerder zou worden toegelaten, maar zo werkt het niet meer. Ik zal juist een beter examen moeten doen dan de rest, om te bewijzen dat ik op grond van mijn prestaties ben toegelaten, en niet vanwege mijn familieconnecties. Het zou zo veel voor hem betekenen. Ik hoop dat het niet wanhopig sentimenteel klinkt. Ik ben zijn enige zoon en ik weet gewoon hoe hij zich erop verheugt om mij daar te komen opzoeken, en om alle colleges met me langs te lopen en me al zijn dierbare, oude plekjes te laten zien en zo.

Ik wou dat jij hier naar toe kon komen. Zal ik je het volgend jaar binnensmokkelen als nieuwe leerling? Je hoeft alleen maar gilletjes te slaken en er leuk uit te zien, en daar ben je heel goed in. Nee, je ziet er niet léuk uit – je bent mooi, natuurlijk. Het mooiste wezen dat ik ooit heb gezien of ooit zal zien. (Maar in gilletjes slaken ben je wel heel goed.)

Ik ben wég van je brieven. Ik kan nog steeds niet geloven dat het allemaal waar is. Is dit echt met ons gebeurd? Andere jongens hier hebben ook een vriendinnetje maar ik weet zeker dat het voor hen heel anders is. Ze laten hun brieven lezen en hangen dan de stoere bink uit. Dat wijst er toch op dat het alleen maar een spelletje voor ze is? Maar voor ons is het geen spelletje, hè?

Je had het over dat merkwaardige toeval dat onze klas naar de Royal Academy was gegaan en dat we, als we dat niet hadden gedaan, waarschijnlijk nooit in het Hard Rock Café zouden zijn beland. Wat een éng idee! Maar dan nog, toen je naar ons tafeltje kwam, zaten we daar geloof ik met ons zevenen en waarom ben ík jou juist opgevallen? Nog afgezien van het feit dat ik het in mijn stomme kop haalde om op te staan. Het spijt me erg dat ik je wat dat betreft moet teleurstellen, maar het was geen beleefdheid van me. Ik zag je en ik stond op. Het was een soort instinct. Je zult het wel volkomen krankzinnig vinden – het was alsof ik je al mijn hele leven kende. Sterker nog, nu ik erover nadenk, ik kon zweren dat ik wíst dat je door die klapdeur naar buiten zou komen. Ik had me de hele dag al vreemd gevoeld, anders, als je begrijpt wat ik bedoel, en toen we eindelijk dat restaurant binnenkwamen, na twee uur in dat museum te hebben rondgesjouwd en eindeloos over Piccadilly te hebben gelopen wíst ik gewoon dat er iets zou gebeuren. En toen jij naar ons toe kwam (je streek eerst nog zo grappig je schortje glad en keek of je pen achter je oor zat – ik weet het allemaal nog precies) ben ik gewoon overeind gesprongen. Ik had bijna 'eindelijk!' geroepen en toen keek je me in mijn ogen en glimlachten we naar elkaar en was het bekeken.

Maar je moet de andere jongens ook hebben gezien. De meesten zijn toch langer en knapper dan ik? Ashley Barson-Garland was erbij, en die is twintig keer geestiger en slimmer dan ik.

Dat doet me aan iets denken... Ik heb vanochtend onder biologie iets onvergeeflijks gedaan. Het is een beetje ingewikkeld om uit te leggen en het zit me helemaal niet lekker. Het is niet iets waar jij over in hoeft te zitten, maar het was raar. Ik heb Barson-Garlands dagboek gelezen. Gedeeltes ervan. Zoiets heb ik nog nooit gedaan en ik weet ook niet wat me heeft bezield. Ik vertel het je wel waneer we elkaar weer zien.

Wanneer we elkaar weer zien.
Wanneer we elkaar weer zien.
Wanneer we elkaar weer zien.

Ik moet DE HELE TIJD aan je denken. Er gebeuren allerlei vreemde dingen met me.

Voordat ik ben geboren was mijn vader Districtsresident in

de Soedan. Ik kan me herinneren dat hij me eens heeft verteld dat net uit Engeland aangekomen jongens, die daar plachten rond te lopen in gestreken khaki korte broeken, zich soms naar de muur moesten omkeren of gedwongen waren pardoes op de grond te gaan zitten als ze een van die mooie Nubische vrouwen tegenkwamen die daar met blote borsten of helemaal bloot rondliepen, om het feit te verhullen dat ze, zoals mijn vader het uitdrukte, 'beneden een beetje opgewonden waren geraakt'. Nou, als ik me alleen al bedenk dat jij straks deze brief leest, als ik me alleen maar voorstel dat deze woorden jou onder ogen zullen komen, dan raak ík daar beneden een beetje opgewonden van. Erg opgewonden.

Als ik dus zeg dat ik aan je denk en heel hárd aan je denk, begrijp je wel wat ik bedoel. Goed, nu zit ik er zelf van te blozen. Ik aanbid je zo dat ik amper weet wat ik met mezelf aan moet, behalve lachen.

Ik hou van je tot de allerhoogste macht, plus één.

Ned X

Ned had er geen idee van waarom hij zoiets achterbaks en minderwaardigs had gedaan. Misschien was het het Noodlot, misschien was het de Duivel, in wie hij oprecht geloofde.

Voordat hij besefte wat hij deed had hij het boek uit Ashley Barson-Garlands tas getrokken, op zijn knieën gelegd en opengeslagen. Zijn rechterhand lag op het blad van zijn schoolbank en deed zo nu en dan alsof hij heen en weer gleed over een bladzijde van *Celbiologie voor gevorderden*.

Hij sloeg zijn ogen neer naar zijn schoot en begon te lezen.

Het was een dagboek. Hij had geen idee wat hij had gedacht dat het anders zou kunnen zijn. Het zag eruit alsof het minstens vier jaar oud was. Hij hield het erop dat het juist die ouderdom was die zijn nieuwsgierigheid had gewekt toen hij het uit de tas had zien steken. Hij had Ashley dat boek overal mee naar toe zien nemen en dat had hem geïntrigeerd.

Niettemin was het heel vreemd dat hij zoiets had gedaan. Ned zag zichzelf niet graag als iemand die belang stelde in andermans dagboek.

Het was moeilijk te lezen. Niet het handschrift, dat heel klein was, maar duidelijk en krachtig: Barson-Garlands stijl was – hoe moest je het noemen? – *hermetisch*. Ja, dat was het woord van een intellectueel. De stijl was hermetisch.

Met elke regel die Ned in zich opnam, gleed het lome gedruis van de klas verder en verder van hem af, tot hij totaal alleen was met de woorden en een ader die driftig en schuldig klopte in zijn hals.

3 mei 1978
Didsbury

In de eerste plaats is het de *uitspraak*. Als je die onder de knie hebt, kom je dichter bij ze. Je bent halverwege. Niet alleen de uitspraak, let wel, de hele manier van spreken. Let op hoe de stem uit de mond komt, let ook op het amper opengaan van de mond, de lijn van de lippen, de inclinatie van het hoofd, de beweging van de handen (handen, geen armen, het zijn tenslotte geen Italianen) en de richting van de blik.

Weet je nog hoe in de bus het bloed je telkens naar het hoofd steeg wanneer je jouw naam door hen genoemd hoorde worden? Telkens als ze je naam herhaalden en herhaalden sprong je hart op van vreugde, omdat je één moment lang geloofde dat ze het over jou hadden. Je geloofde echt dat ze jou op onverklaarbare wijze kenden. Ze hadden je herkend als een van hun eigen soort, die door een of andere tragische speling van het lot ergens anders was terechtgekomen. Die allereerste keer in de bus, weet je nog dat ze je naam maar bléven noemen? Wat was je verrukt! Ze hadden het in je herkend. Dat íets wat je hebt. Dat ondefinieerbare iets dat het verschil uitmaakt.

Toen snapte je het. Ze hadden het helemaal niet over jou. Ze hadden geen idee dat je bestond. De Ashley over wie zij het hadden, was heel iemand anders. Een amusánte Ashley…

Da's zéér geestig, *Ashley*.
Ashley, een frááie grap.

Ondanks de aanvankelijke dreun van teleurstelling, die je als door de bliksem getroffen had doen opveren toen je besefte dat ze het niet over jou hadden, kreeg je toch even een warm gevoel van troost en verbondenheid. Je liep er een paar dagen wat zelf-verzekerder door, toch? Misschien dat je die naam, die naam die je zo verafschuwde, die naam waarvoor je je zo schaamde, die naam die je zo burgerlijk had gevonden, misschien dat die naam, nu iemand van hén hem ook droeg, achteraf toch niet zo'n slechte naam was. Zou het kunnen zijn dat 'Ashley' in feite helemaal niet burgerlijk was, misschien zelfs wel – je kon nooit weten – *aristocratisch*?

Maar wie van hen was Ashley dan? Het was absurd, maar je hoorde de naam zo vaak heen en weer gaan dat je je een paar glorierijke dagen hebt lopen afvragen of ze soms allemáál Ashley heetten. Toen heb je de mogelijkheid overwogen of Ashley misschien een algemene naam was die ze gebruikten voor 'vriend', hun pendant voor het lelijke 'maat' dat je elke dag hoorde op jouw betonnen speelplaats, een paar straten verwijderd van hun geplaveide binnenplaats. Maar toen snapte je het opnieuw.

Er was geen Ashley. Ashley bestond niet. Er was alleen maar een op bekakte toon uitgesproken *actually*.

Da's zéér geestig, *actually*. *Actually*, een frááie grap.

Actually, Ashley, kun je eigenlijk, *actually*, ooit echt hebben geloofd dat ze het over jóú hadden? Heb je echt serieus ge-dacht, Ashley, dat hun lome blikken je zelfs maar hadden gere-gistreerd? Soms heeft je gezicht misschien hun blikveld belem-merd, maar kun je ooit oprecht hebben geloofd dat ze je identi-

23

teit, of zelfs je gezicht, Ashley, ook maar hebben wáárgenomen?

Maar jij hebt hen wel waargenomen. En hoe! Je keek naar hun huid en hun haar en vroeg je af hoe die zo anders konden zijn dan ónze huid en ons haar. Dan de huid en het haar van andere mensen. Hadden ze het meegekregen via hun genen? Je zag de kenmerkende blos op hun wangen, vuurrood, veel dieper dan de dofrode vlek die de wangen van de jongens op jóuw school kleurde. Je zag dat de huid bij sommigen van hen zo bleek en doorschijnend was, dat je je afvroeg of het soms lag aan wat ze aten. Of wat hun moeders hadden gegeten toen ze nog in hun schoot dobberden.

Wat het diepst in je ziel is gebrand, was natuurlijk de Vlag. De Vlag van de Uitverkorenen. Hún vlag, hun lokken. Hun kuiven. Hun lokkende kuiven. Hun wapperende, lokkende kuiven. En hoeveel pijn het je heeft gedaan. Wat een leegte er in je groeide wanneer je naar de Vlag keek. Als een Fransman die, ver van huis, opeens een vleugje Gauloise opsnuift. Als een door Azië dolende Engelsman, in wiens oren opeens de herkenningsmelodie van *The Archers* binnen komt waaien. Want diep van binnen wist je altijd dat hun vlag eigenlijk ook jouw vlag was. Als alleen die verschrikkelijke vergissing maar nooit begaan was. En de leegte die in je groeide, de felle pijn die je voelde, was geen afgunst of begeerte. *Actually*, Ashley, was het gemís, was het bállingschap. Je was verbannen van je eigen soort, en het kwam allemaal door die Verschrikkelijke Vergissing.

En hoe vaak had je helemaal bij ze in de bus gezeten? Vijf keer? Hooguit zes. Je zag ze instappen en op de achterbank neerploffen. Soms legde een hand zich op jouw rugleuning, en van de loutere nabijheid van die hand, zo dicht bij jouw hoofd, werd je duizelig en dan wilde je de lucht om je heen opeten, zo diep was de hunkering naar wat zij waren. Naar wat ze bezaten. Naar wat ze deden. Regels overtreden, waarschijnlijk. Zonder schooluniform naar Londen ontsnappen. De voorkeur geven aan truien en ribfluwelen broeken boven het prachtige, het potsierlijke uniform van pandjesjas en gestreepte broek. De Vlag vrijuit, onstuimig wapperend, zonder door strohoedjes of hoge hoeden beperkt te worden.

Heb je niet op de laatste dag, de dag voor de Verhuizing naar het Noorden, zo'n strohoed van de grond onder de bank opgeraapt? Toen hij instapte had hij niet doorgehad dat hij hem nog op had. Ze plaagden hem, en hij had hem lachend, met gespeelde ontzetting, naar de chauffeur toe gekeild. Toen hij bij het uitstappen langs je heen liep, had je bíjna je mond opengedaan, maar je zei niets. Uit schaamte voor je Noord-Londense accent. Je hebt de strohoed opgeraapt en hem gehouden. Een platte strohoed met een blauw lint. En later heb je hem opgezet, nietwaar? In je slaapkamer. Je draagt hem nu. Je draagt hem nu, nietwaar, misselijk, eng, zielig eikeltje? En hij staat je niet, nietwaar? Je haar is te stug om wild op te springen als een zalm in de Tay, of ruisend uit te waaieren als een rol herenstof van Savile Row, je hebt een kop met stekels als een veenplant, als een ordinaire deurmat. Je dráágt die strohoed van J.H.G. Etheridge niet eens (let op de drie initialen... klásse!), J.H.G. Etheridge's strohoed staat toevallig Op Jouw Hoofd. Zoals dit dagboek Op De Tafel ligt en deze tafel Op De Vloer staat. De vloer draagt de tafel niet, de tafel draagt het dagboek niet. Er is een golf, een grote gapende golf van verschil. En het is deze golf, deze golf die... daarom ruk je je toch zo vaak af in die strohoed? Is het niet zo, meelijwekkende nul die je bent?

Hoe heeft die Verschrikkelijke Vergissing ooit kunnen gebeuren? Die verschrikkelijke rééks vergissingen.

Hoe heeft jóuw bewustzijn het product kunnen zijn van zíjn goedkope zaad en háár saaie eicel? Je geboorte was de eerste verschrikkelijke vergissing. Zielsverhuizing zou zo'n gigantische verwisseling kunnen verklaren. In een vorige incarnatie ben je een van hen geweest en nu draag je nog sporen van herinneringen mee die je kwellen. Je bent misschien een vondeling, of het bastaardproduct van een aristocratisch slippertje, ondergebracht bij die treurige mensen die je verplicht bent je ouders te noemen.

In de eerste plaats, je voornaam. Ashley. *Ashley. ASHLEY.* Hoe je hem ook schrijft of uitspreekt, hij kán gewoon niet. Hij ruikt naar bier en goedkope sigaren en handelsreizigers met een zonnebril en jekkers van schapenbont. Ashley is een gymnastiekleraar. Ashley zegt 'Doei!' en 'Hallo, schoonheid!' Ashley rijdt in een Vauxhall. Ashley draagt nylon overhemden en broeken van katoen en polyester die verkocht worden als 'vrijetijdskleding'. Ashley dineert tussen de middag en soupeert om half acht. Ashley zegt 'plee'. Ashley drapeert met kerst lampjes langs zijn dubbele ramen. Ashley's vrouw leest de *Daily Mail* en zet snuisterijen op de televisie. Ashley droomt van een geasfalteerde oprijlaan. Ashley zal het nooit tot iets schoppen in de wereld. Ashley is vervloekt.

Pap en mam hebben je die naam gegeven.

Geen pap en mam zeggen.

Papa en mama, met de klemtoon op de laatste lettergreep. Papá en mamá. Dat maakt het af. De slagroom op het gebakje. (Nooit 'gebakje' zeggen, altijd 'taartje'.) Nou ja, misschien is papá en mamá ook wel een beetje te veel van het goede.

'Vader' en 'moeder' is beter.

Vader en moeder hebben je die naam gegeven. En het venijnige is, qua naam is hij maar nét mis. Roy of Lee of Kevin of Dean of Wayne, dat is tenminste nog authentiek. Echt *Lumpenproletariat.* Dennis en Desmond en Leonard en Norman en Colin en Neville en Eric zijn stuitend, maar eerlijk. Maar... *Ashley!* Het is net zo'n naam als Howard of Lindsay of Leslie. Het is het bíjna. Het zit er nét tegenaan. En dat is natuurlijk het allertreurigste.

Amerikanen hebben dat probleem niet, hè? Met namen en wat ermee geassocieerd wordt. De enige Ashley die je nog een beetje klasse kon toedichten, was zelfs een Amerikaan. Ashley uit *Gone With the Wind.* In de film heeft Leslie Howard niet eens gepróbéérd om hem een Amerikaans accent te geven. Leslie én Howard. Twee walgelijke namen voor de prijs van één. Hij was Hongaar en, vers van de boot, klonken Leslie en Howard hem ongetwijfeld heel chic in de oren.

Het woord 'chic' kan helemáál niet. Dat zég je domweg niet. Maar 'klonk'. Klonk chic. Daar wringt de schoen. Wat mensen chic vínden, ligt vaak zo ver af van wat het *actually*, Ashley, is. Je denkt misschien dat een zilveren viscouvert je van het is, maar viscouverts zijn sowieso taboe. Je kunt er evengoed vingerdoekjes omheen vouwen en dag met je handje zeggen tegen elke hoop om er ooit nog achter te komen hoe het hoort.

Maar het gaat niet om te weten hoe het hoort. Het gaat om de píjn.

Kijk, er zijn mannen die het gevoel hebben dat ze in een verkeerd lichaam zitten, nietwaar? Een vrouw die gevangen zit in een man.

Zou het dan niet kunnen dat sommige mensen zich patriciërs voelen, gevangen in een plebeïsch lichaam? Dat ze weten, gewoon wéten, dat ze in de verkeerde klasse zijn geboren?

Maar het gaat niet om klásse. Het gaat om de húnkering.

Ach, Ashley, sukkel die je bent, kun je echt geloven dat je eigenlijk uit hun wereld komt? Weet je dan niet dat het een wereld is waarin je alleen maar kunt worden gebóren?

Maar het is zo onéérlijk. Als je wilt, kun je Amerikaan worden, of jood. Niet alleen Engelsman, maar, zoals Leslie Howard, een symbool voor alles wat Engeland altijd heeft vertegenwoordigd. Je kunt Londenaar worden, moslim, vrouw of Rus. Maar je kunt geen... had je daar toch bijna *gentleman* gezegd, hè? Maar wat is dan wél het juiste woord? Aristocraat, patriciër, corpsbal... een van hén. Je kunt niet een van hen worden, zelfs al voel je je tot in je vezels een van hen, zelfs al weet je in het diepst van je hart dat het je recht is, je bestemming, je behoefte en je plicht. Zelfs al weet je dat je het beter zou doen dan zij. En dat is de waarheid. Je zou het met zo veel meer stijl klaarspelen, die nonchalance die elk besef verdoezelt dat er überhaupt iets móet worden klaargespeeld, als dat niet te barok klinkt, dat air van natuurlijke, moeiteloze vanzelfsprekendheid. Maar de gelegenheid is je ontzegd vanwege die verschrikkelijke vergissing van je geboorte.

De Verhuizing naar het Noorden was de zoveelste spijker aan je doodskist. Een ander aspect van de Verschrikkelijke Vergissing. Pap was gestorven en mam kreeg een baan als onderwijzeres aan een dovenschool in Manchester. Pap was officier geweest. Bij de RAF, het spijt je dat je het moet toegeven, niet in een eliteregiment van het leger. Maar hij was in elk geval officier geweest. Eerlijk zijn nu, hij was gedwongen dienst te nemen als nederig Luchtmachtsoldaat. Hij was nooit uit het officiershout gesneden. Hij heeft zich door de rangen heen moeten opwerken, en daar ga je kapot aan, nietwaar? Toen is hij gestorven aan de complicaties van suikerziekte, een nogal burgerlijke, om niet te zeggen proletarische kwaal, en jij, je moeder en je zusje Carina zijn naar het noorden verhuisd. (Carina! Carina, God-bewaar-me! Wat is dát voor een naam? Je kunt wel zeggen dat de Hertog van Norfolk ook een dochter heeft die Carina heet, maar er is een wereld van verschil tussen 'Mag ik u Lady Carina Fitzalan-Howard voorstellen?' en 'Dit is Carina Garland.') Je moest Old Harrow achter je laten en de nabijheid van hen, hun jacquets, hun hoge hoeden, blazers en strohoeden. Je was twaalf jaar. Geleidelijk aan sloop een noordelijk accent je spraak binnen. Niet geprononceerd, een vleugje, maar voor jouw gevoelige, zuiver gestemde oren even opvallend als een gespleten gehemelte. Je begon 'ain' en 'gain' te zeggen in plaats van 'een' en 'geen' en 'miskien' in plaats van 'misschien'. Op school zei je zelfs 'doe mij es' in plaats van 'geef me eens'. Logisch, je zou anders in elkaar geslagen zijn als een opscheppertje uit het zuiden, maar je hebt toch wat van die taalkundige modder mee het huis in genomen. Niet dat het je moeder is opgevallen.

En toen kwam die middag.

Ze had die middag een paar van haar dove kinderen meegenomen voor een kopje thee. Toen ze weg waren zei je dat ze godbetert zelfs in gebarentaal nog met een Manchester-accent spraken. Je vond het zelf een goeie grap. Je moeder bepaald niet en ze noemde je een snob. Dat was voor het eerst dat het woord er onomwonden uitkwam. Het bleef hangen als een scheet in een tearoom. Ik deed alsof ik het niet had gehoord, maar we wisten dat er iets fundamenteels was aangeroerd, want we moesten allebei blozen en slikken. Ik begon omstandig mijn schoenveters te strikken, en zij had het opeens druk met het deksel van de theepot.

En ik... ach. Ik ben in de eerste persoon vervallen. Ik heb 'ik' gezegd.

Geeft niets, het zal allemaal snel genoeg verleden tijd zijn. Pas maar op, ik ben op weg om een van hen te worden. Ik ben er bijna. En ze zullen me op geen enkele manier kunnen tegenhouden. Ik ben slimmer dan zij en moediger en beter. Ik ben voorbereid op elk examen en ze zullen me niet kunnen afwijzen.

Maar ik moet me voorbereiden op die andere beurs. De beurs die telt. Die beurs voor het leven, als ik zo hoogdravend mag zijn. Ik zal de meisjesnaam van mijn moeder, Barson, erbij nemen. Waarom niet? Zíj doen dat al jaren. Ik ga me Barson-Garland noemen. Dat heeft wel iets, vind ik. Verdomd, ik kan mezelf drieloops maken. Barson-Barson-Garland, hoe klinkt dat? Een tikje té, vind ik. Maar Barson-Garland bevalt me. Het compenseert dat Ashley een beetje, het maakt het bijna dragelijk.

Maar in de eerste plaats moet ik aan mijn uitspraak werken. Wanneer ik daar aankom, moet die vlekkeloos zijn, dan komen ze er nooit achter.

Zeg niet zeven, maar zeuven.
Zeg niet moeten, maar motten.
Zeg niet kerel maar kaerel
Zeg niet –

De buitendeur van het biologielokaal sloeg dicht, en toen Ned op-
keek zag hij de kruin van Ashley's hoofd door de ruit van de bin-
nendeur. Hij sloeg het dagboek dicht, schoof het ijlings terug in de
tas, en boog zich snel over *Celbiologie voor gevorderden*, met zijn
vuisten tegen zijn wangen en zijn volle pony als een dik, zijden gor-
dijn voor zijn ogen.

Hij zat in deze houding van opperste concentratie toen Barson-
Garland weer naast hem ging zitten. Ned keek met een glimlach
op. Hij hoopte dat de druk van zijn vuisten een eventuele blos zou
verklaren.

'Waar ging het over?' vroeg hij fluisterend.

'Niets bijzonders,' zei Barson-Garland. 'Het hoofd wil dat ik de
oratie houd op Proclamatiedag.'

'Verdomd, Ash! Dat is absoluut fantastisch!'

''t Heeft niks om 't lijf,' weerde Ashley af. 'Het heeft niets te betekenen,' corrigeerde hij zichzelf snel.

Ned probeerde een gezicht te trekken alsof hem niets was opgevallen. Een half uur eerder zou hem ook niets zijn opgevallen. Hij
legde in een plotselinge opwelling van warmte en vriendschap zijn
hand op Ashley's schouder.

''k Ben verdomde trots op je, Ash. Ik heb altijd al geweten dat je
een genie bent.'

Meneer Sewells hoge, krassende stem kwam tussenbeide. 'Als je
al die informatie hebt verwerkt, Maddstone, en niets beters hebt te
doen dan kletsen, dan ben je ongetwijfeld in staat om voor het bord
te komen en dit chloroplasma voor me te benoemen.'

'Jawel, meneer.' Ned zuchtte opgewekt en zond Barson-Garland
een dramatisch glimlachje over zijn schouder terwijl hij naar voren
liep.

Barson-Garland glimlachte niet. Hij keek strak naar een ge-
droogd klavertjevier dat op Ned Maddstone's plaats lag. Hetzelfde
klavertjevier dat drie jaar lang ongestoord tussen de bladzijden van
zijn geheime dagboek had gelegen.

Er werd luid geklopt op de deur van Rufus Cade's studeerkamer. Na twintig seconden gevloek en paniek liet Cade zich in zijn leunstoel vallen, wierp een verwilderde blik door de kamer, constateerde dat alles in orde was en riep 'Binnen' op een toon die, hoopte hij, zowel ontspannen als verveeld klonk.

Het spottende gezicht van Ashley Barson-Garland verscheen om de hoek van de deur.

'O, ben jij het.'

'In eigen persoon.' Ashley ging zitten en keek geamuseerd toe terwijl Cade zich half uit het raam boog en pepermuntjes uit zijn mond spuugde als een passagier die over de railing van een veerboot kotst.

'Een heerlijke lavendelgeur lijkt door de kamer te waren,' zei Ashley, terwijl hij een spuitbus met luchtverfrisser van het bureau pakte en hem met een welwillend lachje bekeek.

Cade, die nog steeds over de vensterbank leunde, harkte met zijn vingers door het bloembed onder zijn raam. 'Je had best mogen zeggen dat jij het was.'

'En mezelf het genoegen ontzeggen van dit toneelstukje?'

'Godvergeten geestig...' Cade richtte zich op en begon de gehavende, maar bedreven gerolde joint in zijn hand van bladaarde te ontdoen.

Ashley keek vergenoegd toe. 'Hoe precieus. Als een archeoloog die de aarde van een net opgedolven Etruskische vaas borstelt.'

'Ik heb ook een fles Gordon's,' zei Cade. 'Wil je wel geloven dat Maddstone me die vijf pond heeft terugbetaald die ik hem had geleend?'

'Zeker geloof ik dat. Ik zag dat zijn trotse papá hem vanmiddag vlak voor de wedstrijd een briefje van tien toestopte.'

Cade haalde een Zippo uit zijn zak. 'Zeker als beloning omdat hij straks hoofdploert wordt?'

'Zulks is vermoedelijk het geval. En ook omdat hij aanvoerder van het cricketteam is en het schoolrecord voor batten heeft gebroken. En omdat hij innemend is en braaf en lief en aardig. En omdat hij...'

'Jij mag hem niet, hè?' Cade zoog zijn longen vol rook en reikte Ashley de joint aan.

'Dank je. Ik ben ervan overtuigd dat jij hem ook niet mag, Rufus.'

'Och. Nou ja, je hebt gelijk. Ik mag hem niet.'

'Heeft dat iets te maken met het feit dat hij je niet bij de eerste elf heeft gekozen?'

'Ben je gek,' zei Cade. 'Wat maakt mij dat nou uit. Alleen... het is een lul. Hij denkt dat hij God is. Arrogant.'

'In die mening kon je wel eens betrekkelijk alleen staan. Volgens mij is de algemene opvatting hier op school dat onze Neddie voorbeeldig en ontwapenend bescheiden is.'

'Ja ja, dat zal wel. Mij houdt hij niet voor de gek. Hij doet alsof de hele wereld van hem is.'

'Dat is ook zo.'

'Maar hij heeft geen cent,' zei Cade vol leedvermaak. 'Zijn vader is straatarm.'

'Ja,' zei Ashley rustig. 'Straatarm.'

'Niet dat daar iets mis mee is,' vulde Cade met tactloze haast aan. 'Ik bedoel maar... geld is niet... eh...'

'Niet alles? Dat vraag ik me vaak af.' Ashley sprak duidelijk en kalm, zoals altijd wanneer hij boos was, en dat was hij vaak. Woede voedde en kleedde hem en hij had er veel aan te danken. Cade's tactloosheid had hem diep geraakt, maar hij gebruikte zijn drift om zijn gedachten de vrije loop te laten. 'Zullen we het zo formuleren? Geld staat tot Alles, zoals een Vliegtuig staat tot Australië. Het vliegtuig ís Australië niet, maar het blijft de enige praktische manier die we kennen om er te komen. Dus misschien is het vliegtuig toch Australië, metonymisch gesproken.'

'Een glas gin?'

'Waarom niet?' In één seconde van ergernis naar geamuseerdheid. Ashley vond het moeilijk om kwaad te blijven op een diersoort dat zo laag op de evolutionaire ladder stond als een Cade.

'Je oratie was... ongelofelijk,' zei Cade, terwijl hij Ashley een fles en een glas aangaf. Ashley zag dat de fles halfleeg was, terwijl Cade al meer dan halfvol leek.

'Vond je er wat aan?'

'Tja, het was in het Latijn, toch? Maar het klonk uitstekend.'

'We doen ons best om te behagen.'

'Zal ik wat muziek opzetten?'

'Muziek?' Ashley liet zijn ogen met kritische en opzettelijke walging langs Cade's vol trots gerangschikte platencollectie gaan. 'Maar je hebt zo te zien helemaal geen muziek. Ik bedoel maar, wat is bijvoorbeeld Emerson, Lake & Palmer? Een advocatenkantoor?'

'Symfonische rock. Jaren zeventig. Daar moet je toch wel eens van gehoord hebben – *shit!*'

Een nauwelijks hoorbaar klopje op de deur deed Cade overeind veren. Voordat hij tijd had voor een herhaling van zijn Witte Tornado-act, was Ned Maddstone de kamer binnengekomen.

'O, jee, sorry. Ik wilde geen... Hé, maak je in godsnaam niet druk. Ik... ik bedoel maar, jezus, het schooljaar is bijna afgelopen. Trek je van mij niets aan. Ik kwam alleen maar...'

'Kom binnen, Ned, we waren juist iets aan het vieren, zal ik maar zeggen,' zei Cade terwijl hij overeind kwam.

'Goh, dat is heel aardig, maar eigenlijk... Nou ja, ik ga dineren met mij vader. Hij logeert in het George Hotel. Ik dacht al dat je hier zou zitten, B-G, en ik vroeg me af of je zin had om mee te gaan. Eh, jullie allebei, natuurlijk. Je weet wel, de laatste avond van het schooljaar en zo.'

Ashley lachte in zichzelf om de pijnlijke manier waarop Rufus ook werd uitgenodigd.

'Dat is heel aardig van je,' antwoordde Rufus, 'maar weet je, ik ben eigenlijk een beetje lam. Ik geloof niet dat je veel aan me zou hebben. Ik zou je eerder in verlegenheid brengen, denk ik.'

Ned wendde zich gespannen tot Ashley. 'Tenzij je andere verplichtingen hebt, Ash?'

'Ik voel me vereerd, Ned. Waarlijk vereerd. Kan ik even naar bo-

ven gaan en iets aantrekken dat meer geschikt is voor de avond?'
Hij wees met een treurig gezicht op de kleding die hij droeg ter gelegenheid van Proclamatiedag. 'Ga jij maar vast, dan zie ik je straks
wel in het hotel, als je daar geen bezwaar tegen hebt.'

'Mooi. Mooi. Heel mooi,' zei Ned met een verheugde grijns.
'Goed dan. En, Rufus, tot augustus dan maar, hè?'

'Pardon?'

'Je gaat toch mee op die zeiltocht met Paddy?'

'O. Ja, natuurlijk,' zei Cade. 'Absoluut.'

'Dan zien we elkaar in Oban. Ik kijk ernaar vooruit. Mooi. Oké.
Goed zo.'

Nadat Ned de kamer uit was gelopen bleef het een tijd stil in Cade's kamer. Alsof de zon was verduisterd, ging het bitter door Ashley heen.

Dat hij, Ashley Barson-Garland, zo neerbuigend werd behandeld door die hersenloze, bekakte, bekuifde, prefect-perfecte zijige
eikel met zijn onschuldige hertenogen –

Hij had het wel gezien, natuurlijk, Ashley had het duidelijk in
Neds ogen gezien. Het verontschuldigende begrip. Het amicale medeleven. Ned was te stom om te weten dat hij, Ashley, het wist. Als
iemand anders, wie dan ook, op school zijn dagboek had gelezen,
zouden ze hem meedogenloos hebben gepest, en was de hele school
het te weten gekomen. Ashley was niet populair, dat wist hij heel
goed. Hij was niet 'een van hén'. Er was niets op hem aan te merken,
maar hij was niet een van hen. Dat was het hem juist, er was júist
helemaal niets op hem aan te merken. Die stupide zonen van *upper-
class* merries en volbloedhengsten, het waren lompe hufters, die de
privileges die ze genoten absoluut onwaardig waren. Hij, Ashley
Barson-Garland, hoorde er niet bij omdat hij niet boers genoeg was.
Wat een prachtige ironie. Maar omdat het Ned was die stiekem in
zijn dagboek had geneusd, waren Ashley's geheimen veilig.

En toch, hield Ashley zichzelf voor, geen geheim is ooit veilig
wanneer een ander er weet van heeft. Het was een onverdraaglijke
gedachte dat zijn leven, een deel van zijn leven, een zelfstandig bestaan leidde in het hoofd van een ander.

Even overwoog hij bij zichzelf de mogelijkheid dat hij zijn tas met opzet naast Ned open had laten staan. Waarom had hij zijn tas niet meegenomen toen de boodschap was gekomen dat het Hoofd hem wilde spreken? Hij wist zeker dat hij nog nooit zo onzorgvuldig was geweest met zijn dagboek. In de eerste plaats nam hij het vrijwel nooit mee naar de lessen. Het lag altijd veilig weggesloten in het bureau op zijn kamer. Bovendien was Biologie het enige vak dat hij volgde waarbij hij naast Ned zat. Had hij dus gewild dat Ned het zou lezen? Ashley schudde zich los uit deze doodlopende schijnredenering. Met goedkope psychologie schoot hij niets op. Relevanter was de vraag welke bladzijden Maddstone gelezen had. Ned kennende, bedacht Ashley, was hij bij het begin begonnen. Ver kon hij nooit zijn gekomen. Snellezen was niet een van zijn gaven.

Wat zou Ned daarna hebben gedaan? Gebeden waarschijnlijk. Ashley barstte bijna in lachen uit bij het idee alleen al. Ja, Ned zou naar de kapel zijn gegaan, en op zijn knieën om leiding hebben gebeden. En wat voor leiding zou zijn stralende, kastanjebruingelokte, uit een shampooreclame weggelopen Christus Ned gegeven hebben? 'Gaat heen en omarm Ashley als een broeder. Mijn zoon Ashley is bevreesd en vervuld van zelfhaat. Gaat dus henen, opdat de goedheid en liefde Gods op zijn aangezicht schijne en hem geneze.'

Sympathie. Ashley verstijfde over zijn hele lichaam. Hij wilde Neds strot open bijten. Hij wilde de aderen en zenuwen er met zijn tanden uitrukken en op de grond spuwen. Nee, dat was verkeerd. Dat was het helemaal niet. Dat wilde hij niet. Dat was een scenario dat alleen maar tot Neds martelaarschap zou leiden. Ashley wilde iets veel volmaakters. Hij voelde een nieuwe woede, die hij niet meteen kon benoemen. Het was haat.

Cade had de gin opgedronken. 'Je gaat toch niet echt met zijn ouders dineren?' vroeg hij.

'Nee? Natuurlijk wel,' zei Ashley aimabel.

'Ik denk eigenlijk niet dat hij mij wilde vragen,' zei Cade. 'De lul.' Hij sloeg met zijn vuist op de armleuning van zijn stoel, zodat er een wolkje stof opsteeg. 'Ik bedoel, waarom ben ik verdomme opgestaan? Alsof hij een van de docenten is, of zo. Hij is altijd zo god-vergeten corréct. Wat een typocriete teringlijer.'

'Typocriet?' zei Ashley. 'Leuk woord. Typocriet. Soms verbaas je me, Rufus.'

'Nog een trekje?' Cade hield het peukje van zijn joint omhoog. 'Ik bedoelde hypocriet.'

'O nee! Dat dacht je misschien, maar je hersens wisten wel beter. Je kent toch wel *De psychopathologie van de omgangstaal?*'

'Slap gelul,' zei Cade.

Ashley stond op. 'Goed, ik moest me maar eens gaan omkleden. Wat een genot om dit keurslijf uit te trekken.'

Dat was een leugen. Ashley kende haast geen groter genot dan zich in het zondagsuniform van gestreepte broek, jacket en hoge hoed te hullen.

'Klootzak,' zei Cade. 'Godvergeten gore klootzak.'

'Dank je, amice.'

'Nee, jij niet. Maddstone. Wie denkt hij godverdomme wel dat hij is?'

'Wat je zegt,' zei Ashley, terwijl hij naar de deur liep. 'Slaap zacht.'

'Als je maar weet,' mompelde Rufus Cade voor zich uit, terwijl hij in zijn fauteuil achteruitleunde en de deur dichtging, 'dat je zelf ook een klootzak bent, Ashley Bastaard-Garland. Laten we eerlijk zijn, we zijn allemaal klootzakken. Au!' Hij had zijn lip gebrand aan het minuscule peukje van zijn joint. 'Allemaal klootzakken, be-halve Ned Eikeltje Maddstone. En daarom,' probeerde hij zichzelf te overtuigen, 'is hij de grootste klootzak van ons allemaal.'

Pete en Hillary werden omgeven door die onuitstaanbare zelfvoldaanheid die altijd om hen heen hing als ze 's nachts hadden gevreeën. Portia zorgde voor tegengif door extra lawaaierig en ongeduldig door de keuken te stommelen en de laden zo hard dicht te rammen dat het bestek in de bestekbakken rinkelde en klingelde als een gamelan. Fel Toscaans zonlicht stroomde door het raam naar binnen en verlichtte de grote, centraal opgestelde tafel waaraan Pete grote stokbroden zat te snijden.

'Vanochtend,' zei hij, 'gaan we ons te buiten aan *prosciutto* en *mozzarella*. Er is kersenjam, er is abrikozenjam en Hills is koffie aan het zetten.'

'Sinds we hier zijn gaan we ons elke ochtend aan precies hetzelfde te buiten,' zei Portia terwijl ze met een glas sinaasappelsap aan tafel ging zitten.

'Dat weet ik. Heerlijk toch? Hills en ik zijn vanochtend al vroeg opgestaan en hebben vers brood gehaald in het dorp. Ruik eens. Toe dan. Hè, toe dan.'

'Pete!' Portia duwde het brood onder haar neus vandaan.

'Iemand is vanochtend blijkbaar met haar verkeerde been uit bed gestapt...'

Portia keek naar haar vader. Hij droeg een openvallend, gebatikt hemd, een armband van olifantshaar, houten sandalen, en, constateerde ze met een rilling, een nauwsluitende, kastanjebruine zwembroek die elke bocht en bolling van zijn geslacht deed uitkomen.

'In hemelsnaam,' begon ze, maar ze brak haar zin af omdat haar neef slaperig en sloffend de keuken binnenkwam.

'Aha!' zei Pete monter. 'Het is wakker. Het is wakker en moet gevoed.'

'Hé, *hi*!' zei Hillary, die de merkwaardige gewoonte had aangenomen een beetje op de Amerikaanse toer te gaan wanneer ze tegen Gordon sprak. Daar werd Portia ook al gek van.

'En, wat gaan we doen?' vroeg Gordon. Hij tilde een boodschappentas van de stoel naast Portia en ging zitten.

'Nou,' zei Hillary opgewekt, terwijl ze een koffiepot tussen hen in zette, 'Pete en ik dachten erover een kijkje te gaan nemen bij de *palio*.'

'Die is al geweest, Hillary,' zei Portia korzelig, alsof ze het tegen een klein kind had. 'We hebben dat gezin ontmoet dat er vorige week heen is geweest, weet je nog? Vlak voor hun neus viel een ruiter van zijn paard. Er stak een stuk bot uit zijn been. Zelfs jij kunt dat niet zijn vergeten.'

'Ja, maar er worden meer *palio's* gehouden in Italië, schat,' zei Pete. 'Lucca heeft vanavond zijn eigen *palio*. Niet zo spectaculair en gevaarlijk als die in Siena, maar heel aardig heb ik gehoord.'

'Lucca?' zei Gordon met zijn mond vol brood. 'Waar ligt Lucca?'

'Niet zo ver hiervandaan,' antwoordde Pete, die zich een grote kom met koffie inschonk en er warme melk bij deed. Er kwamen kleine velletjes bovendrijven. De aanblik ervan deed Portia kokhalzen. 'Ik wilde er sowieso naar toe. Het is de olijfoliehoofdstad van de wereld, zeggen ze. Je kunt zien hoe het wordt geperst. Als we nou vanochtend wat gaan zwemmen en lezen, dan kunnen we er daarna op ons gemak naar toe rijden, over binnenweggetjes, en dan gaan we ergens in de heuvels lunchen. Wat vinden jullie daarvan?' Aan zijn snor kleefden kleine velletjes van de koffie. Portia had zich nog nooit zo voor hem gegeneerd. Hoe Hillary zoiets boven op zich kon verdragen was haar altijd al een raadsel geweest, maar nu ze wist dat er een man als Ned bestond, nam dat raadsel de dimensies aan van een eeuwig, kosmisch mysterie.

'Lijkt me prima,' zei Gordon. 'Jou ook, Porsh?'

'Ja hoor.'

Portia bedwong een kribbig schouderophalen. Tegenover haar ouders gedroeg ze zich graag als een verwend nest, maar op Gordon maakte ze liever een wat volwassener indruk. Wat ze eigenlijk had willen zeggen, was: 'Dan komen we dus in Lucca aan als alles dicht is. En dan moeten we weer zoals altijd vijf uur door een totaal leeg en verlaten stadje dwalen tot iedereen uit zijn siësta is ontwaakt. Fantastisch plan, Pete.'

Nu stelde ze zich tevreden met de mededeling: 'Arnolfini kwam uit Lucca.'

'Wat bedoel je?' vroeg Gordon.

'Er is een schilderij van Van Eyck,' zei Portia, '*Portret van Arnolfini en zijn vrouw*. De man op het schilderij, Arnolfini, kwam uit Lucca. Hij was een koopman.'

'O ja? Hoe komt het dat je zoiets weet?'

'Weet ik niet, ergens gelezen, denk ik.'

'Ik heb nooit kunstgeschiedenis gestudeerd.'

Portia besefte dat een reactie als: 'Ik ook niet, je hoeft niet iets te "studeren" om er iets van te weten,' arrogant zou klinken, zodat ze, alweer, haar mond hield. Werkelijk, ze was de laatste tijd onuitstaanbaar intolerant aan het worden. En ze mocht Gordon, niet in het minst om de kalme manier waarop hij berustte in de afschuwelijke dingen die hem waren overkomen. Hij scheen haar ook te mogen, en het is heel gemakkelijk, bedacht ze, om iemand te mogen die jou mag. Dat was geen ijdelheid, maar gewoon een kwestie van gezond verstand.

'Aha, me dunkt dat ik het muzikale gerammel hoor van een Fiat,' zei Pete, zijn oor naar de keukendeur wendend, 'die ons wellicht post uit Engeland komt brengen.'

Portia stond op. Ze vergaf zichzelf haar geprikkeldheid. Zoals een junkie met heel zijn lichaam hunkert naar een shot, had zij gehunkerd naar een brief. 'Ik ga wel,' zei ze. 'Ik wil mijn Italiaans op hem oefenen.'

Hillary riep haar na. 'Porsh, je weet toch dat de uitslag er pas op zijn vroegst over een week kan zijn! En bovendien heeft mevrouw Worrell beloofd om ons op te bellen als er iets wordt bezorgd dat van de examencommissie zou kunnen komen…'

Maar Portia was het huis al uit en stapte de witte gloed van de dag in. Niks examenuitslag. Niks wat dan ook. Een brief van Ned, er moest een brief van Ned zijn.

'*Buongiorno, Signor Postino!*'

'*Buongiorno, ragazza mia.*'

'*Come va, questo giorno?*'

'Bene, grazie, bene. E lei?'

'Anche molto bene, mille grazie. Hm... una lettra per mi?'

'Momento, momentino, Signorina. Eccola! Ma solamente una carta. Mi dispiace, cara mia.'

Een ansichtkaart, alleen maar een ansichtkaart. Ze onderdrukte haar teleurstelling en pakte hem met trillende vingers aan. Hij was aan het zeilen, hield ze zichzelf voor. Een brief schrijven ging op zo'n boot niet zo makkelijk. En terwijl ze met groeiende verrukking naar de kaart keek zag ze bovendien dat hij hem in het kleinst mogelijke handschrift had volgekrabbeld, en het adres van de villa zelfs in rode inkt had geschreven, zodat het helder afstak tegen de minuscule blauwe lettertjes waarmee hij bijna elke vierkante millimeter van de kaart had bedekt. Hij had zelfs nog dunne sliertjes woorden tussen de regels van het adres door weten te weven, zag ze. Het was beter dan een brief, nu ze zag hoeveel moeite hij eraan had besteed. Duizend keer beter. Ze was zo vervuld van liefde en geluk, dat ze bijna in snikken was uitgebarsten.

'Ciao, bella!'

'Ciao, Signor Postino!'

Ze draaide de kaart om en keek naar de foto op de voorkant, terwijl ze haar ogen afschermde tegen de weerkaatsing van de felle zon. Onder een mildere zon dan die momenteel op haar neerbrandde lag een kleine vissershaven. 'Tobermorey, de haven,' stond er in ouderwetse, gele, schuine letters onder. De foto zag eruit alsof hij in de jaren vijftig was genomen. Er stond een Morris-Minorbusje langs de kade geparkeerd. Toen ontdekte Portia tussen de dicht tegen elkaar aan dobberende vissersbootjes een met rode inkt getekend jachtje. Op de romp was een nerveus glimlachend gezichtje getekend, die de boot de angstige gelaatsuitdrukking gaf van Thomas de Kleine Locomotief op het moment dat de grote, wilde locomotieven hem dreigen te verpletteren. Een pijltje wees vanuit de hemel naar de boot, en daarboven was gekrabbeld: 'Het piratenschip "Nedlet" ligt smachtend voor anker.'

'Bericht van je vriendje?' Gordon kwam naar buiten met *De wereld volgens Garp* en een kop koffie. Hij zeeg neer op een bank aan het terras dat de villa voor driekwart omgaf en keek door een donkere zonnebril op naar Portia.

Ze knikte en deed geen enkele moeite om haar geluk te verbergen. Gordon sloeg zijn rechterarm over zijn borst en krabde op zijn linkerschouderblad. De in de holte van zijn elleboog samengedrukte huid leek bijna zwart verbrand. Toen hij zijn arm weer rechtte, was het effect verdwenen.

'Hij is aan het zeilen, toch?'

'In Schotland.'

'Ik heb nog nooit gezeild.'

'Ik ook niet. Ik zou er absoluut ziek van worden.' 'Absoluut' was een stopwoord aan het worden van Portia. Ned strooide het te pas en te onpas door zijn brieven, en ze beschouwde het als zijn woordje. Wanneer ze het gebruikte was het net alsof ze een oud overhemd van hem droeg, en dat gaf haar een warm en trots gevoel.

'Ja, ja.' Gordon knikte ernstig alsof ze iets dieps en belangwekkends had gezegd. Toen pakte hij een flesje *Hawaiian Tropic* zonnebrandolie op. 'Zou je me hier even mee in willen smeren?'

'Ja hoor...'

Portia legde de ansichtkaart neer en pakte het flesje van hem aan.

'Ik draai me even om, dan kun je mijn rug doen.'

Toen ze haar handen tegen elkaar wreef steeg de geur van kokosnoot omhoog. Terwijl ze de olie over zijn huid smeerde, zag ze dat Gordon zilveren haartjes in de holte van zijn rug had, gevederd en spiraalvormig als een korenveld na een storm, terwijl donkerder haar vanuit zijn nek over zijn schouders krulde. Het voelde een beetje ruw aan onder haar handen. Zijn borst was dicht begroeid met zwart kroeshaar, en zijn baardgroei was zwaarder dan die van Pete, die meer dan tweemaal zo oud was als hij. Ze vroeg zich af hoe dat kwam. Het was niets etnisch. Pete was even joods als Gordon. Misschien lag het aan het Engelse klimaat. Ze dacht aan Ned, en hoe trots hij had verkondigd deze zomer 'eens een poging te wagen' om een snor te laten staan.

Portia goot een plasje olie in de holte van Gordons nek. Ned was sterk, maar ze geloofde niet dat zijn spieren net zo hard en strak tegen zijn vel spanden als die van Gordon. Gordon stortte zich iedere middag in de schaduw van de geplaveide binnenplaats achter de villa op een serie fitnessoefeningen, tot kennelijk vermaak van Pete en nauw verholen belangstelling van Hillary. Portia stond dan te kijken hoe Hillary stond te kijken, en Pete keek naar Portia die naar Hillary stond te kijken, en Portia wist dat Pete dan dacht aan zijn eigen kwabbige lichaam en een socio-politieke verklaring probeerde te ontwikkelen ter rechtvaardiging en sublimatie daarvan.

In New York speelde Gordon regelmatig in het tennis- en *lacrosse*-team van zijn school. Hij was diep verontwaardigd geweest toen hij had gehoord dat *lacrosse* in Engeland een sport was die bijna uitsluitend werd beoefend door meisjes op particuliere scholen. 'Hij heeft helemaal gelijk,' had Ned aan Portia geschreven. '*Lacrosse* is een keiharde, fysieke sport. Ik zou er als de dood voor zijn. Daarom laat ik hem ook met het grootste genoegen aan jullie meiden over.'

Portia glimlachte terwijl ze aan de toekomst dacht. Ze stelde zich de dagen voor waarop ze Neds rug zou kunnen insmeren met zonnebrandolie, tijdens vakanties die nog moesten komen, in plaatsen die nog moesten worden bedacht. Ze bedacht hoe vreemd het was dat ze zijn lichaam nog niet kende. Ze had hem nooit in een tennis- of zwembroek gezien. Ze had hem nog nooit naakt gezien. Eén keer had ze, toen ze elkaar aan het zoenen waren, iets tegen haar dij voelen drukken. Een diepe blos breidde zich over haar gezicht uit bij de herinnering, en ze giechelde inwendig om de naïviteit waarmee ze aanvankelijk had gedacht dat hij iets in zijn zak had zitten. Misschien dat ze volgende week, in de flat van zijn vader, samen naar boven zouden gaan. Misschien –

'Waar is dat, "Tobermorey, de haven"?'

'Hé!' Portia griste de kaart uit Gordons handen. 'Dat is privé! O, néé!' Portia keek ontsteld naar de kaart waarop haar duim een veeg olie had achtergelaten die een heel stuk van Neds zorgvuldige handschrift onleesbaar had gemaakt.

'Nee!' jammerde ze. 'Hij is helemaal bedorven! Hoe kan je dat nou doen? Klóótzak!'

'Hé, het spijt me. Ik wilde alleen maar – '

Portia stormde het huis in, terwijl de tranen haar in de ogen sprongen. Gordon keek haar na, haalde zijn schouders op en verschikte zijn khaki korte broek om zijn erectie de ruimte te geven.

Gordon vroeg zich af of het feit dat Portia verliefd was zo'n heftige begeerte in hem wekte. Hij bedacht dat hij zelf misschien wel even zwaar verliefd was, al zouden ze waar hij vandaan kwam eerder hebben gezegd dat hij 'op haar geilde'. Zelfs de jongens in Engeland, was hem opgevallen, zeiden eerder 'ik val op haar' dan 'ik hou van haar'.

De manier waarop Portia vrijwel meteen na zijn aankomst in Londen haar hart bij hem had uitgestort, had hem meer van slag gebracht dan het vreemde eten, de onbegrijpelijke uitspraak en het verbijsterende stratenplan waarmee hij was geconfronteerd. Hij had van de Britse Fendemans meer van de kille zwijgzaamheid en stroeve terughoudendheid verwacht waarover zijn vader steeds weer was begonnen wanneer hij de onweerlegbare logica aan wilde tonen van zijn besluit om Engeland voor Amerika te verruilen. Portia's directheid verwarde Gordon niet alleen, maar stak hem ook. Het leek wel alsof haar gevoelens dieper waren dan die van anderen. Juist haar vermogen om haar gevoelens zo ongeremd en expressief te beschrijven maakte het hem onmogelijk iets opens en eerlijks over zichzelf te zeggen, en daarover had hij de pest in. Ook hij had gevoelens, en op dit moment voelde hij de dringende behoefte dit maagdelijke meisje in zijn armen te nemen, op een bed te gooien en te neuken tot ze groen en geel zag.

Dat was het idioot onrechtvaardige van de situatie. Ze had hem zo ver in een hoek gedreven, dat het enige gebied dat hem overbleef het territorium van een roofdier was. Het was ontzettend oneerlijk. Zo was hij niet. Hij was goed, en gevoelig, en hij had een gevoelig hart. Hij kon charmant zijn. Hij kon romantisch zijn. Maar Portia gaf hem de kans niet. Ze werd volkomen in beslag genomen door De Volmaakte Man. Wanneer ze warm op hem reageerde, zag Gordon aan haar ogen dat ze in feite reageerde op Ned. Door zo veel over hem te praten had ze dat Engelse mietje, die hufter, die goj, rechtstreeks in zijn hoofd getransplanteerd. Het leek wel alsof hij de gastheer was van een parasiet, en die parasiet heette Ned Maddstone.

Als zijn vader en moeder een jaar eerder waren gestorven, zou Gordon Portia juist op het moment hebben leren kennen dat ze eraan toe was haar hele wezen aan iemand te geven. Maar hij was net te laat gekomen. Toen hij op het toneel was verschenen, was de deur voor hem al gesloten. Daarom voelde hij de onbedwingbare neiging om die deur in te trappen en te versplinteren. Alles wat hij nodig had gehad was een kans. De kans om zachtjes aan te kloppen tot ze opendeed. Maar nu zat die deur voor hem op slot, en de sleutel was omgedraaid door Ned Maddstone.

Die ellendige Maddstone.

Gordon vond zichzelf geen slecht mens, maar hij wist dat hij de laatste tijd slechte gedachten had gehad. Hij kon zich de ontzetting niet meer herinneren waarmee hij zijn vader voor zijn eigen ogen had zien neervallen, brullend van pijn en klauwend naar zijn keel. Hij had elk gevoel voor zijn moeder verloren en enkel de herinnering bewaard aan zijn verstikkende verlangen om het ziekenhuis uit te lopen, de buitenlucht in, weg van die magere vrouw met haar gele huid, die buis in haar neus en die doodsbange blik in haar ogen.

Tijdens zijn vlucht over de oceaan had hij zijn nieuwe situatie overdacht.

'Punt één: het zijn atheïsten,' had hij tegen zichzelf gezegd. 'Op zaterdag hoef ik niet naar de synagoge. Punt twee: het zijn anti-zionisten. Ik hoef in augustus niet naar een kibboets. Punt drie: ze zijn Brits, dus er bestaat geen gevaar dat ik, zoals toen mam net dood was, over mijn "gevoelens" hoef te praten. Punt vier: ze zijn stinkend rijk. Tante Hillary komt uit een familie van multimiljonairs, handelaren of zoiets, dus hoef ik niet terug naar die achterbuurt in Brooklyn. Ik krijg een auto. We gaan twee keer per jaar op vakantie. Barbados en Hawaï.'

Maar nee…

'Hier is je fiets. We geloven niet zo in auto's.'

'E.P. Thomson geeft een lezing over Cultureel Imperialisme voor de *Fabian Society*, we hebben nog drie kwartier.'

'We hebben een villa gehuurd in de Toscaanse heuvels. Porsh wil de Duccio's in Siena zien, en Hills is materiaal aan het verzamelen voor haar volgende roman.'

'Gordon, laten we het eens hebben over hoe je je voelt over Rose en Leo's dood, goed?'

'Je zult ervan genieten. Die anti-kernwapendemonstraties zijn altijd erg leuk. En ze bereiken er ook nog wat mee.'

Je kon er alleen maar om lachen. Maar het ergste was…

'Ik heb een vriend…'

'Hij heet Ned…'

'Daar. Dat is hem, in het midden, met die cricketbal in zijn hand…'

'Moet je zien, Gordon. Hier heeft hij zichzelf getekend terwijl hij zich op school zit te vervelen bij de Franse les…'

'Moet je die glimlach zien…'

'Moet je zien, alweer een brief…'

'Moet je zien…'

Die ellendige Maddstone.

Ned leunde over het dolboord van de *Orphana* en voelde het schuim in zijn gezicht sproeien. De zee glansde als natte steenkool onder een hemel die bezaaid was met sterren. Vannacht bestond ze alleen voor Ned.

Onder hem lagen Paddy Leclare, de zeilinstructeur van hun school, en de vijf andere jongens die mee waren te slapen in hun kooi. Toen duidelijk was geworden dat ze 's nachts naar Schotland terug zouden moeten varen, omdat ze bij de *Giant's Causeway* aan de noordpunt van Ierland meer tijd hadden doorgebracht dan gepland, had Ned meteen aangeboden om de hondenwacht op zich te nemen. Vroeger zou hij dat misschien uit plichtsbesef of kameraadschap hebben gedaan, maar deze keer, besefte hij, had hij zich opgegeven omdat hij genoot van de momenten die hij alleen doorbracht; momenten waarop hij aan Portia kon denken, en simpelweg kon genieten van het feit dat hij bestond. Op nachten als deze, op een goed schip dat voor de wind voer, kon je je de koning van de wereld wanen. Op het land, kwam het Ned voor, was de mens altijd de mindere van de dieren, en afgesneden van de natuur. Auto's en machines waren knappe uitvindingen, maar de natuur werd er op hardhandige wijze door onderdrukt. Op zee gebruikte de mens de natuur, maar hij buitte haar niet uit. In zijn volgende brief aan Portia zou hij daar eens wat over zeggen. De liefde maakte hem filosofisch. Slimme jongens als Ashley Barson-Garland zouden hem ongetwijfeld ongelofelijk naïef vinden, maar jongens als Ashley zouden nooit begrijpen dat Ned er wel van hield om een beetje naïef te zijn. Soms gaf dat een prettig gevoel. Per slot van rekening ontleende Ashley geen enkele troost aan zijn intelligentie. Sterker nog, hij leek er diep ongelukkig van te worden. Zeker in zijn huidige stemming van onverstoorbare uitgelatenheid was ongelukkig zijn voor Ned een vreemde afwijking, waarvan mensen om wat voor onbegrijpelijke redenen dan ook last konden hebben, net zoiets als acne, of slechte oog-hand-coördinatie. Hij wist dat er mensen waren die onder dat soort zaken gebukt gingen, maar diep in zijn hart vroeg hij zich af waarom ze het niet van zich afzetten en gewoon een beetje meer plezier probeerden te maken.

Verliefd zijn betekende dat je behoorde tot een door het lot met speciale aandacht gezegende groep. Ned had nooit kunnen denken dat hij zo zou kunnen genieten van het simpele feit dat hij bestond. Zijn bedrevenheid op sportgebied, zijn knappe uiterlijk, zijn gemoedelijke natuur, zijn populariteit – zaken waarvoor hij zich geen moment op de borst zou durven kloppen – waren voor hem niets anders dan een bron van verlegenheid. Maar dat hij Verliefd was, Verliefd met de grootst denkbare hoofdletter V, deed zijn borst zwellen van zoveel trots dat hij zichzelf amper herkende. Hij vroeg zich voor de miljoenste keer af of Portia echt datzelfde gevoel had. Misschien waren haar gevoelens sterker. Misschien waren de zijne sterker. Misschien verbeeldde zij zich dat de hare sterker waren en zou ze nooit geloven hoe sterk –

Opgeschrikt door een onverwacht geluid van beneden draaide hij zich om.

'Maddstone!'

Ned tuurde in de richting van de achtersteven en zag de omtrek van een hoofd in de opening van het luik verschijnen.

'Ja?' riep hij het donker in. 'Wie is daar?'

'Maddstone, je moet beneden komen.'

'Rufus? Ben jij dat?'

'Er is iets mis met Paddy. Hij maakt rare geluiden.'

Ned sprong op het luik af en stommelde de ladder af naar de kombuis.

In het licht van een enkele lamp en de gloed van het radiotoestel hing Paddy Leclare voorover in zijn stoel, met zijn hoofd op de kaarten.

Ned liep voorzichtig op hem af. 'Schipper?'

'Is hij dood?' fluisterde Cade.

'Ik weet het niet,' zei Ned terwijl hij een hand op Leclare's nek legde. 'Schipper! Paddy! Zeg eens wat!' Hij voelde een ader kloppen onder zijn vingertoppen en slaakte een zucht van verlichting.

Plotseling hoestte Leclare hevig en probeerde overeind te komen. Ned zag tot zijn schrik een lange sliert bloederig speeksel van zijn mond naar de kaarttafel lopen.

'Ben jij dat, Ned? Ben jij het?'

'Ja, schipper, ik ben het. Gaat het wel goed met u?'

'Eh, nou, dat kan ik niet echt zeggen... Wie is daar bij je?' Leclare tuurde met een angstige blik over Neds schouder.

'Rufus, meneer, alleen maar Rufus.'

'Rufus, ben jij dat?'

'Ja, schipper.'

Leclare's ademhaling ging nu hortend en oppervlakkig, en zijn huid glom van het zweet.

'Goed,' hijgde hij. 'Je moet iets voor me doen, Rufus, jongen. Je moet naar achteren gaan, naar die kist aan stuurboord.'

Rufus knikte, krijtwit.

'Weet je nog dat ik je die kist heb gewezen waar de fakkels in worden gestouwd? Goed zo. Er staat een kist naast met een hangslot erop. Hier is de sleutel...' Leclare schoof een bos sleutels over de tafel. 'Die goudkleurige. Ik wil dat je die kist openmaakt en er een fles Jameson voor me uit haalt...'

'Weet u het zeker, schipper?' vroeg Ned. 'Als u zich niet goed voelt...'

'Ik weet zelf het beste wat ik nodig heb,' zei Leclare. 'Jij blijft hier, Ned, jongen. Wegwezen, Rufus. En schiet een beetje op.'

Rufus draaide zich om en stommelde luidruchtig naar boven, het dek op.

'Wat een oen,' zei Leclare. 'Dat wordt nooit een goede zeeman.'

Ned legde een hand op Leclare's schouder. 'Paddy, niet boos worden, maar ik vind echt dat je niet moet drinken. Wat er ook met je aan de hand is, ik denk niet dat het er beter van wordt als –'

'Rustig, Ned. Er ligt geen whisky in die kist, en bovendien heb ik hem de verkeerde sleutel meegegeven. Zo hebben wij tenminste een beetje tijd.' Hij lachte om zijn eigen sluwheid, wat hem een nieuwe hoestaanval bezorgde, die bloed en speeksel in Neds gezicht sproeide.

'O jezus, schipper. Ik ga een helikopter oproepen.'

'Geef me die tas daar eens aan,' zei Leclare alsof hij niet had gehoord wat Ned zei.

'Deze?'

'Dat is hem, geef maar hier. Goed, Ned, kijk me in mijn ogen.'

Ned keek in ogen die hij zich herinnerde als tintelend blauw. Ze waren nu bloeddoorlopen en er liepen tranen uit als gevolg van het benauwde hoesten.

'Ik kan je toch vertrouwen, Ned?'

'Natuurlijk, schipper.'

'Zeg me wat je in het leven het meest heilig is.'

'Schipper…'

'Geef me godverdomme antwoord, jongen!' Leclare greep Neds pols beet en kneep er hard in. 'Wat is voor jou het belangrijkst op de hele wereld? Denk eraan, prent het in je hoofd! Heb je het?'

Ned knikte, terwijl een lachende Portia voor zijn geestesoog verrees.

'Goed zo. Nu wil ik dat je op dat wat voor jou heiligste ter wereld is zweert dat je zult doen wat ik van je vraag, zonder het aan wie dan ook te vertellen. Begrijp je? Aan niemand, geen mens.'

Ned knikte opnieuw.

'Hardop! Zweer het hardop!'

'Ik zweer het, Paddy, ik zwéér het.'

'Mooi… mooi. Ik vertrouw je. Goed dan…' Leclare rommelde in zijn tas. 'Hier, pak deze envelop aan. Hij is verzegeld. Als ik niet levend aan wal kom, wil ik dat je die voor me aflevert. Persoonlijk. Hij moet rechtstreeks worden overhandigd aan…' Leclare wenkte Ned naar zich toe en boog zich voorover om hem een naam en adres in het oor te fluisteren. 'Goed! Heb je dat?'

'Ja, ik geloof het wel.'

'Laat horen dan. Fluister het me in.'

Ned legde zijn hand rond Leclare's oor en prevelde: 'Philip A. Blackrow. Heron Square Crescent 13, Londen, sw1.'

'Prima. En je vergeet het niet?'

'Nee, nooit. Dat beloof ik.'

'Dat is dan dat. Stop die envelop weg en laat hem aan niemand zien. Verder zeggen we er geen woord meer over. En vergeet die naam en dat adres niet. Oké. Dat was toch niet te veel gevraagd, hè?'

Leclare liet Neds pols los en leunde achterover, snakkend naar adem. Ned zag het laatste restje kleur uit zijn gezicht wegtrekken.

'Kan ik nu hulp oproepen, schipper?'

'We lopen over vijf, zes uur binnen. Het maakt nu niet meer uit.'

'Maar wat heb je dan? Wat is er aan de hand?'

'Een onbenullig kwaaltje,' zei Leclare rustig en hij sloot zijn ogen met een glimlach. 'Een beetje kanker, dat is alles. Meer niet.'

Toen Rufus Cade terugkwam zag hij hoe Ned met tedere gebaren een slaapzak over de schouders van de stervende man legde en hem zacht over zijn hoofd streelde.

Ashley Barson-Garland had die ochtend zeventig brieven geschreven. Zeventig kalme, verzoenende en – al zei hij het zelf – fraai gestileerde brieven. Brieven aan oude dametjes die de veranderingen in de pensioenwet niet konden bevatten, brieven aan werkloze nietsnutten die de regering de schuld wensten te geven van hun gebrek aan zelfrespect, brieven aan hallucinerende fascisten die vonden dat Sir Charles Maddstone te zachtzinnig optrad tegen de criminaliteit, en brieven aan transcendentaal gehandicapten die het parlementslid wel eens zouden vertellen wie Christus was.

Het plebs roerde zich. Wat een geschreeuw om aandacht. Wat een tekortkomingen en verbittering. Het leven van een politicus bestond inderdaad uit leugens, leugens en nog eens leugens. Niet de leugens waar de mensen van uitgaan, niet de aaneenschakeling van gebroken beloftes en cynische ontkenningen waar de pers en de cafécynici op kankeren, nee, een heel ander soort leugens. Mensen in de waan laten dat hun zure, op niets gefundeerde mening van nut of belang is, dat was voor Ashley de grote leugen. Er leken miljoenen mensen rond te lopen die weigerden te begrijpen dat ze niet de dupe waren van een onrecht of sociale misstand, maar van hun verminderd gevoel van eigenwaarde, waardoor ze de schuld gingen leggen bij alles behalve hun eigen verbittering of woede: ze in die waan te sterken, dat was de ultieme oneerlijkheid. Er waren mensen die geloofden dat hun kansen op levensvervulling werden gedwarsboomd door het aantal Aziaten in Engeland, door het bestaan van een koninklijke familie, door de verkeersdichtheid rond hun huis, door de boosaardigheid van de vakbonden, door de macht van hardvochtige werkgevers, door de weigering van de gezondheidszorg om hun toestand serieus te nemen, door het communisme, door het kapitalisme, door het atheïsme, door alles, kortom, behalve hun eigen futiele, futloze onvermogen om zichzelf godverdomme eens goed door elkaar te schudden. Ashley had inmiddels begrip voor Caligula's teleurstelling dat de bevolking van Rome gezamenlijk meer dan één nek had. Hadden de Britten maar één gemeenschappelijk achterwerk, verzuchtte hij in stilte. Wat een trap zou hij daar dan tegenaan geven!

Rechts op zijn bureau lagen de brieven, onder de klep van hun envelop gestoken, klaar om getekend te worden. Ze waren keurig getikt op parlementair briefpapier, het groene valhek van het Lagerhuis boven Sir Charles' naam, elke letter helder, smetteloos en volmaakt. Ashley schoof de vier stapels naar de linkerkant van het vloeiblad, waar Sir Charles ze gemakkelijker zou kunnen tekenen als hij straks op kantoor kwam. Ashley liet zich op dat soort details voorstaan. Hij was de volmaakte bediende, intelligent, attent, grondig en discreet, en voorlopig was hij daar tevreden mee.

Uit de aktetas die aan zijn voeten stond haalde hij zijn dagboek te voorschijn. Nog maar vijfeneenhalve lege bladzijden, dan was hij aan een nieuw deel toe. Hij vroeg zich af of hij nog precies zo'n exemplaar op de kop zou kunnen tikken. De winkel op St. Anne's Square waar hij het eerste deel had gekocht was twee jaar geleden opgeheven. Een andere kleur zou ideaal zijn, maar het moest wel hetzelfde formaat zijn. Als hij een winkel vond die ze nog in voorraad had, zou hij er minstens tien kopen, voldoende voor zijn hele verdere leven. Hoewel, was tien wel genoeg? Hij maakte een snelle berekening. Twintig leek hem veiliger. "Invicta" noemde het cahier zichzelf fier, het soort naam dat in de negentiende eeuw werd gegeven aan om het even wat, van urinaals tot zakmessen. Hij bladerde het door en bezag met genoegen hoe zijn handschrift gaandeweg won aan zelfvertrouwen en regelmaat. De laatste bijdrage dateerde van vijf weken geleden. Er moest heel wat in die laatste bladzijden worden geperst. Hij zou de draad opnemen bij zijn laatste zin: 'Voorlopig moet ik deze walgelijke inbreuk op mijn privacy van me afzetten, want ik moet me wijden aan mijn Oratie.'

30 juli

Is het echt pas vijf weken sinds het eind van het schooljaar? De Oratie was, uiteraard, een triomf van geestigheid, kennis, flair en – om het zo maar te noemen – voordrachtskunst. Als zodanig werd hij door niemand in de zaal begrepen, zelfs niet door degenen die het Latijn konden ontraadselen. De verzamelde ouders, docenten en leerlingen waren net intelligent genoeg om te vermoeden dat het een knap verhaal was en onthaalden me na afloop op de gegeneerde, sympathieke en dapper glimlachende blikken die de Engelsen gewoontegetrouw reserveren voor mensen met kanker of hersens, waarbij de mensen met hersens in hun ogen het slechtste af zijn. Tenslotte kunnen de meesten zich het hebben van kanker nog wel voorstellen, terwijl ze geen idee hebben wat het is om te beschikken over een goed stel hersens. Ned stelde me voor aan zijn vader, die het maken van een buiging zo dicht benaderde als vandaag de dag met goed fatsoen nog kan.

'Zijn uw eigen ouders niet aanwezig vandaag, meneer Barson-Garland?'

'Mijn moeder zit in het onderwijs, *sir*,' zei ik. Het beviel me, dat '*sir*', en het beviel me ook dat het Sir Charles beviel. Ook Neds verwarring beviel me, en ik zag hem naar een onderwerp zoeken dat de aandacht kon afleiden van mijn moeder of mijn familie.

'Juist,' zei zijn vader. 'Maar in ieder geval zal ze heel trots op u zijn.'

Toen ze verder liepen gaf Ned me een onhandige, joviaal bedoelde stomp tegen mijn arm. Hij wist natuurlijk op wat voor manier mijn moeder 'in het onderwijs' zit. Hij vermoedde waarschijnlijk zelfs dat ik haar had afgeraden om te komen.

'Er komen maar heel weinig ouders naar Proclamatiedag,' had ik haar geschreven. 'U zult zich stierlijk vervelen.'

Wat ik had bedoeld, was: 'Als u het lef heeft om u hier te vertonen en me voor gek te zetten met uw bloemetjesjurken, goedkope parfums en belachelijke hoedjes, dan zal ik net doen of ik u niet ken.'

Reken maar dat moeder dat allemaal tussen de regels door heeft gelezen, want zo zijn moeders, en reken maar dat ik dat ook had bedoeld, want zo zijn zonen.

Na het slikken van de misselijkmakende felicitaties en sherry van het Hoofd ('Aha, daar hebben we onze Demosthenes-in-zakformaat!') ontsnapte ik, zodra de lunch afgelopen was, naar het cricketveld, waar ik helaas gedwongen werd het schouwspel gade te slaan van Ned Maddstone die zich met onbetwistbare allure onderscheidde tegen de *Old Boys*. Iedereen die me aan-sprak keek met een half oog naar Ned bij de *wicket*, en ik róók gewoon hoe ze heimelijk zijn lange, blonde charme stonden af te wegen tegen mijn gedrongen, donkere ernst. De geur die daaruit opsteeg dreef me weer naar binnen, waar ik op zoek ging naar Rufus Cade, die ik aantrof in zijn studeerkamer, waar hij zich in zijn eigen specifieke geur wentelde – wiet, wodka en wrok. Nu kom ik op iets interessants. Ik weet niet of hij het deed om mij een plezier te doen, maar hij verklaarde een gron-dige hekel te hebben aan Maddstone. Nee, het kan niet zijn ge-weest om mij een plezier te doen, want ik had het al aangevoeld en hem er rechtstreeks naar gevraagd. Het was pure intuïtie ge-weest. En ik had gelijk. Hij verafschuwt Ned. Hij schaamt zich dat hij Ned verafschuwt en daardoor verafschuwt hij Ned nog meer. Een tredmolen van afschuw en rancune die ik maar al te goed ken.

En wie komt er vervolgens binnen, bezweet en zegevierend in rood en groen gevlekte flanellen broek, nog nagenietend van de toejuichingen op het veld – niemand minder dan Madd-stone zelf. Hij nodigde me uit om met zijn vader in het George Hotel te gaan dineren. Het schuldgevoel in zijn ogen was zo doorzichtig, dat het bijna om te lachen was. 'Jij beschouwt je-zelf misschien als een buitenstaander,' las ik erin, 'maar ik be-schouw je als een van ons.'

Onzin! Als hij mij had beschouwd als Een Van Ons, had hij gezegd: 'Ashley, slome zak, wat vind je ervan om met mijn pa en mij wat te gaan eten bij de George?' In plaats daarvan kon hij amper uit zijn woorden komen, en nodige hij Rufus ook uit, waarbij hij erin slaagde op pijnlijke wijze duidelijk te maken dat hij dat laatste alleen maar uit beleefdheid deed. Rufus sloeg de invitatie af wegens dronkenschap, wat hij volgens mij zo gênant vond dat hij Ned nog meer begon te haten. Zelf nam ik de uitnodiging met oprecht genoegen aan.

Ik droeg het enige pak dat ik heb.

'Prettig dat u ons gezelschap komt houden, meneer Barson-Garland,' zei Sir Charles terwijl hij mij hoffelijk de hand schudde. 'Dit is al te gek, ik kan u zo niet blijven aanspreken. Ned heeft me uw voornaam niet verteld.'

'Ashley, meneer,' zei ik, terwijl Ned zichzelf begroef in zijn verwarring en het menu.

Tijdens de maaltijd praatte ik vrijuit. Niet zo overdreven, of zo gretig, dat ik de schijn wekte op te scheppen of het gesprek te willen domineren, maar genoeg om indruk te maken.

'Je schijnt veel van politiek te weten,' zei Sir Charles toen we bij de kaas waren aanbeland.

Ik haalde mijn schouders op en spreidde mijn handen, als om aan te geven dat ik, hoewel ik op het strand der kennis wel eens een kiezeltje had opgeraapt, mij evenals Newton maar al te zeer bewust was van de grote oceaan der wetenschap die nog onontdekt voor mij lag.

'Ik denk dat het niet echt iets voor je is, maar...'

Ter plekke bood hij me een vakantiebaantje aan als zijn politiek medewerker.

'Het is eigenlijk niet veel meer dan een veredelde secretaressebaan,' waarschuwde hij me, 'maar het is volgens mij een unieke kans om erachter te komen hoe het systeem werkt. Als het wederzijds blijkt te bevallen, zal ik de plek graag voor je openhouden voor als je hier aan het eind van de herfst weggaat. Ik heb van Ned gehoord dat je je het volgend trimester ook op toelating aan Oxford gaat voorbereiden.'

'Vader, dat is een fantastisch idee!' riep Ned vol bewondering. (Alsof hij het niet zelf had verzonnen! Houdt hij me echt voor een volslagen idioot?) 'Ik ben pa's grootste teleurstelling,' ging hij tegen mij verder. 'Ik heb nooit veel belangstelling kunnen opbrengen voor politiek.'

'Sir Charles,' zei ik, 'ik weet werkelijk niet hoe ik u moet bedanken...'

'Kom, kom,' zei Sir Charles, mijn woorden wegwuivend. 'Als je net zo goed bent als ik denk dat je bent, dan is de dank geheel aan mij. Begrijp ik uit je reactie dat je mijn voorstel aanneemt?'

'Tja, ik woon in Lancashire, meneer. Ik heb geen...' Lancashire, jawel. Ik was gewend het zo vaag te houden. De naam van het graafschap, van welk graafschap dan ook, klonk stukken beter dan 'Manchester'.

'Misschien zou je in Catherine Street kunnen logeren. Het is een klein huis, maar er wordt al meer dan honderd jaar aan politiek gedaan. Het is aangesloten op de bel die vanuit het Lagerhuis wordt bediend wanneer er moet worden gestemd, niet dat je die tijdens het zomerreces vaak zult horen rinkelen, overigens. Maar als je het volgend jaar nog bij ons bent, zal je hem zo vaak horen overgaan, dat je het kreng graag onklaar zou willen maken. Nietwaar Ned?' Hij gaf een knipoogje dat een grapje tussen vader en zoon suggereerde.

'Toen ik nog een kleine jongen was, kreeg ik echt de zenuwen van die bel,' legde Ned uit toen hij mijn vragende blik zag. 'Het Lagerhuis komt op de idiootste tijden bijeen en ik werd om de haverklap om twee of drie uur 's nachts uit mijn slaap gewekt. Dus heb ik op een keer een stuk karton tussen de schel en de klepel gewurmd, met het gevolg dat pa een stemming miste en lelijk in de moeilijkheden kwam.'

'Ik heb een kwartiertje op de kamer van de fractievoorzitter doorgebracht dat ik nooit zal vergeten,' zei Sir Charles.

Ned voegde er half fluisterend aan toe: 'Hij houdt nog steeds vol dat wat hij in de oorlog van de Gestapo te verduren heeft gekregen daarbij vergeleken heilig was.'

'Ik verzeker je dat het waar is, volkomen waar.'

Ned liet me stap voor stap binnen in zijn leven. Een leven waarin directe lijnen met het Lagerhuis en angstige uren met de Gestapo even achteloos ter sprake kwamen als busverbindingen en afleveringen van Dallas bij mij thuis. Als ik dat klavertjevier niet uit mijn dagboek had zien dwarrelen zou een dergelijke generositeit me hebben verwarmd en betoverd. Maar aangezien ik precies wist waar het vandaan kwam ben ik er geen moment in getrapt.

Ze hebben een flat voor me gevonden in Kensington die ik deel met een man die werkt bij het Centrale Bureau van de Conservatieve Partij. Flats in Kensington blijken in deze wereld een gangbare munteenheid. Er hangt een lome sfeer van –

In de korte tijd die verstreek tussen de klik waarmee de voordeur openging en de klap waarmee hij werd gesloten had Ashley zijn dagboek ijlings weer in zijn tas gestopt, een deel uit de reeks *Handelingen van het Britse Parlement* opengeslagen, en een begin gemaakt met het in een dictaatcahier overschrijven van een van Sir Charles' toespraken.

Hij hoorde mensen de trap opkomen, en vroeg zich af of het een vreemde indruk zou maken als hij ze niet tegemoet kwam lopen om ze te begroeten. Kon hij niet doen alsof hij ze niet had horen binnenkomen? Nee, besloot hij.

'Ned?' riep hij over zijn schouder vanachter zijn bureau. 'Ned, ben jij dat?'

'*Ash!*'

Toen Ned de kamer binnenkwam in gezelschap van een meisje en een jongen van ongeveer zijn leeftijd, beiden donkerharig, zongebruind en knap, stond Ashley schuchter en met een uitdrukking van blije verrassing op zijn gezicht naast zijn bureau.

'Dit is Portia. Maar die ken je in feite al.'

'Hoe maak je het?' vroeg Ashley, gepast formeel. 'We hebben elkaar inderdaad een keer gezien. In het Hard Rock Café, al zal je dat niet meer weten – je ogen waren volgens mij op iemand anders gericht.'

'Natuurlijk weet ik dat nog. *Hi!*'

Portia schudde zijn hand. Ashley had geen tijd gehad zijn handpalm aan zijn broek af te vegen en hij observeerde haar scherp om te zien of ze reageerde op zijn, naar hij wist, ongewoon klamme huid.

'En dit is Gordon, Portia's neef.'

'Hoe maak je het?' zei Gordon. Ashley constateerde geamuseerd dat de Engelse Portia had volstaan met een achteloos 'Hi', terwijl de Amerikaanse Gordon de voorkeur gaf aan een formeel 'Hoe maak je het?' Het amuseerde hem altijd wanneer mensen zich voordeden als het tegendeel van wat ze waren.

'Verbaasd?' vroeg Ned, terwijl hij Ashley een onhandige klap op zijn schouder gaf. Hij was ook bruin geworden, maar met die gouden gloed van mensen met een lichte huid, alsof een diepere tint on-Engels zou zijn en ordinair.

'Nou ja, je vader had inderdaad gezegd dat je pas morgen terug zou komen.'

'De zeiltocht, eh, is eerder afgebroken.' Er trok even iets bedrukts over Neds gezicht. 'We hebben met ons allen besloten de nachttrein uit Glasgow te nemen.'

'Zo?' zei Ashley die dat allemaal allang wist.

'Hoe dan ook,' zei Ned, wiens gezicht weer opklaarde, 'ik was net op tijd in Londen om de Fendemans op Heathrow van het vliegtuig af te halen. Niet gek, hè?'

'Wat een leuke verrassing voor ze,' zei Ashley.

Gordon keek ongemakkelijk om zich heen. Ashley had zo'n idee dat hij zich niet op zijn plaats voelde. En inderdaad, de manier waarop de vonken tussen Ned en Portia oversprongen grensde zelfs voor Ashley aan het gênante.

'En, heeft mijn ouweheer je erg achter je vodden gezeten?' vroeg Ned die zich met moeite losrukte van Portia's ogen.

'Het is allemaal machtig interessant geweest. Echt, machtig interessant.'

'Je werkt voor Neds vader, nietwaar?' vroeg Gordon.

'Dat klopt. Eigenlijk moet ik nu... Eh, hé, het is maar een idee... Heb je misschien zin om mee te gaan? Ik moet even iets afgeven in het Huis. Ik zou je het kunnen laten zien.'

'Het huis?'

'Het Lagerhuis. Het Parlement. Alleen als het je interesseert, natuurlijk…'

'O ja. Lijkt me erg leuk.'

'Wat een fantastisch idee!' Ned grijnsde van plezier. 'Ash, dat is absoluut klasse van je. Ik wed dat Gordon wel eens wil zien waar het allemaal gebeurt. De bakermat van de democratie en zo.'

'Dat is dan geregeld. Even mijn tas pakken,' zei Ashley, die met moeite zijn ergernis verbeet over Neds onnozele reactie. 'Bakermat van de democratie', nota bene! Wist hij dan niet dat Amerikanen Washington als de bakermat van de democratie beschouwen, net zoals de Fransen Parijs, de Grieken Athene, en de IJslanders ongetwijfeld Reykjavik, elk met evenveel recht? Wat een karakteristieke, achteloze arrogantie.

'Eh, wij blijven hier, als je het goed vindt,' zei Ned. 'Portia heeft om vier uur een sollicitatiegesprek. Op het Knightsbridge College. Ik… ik dacht dat ik maar met haar mee moest gaan.'

'Iets goeds?'

'Het klinkt geweldig, maar in de praktijk komt het erop neer dat je buitenlanders leert zeggen: "Deze tomaat is te duur,"' zei Portia. 'Maar het betaalt beter dan het Hard Rock Café.'

Ned en zij stonden nu hand in hand. Het was duidelijk dat elke seconde die ze niet in elkaars armen lagen een kwelling voor hen was. Ashley veronderstelde dat die kwelling grotendeels voortkwam uit het oeroude minnaarsdilemma, dat ze met hun botte hersens niet konden bevatten. Ze wilden hun liefde geheimhouden, zonder te beseffen dat ze gelijktijdig niets liever wilden dan die van de daken schreeuwen.

Ashley voelde een hevige aandrang om krachtig te braken.

'Het leek me het beste ze alleen te laten,' zei Ashley, terwijl hij de voordeur dichttrok en naar het raam van de bovenste verdieping keek met een blik die volgens hem een mannelijke, kameraadschappelijke verstandhouding suggereerde. 'Voordat wij twee stappen hebben gedaan, hebben ze elkaar al besprongen,' voegde hij eraan toe.

Gordon gaf geen antwoord, maar tuurde met samengeknepen lippen naar de grond. Ashley keek hem oplettend aan; was dit Amerikaans puritanisme of iets wat dieper ging?

Jezus christus! Zodra de mogelijkheid bij hem opkwam, wist Ashley dat hij het bij het rechte eind had. Hij had hardop kunnen lachen om zijn eigen luciditeit. Neef Gordon is verliefd op Portia, zei hij volkomen overtuigd tegen zichzelf.

Het essentiële aan intelligentie, bedacht Ashley, en iets wat mensen nooit leken te begrijpen, was dat het zijn bezitter liet beschikken over een, vergeleken met de rest, grotere intuïtie en een zuiverder instinct. Domme mensen koesterden zich graag in de waan dat ze hun gebrek aan slimheid dan toch maar mooi wisten te compenseren met 'gevoelens' en 'inzichten' die de intellectueel moest ontberen. Onzin, vond Ashley. Het was juist dat waanidee waardoor domme mensen zo dom waren. In werkelijkheid beschikten intelligente mensen over oneindig veel meer hulpmiddelen waarmee ze de associatiesprongen konden maken die de wereld 'intuïtie' noemde. Wat betekende 'intelligentie' per saldo anders dan het vermogen verbanden tussen dingen af te lezen? De Romeinen wisten het, als zo vaak, beter dan de Britten.

Ze keerden zich om en liepen Catherine Street af in de richting van Westminster. Gordon, die het gevoel had dat zijn zwijgzaamheid misschien een beetje lomp was, nam het woord. Hij vertrouwde Ashley toe dat zijn oom en tante hem op het vliegveld min of meer aan Ned en Portia hadden opgedrongen.

'Waarom nemen jullie niet met zijn drieën de bus naar de stad?' had Hillary gezegd. 'Ga gezellig een hapje eten en pik een bioscoopje. Wij zorgen wel voor de bagage.'

Pete had Gordon tien pond toegestopt en hem een dreun op zijn schouder gegeven, terwijl Portia nijdig op haar lip had staan bijten en Ned had staan lachen als een boer die kiespijn heeft.

'Des te beter dus dat we tactvol zijn geweest,' zei Ashley. 'Je hoeft overigens niet mee naar het Lagerhuis als je er geen zin in hebt. De meeste mensen vinden het een bezoeking. Ik zou het volkomen begrijpen.'

'Laten ze een Amerikaan toe?'

'Ik hoef alleen maar hiermee te zwaaien,' zei Ashley, terwijl hij zijn pas te voorschijn haalde en er geen trots gezicht bij probeerde te trekken.

'Wil jij politicus worden?'

'Misschien. Wie weet?'

'Net als Ned?'

'Pardon?'

'Ned gaat toch in de voetsporen van zijn vader treden?'

'Dat lijkt me sterk,' zei Ashley geamuseerd. Voor zijn geestesoog doemde het beeld op van een Ned Maddstone in grasbesmeurde, witte cricketuitrusting die zijn blonde lokken uit zijn ogen schudde en zich verhief om vanaf de regeringsbanken zijn zegje te doen over koersfluctuaties en rentetarieven. 'Ned is niet echt in de wieg gelegd voor de politiek.'

'O nee? Dat is anders niet wat Portia me heeft verteld.'

'Wat bedoel je precies?'

'Ze zei dat Ned later zijn vader gaat opvolgen in het parlement.'

'Tja, wie zal het zeggen?' liet Ashley zich achteloos ontvallen, terwijl er binnen in hem iets knapte met een inmiddels vertrouwde razernij. Zou Ned zich echt verbeelden dat een parlementszetel van vader op zoon kon overgaan, zoals een schrijfbureau of een jachtgeweer? Nou ja, misschien kon dat ook wel, overwoog hij bitter; ze leefden tenslotte in Engeland. Maar, hoe dan ook, Neds zomers waren hem natuurlijk veel te kostbaar om ze aan politiek te verkwisten: te veel neuken en cricket en neuken en zeilen en neuken en neuken op het programma, dus waarom zouden we dit jaar Ashley het Manchester Trekpaard niet het secretariaat laten waarnemen, hè, pa, ouwe dibbes? Na Oxford komt er nog tijd genoeg om mijn achterstand in te halen, of niet dan, vaderlief? En als ik straks mijn wilde haren kwijt ben, kan ik die bovenstebeste Ashley toch altijd nog als mijn politieke assistent aantrekken? Die arme Ashley zou er dolblij mee zijn… Trouwens, waarom zou je hem niet alvast een beetje in die richting opleiden? Zorgen dat hij een beetje ervaring krijgt? Natuurlijk! We nemen hem mee uit eten en stellen het hem voor, hij zal dolgelukkig zijn. En dan wordt mijn geweten ook meteen ontlast van dat knagende schuldgevoel omdat ik in dat gênante dagboek van hem heb zitten lezen. We smeren hem wat stroop om de mond, en dan zit hij brieven te tikken en enveloppen te likken voordat je vuile *upper-class* schoften kunt zeggen…'

'Hé, is er iets met je?'

'Hè? O, nee hoor, niets aan de hand… Beetje in gedachten.' Ashley glimlachte Gordon vaag toe, alsof hij ontwaakte uit een mild excentrieke dagdroom. 'Goed,' zei hij toen kordaat. 'Dit is dus de eerste keer dat je de grote Ned hebt ontmoet?'

Gordon knikte behoedzaam. 'De Grote Ned?'

'Let niet op de ingevingen van een sarcastisch gemoed,' zei Ashley. 'Hij is natuurlijk heel populair. Heel begaafd, maar… ach, luister maar niet naar mij. Ik heb er niets mee te maken.'

'Hallo, als hij met mijn nichtje uitgaat wil ik alles weten wat er te weten valt,' zei Gordon. 'Voor Portia is hij een heilige. Maar jij zit bij die jongen op school. Jij kent hem veel langer dan zij.'

'Tja, laat ik het zo zeggen: ik zou niet graag willen dat hij met míjn nichtje uitging,' zei Ashley. 'Ik kan het niet goed uitleggen. De meeste mensen vinden hem charmant en eerlijk en wat er verder nog allemaal aantrekkelijk aan een man kan zijn. Persoonlijk vind ik hem koud en arrogant en hypocriet. Ah…' Ashley keek op toen de Big Ben het halve uur begon te slaan. 'Half een. Als je het goed vindt, wil ik even naar dat café daar op de hoek. Ik heb met een vriend afgesproken om daar te lunchen. Misschien kunnen we dan daarna nog naar het Lagerhuis.'

'Zeg, als ik soms een blok aan je been ben…'

'Helemaal niet. Je zult Rufus aardig vinden. En hij jou. In ieder geval die tien pond van je. Daar kun je sloten drank voor kopen.'

'Wacht eens even, als…'

'Grapje! Hij is steenrijk. En ik weet zeker dat jullie zullen merken dat jullie een boel gemeen hebben.'

Ned lag in bed en staarde naar het plafond. Portia had haar vuist op haar wang gelegd en lag, opgerold als een poes, diep in slaap naast hem.

Hij had haar nog niet verteld van die nachtmerrie waarin hij Paddy Leclare aan boord van de *Orphana* onder zijn ogen had zien sterven. Op de bus vanaf het vliegveld hadden ze bijna als vreemden tegen elkaar zitten praten; Ned wilde Gordon niet het gevoel geven dat hij werd buitengesloten, en Portia was merkwaardig verlegen in het bijzijn van haar neef. Hij wilde haar niet van streek maken, maar het gebeurde had hem diep aangegrepen. Hij was nog nooit eerder geconfronteerd geweest met de dood, loodzware verantwoordelijkheid en angst, en het was een schokkende ervaring geweest dat allemaal in één keer op je bord geschoven te krijgen.

De terugtocht naar Schotland met een dode aan boord was hem niet licht gevallen. Bovendien had Rufus Cade zich vreemd gedragen. Het had logisch geleken dat Ned als schipper zou fungeren op de terugtocht naar Oban, en iedereen behalve Cade had die beslissing juist en verstandig gevonden. Ned wist, zonder een spoor van ijdelheid, dat hij de meeste ervaring had van iedereen, en Leclare's laatste blijk van vertrouwen schonk hem toch het recht op het commando? Niet dat hij dat geheim aan Cade of een van de anderen kwijt kon. Vijf uur lang, terwijl ze in de vroege ochtend hun treurige terugtocht naar de haven aflegden, had Cade stuurs al Neds beslissingen aangevochten en bij elke gelegenheid zijn uiterste best gedaan om zijn gezag te ondermijnen. Dat was Ned nog nooit overkomen, en hij voelde zich gekwetst en bevreemd.

Pas toen ze door de haven van Oban op de kade en de blauwe zwaailichten van de gereedstaande ambulance en politieauto's afvoeren, had hij het begrepen.

Cade was schuchter op hem af komen lopen. 'Luister, Maddstone, het spijt me,' had hij gezegd, met zijn ogen naar het dek. 'Ik denk dat ik een beetje overstuur was van alles. Ik wilde je helemaal niet dwarszitten. Het is terecht dat jij de leiding hebt.'

Ned had een hand op zijn arm gelegd. 'Jezus, Rufus, we praten er niet meer over. Alles in aanmerking genomen heb je je bewonderenswaardig gedragen.'

De rest van de dag was verstreken in een verwarde droom van getuigenverklaringen, telefoongesprekken en eindeloos wachten, tot ze Ned ten slotte toestemming hadden gegeven met zijn gezelschap naar Glasgow te vertrekken om daar de nachttrein naar Euston te nemen. Leiderschap was uitputtend.

Portia's hoofd bewoog op zijn borst en opeens keek hij in haar ogen.

'Hallo,' zei hij.

'Hallo.'

En ze moesten allebei lachen.

Ashley keek toe hoe Gordon zijn tweede Guinness leegdronk.

'Je hebt haar gezien, Ashley,' zei hij. Hij boerde en veegde het schuim van zijn mond. 'Ze is mooi. Vind je ook niet dat ze mooi is?'

'Heel mooi zelfs, Gordon,' zei Ashley die verscheidene oude Griekse teksten bezat die hij oneindig veel fascinerender vond.

'Bovendien,' ging Gordon verder, 'waar ik vandaan kom, trouw je niet naar buiten. Dat doe je gewoon niet. Het is verkeerd.'

Rufus staarde neer in een pint Director's bier die hij al met drie dubbele whisky's had doorgespoeld. 'Naar buiten trouwen? Wat betekent dat?'

'Gordon en Portia zijn joods,' legde Ashley uit. 'Het is niet de bedoeling met iemand van een ander geloof te trouwen.'

'Ik ben katholiek,' zei Rufus. 'Voor ons geldt hetzelfde.'

'En mij ziet ze niet staan,' zei Gordon. 'Ze ziet me godverdomme niet eens stáán. Weten jullie wat ik bedoel?'

'Je bedoelt dat ze je niet ziet staan?' probeerde Rufus.

'Exact. In één keer goed. Ze ziet me niet stáán.'

'Tja, daar word je natuurlijk goed pissig van.'

'Pissig is het juiste woord.'

'Nou, ik zou er ook goed pissig van worden, reken maar.'

Ashley zag met genoegen dat Gordon en Rufus het goed met elkaar konden vinden, maar hij zag er een beetje tegen op met twee dronkenlappen te stellen te krijgen. Hoewel hij doende was zichzelf alles te leren wat er over wijn te weten viel, beleefde Ashley weinig genoegen aan alcohol, en al helemaal niet aan dronkenschap, of het nu bij zichzelf was of bij anderen. Maar hij was wel zo wijs om dat niet te laten merken en verstond de kunst om rondjes lang met één glas te doen zonder erop te worden aangekeken.

'Wat is er eigenlijk precies gebeurd, Rufus? Je zei dat Leclare dood was toen jullie terugvoeren?'

'Jezus, Ash, dat heb ik je toch verteld? Leclare stuurde me weg om een fles Jameson voor hem te halen die er helemaal niet bleek te zijn, en toen ik terugkwam stond Sint Ned daar met Paddy in zijn armen tegen hem te koeren als een duif, godbetert. Binnen de kortste keren had hij zichzelf tot schipper gepromoveerd. Hij behandelde me ook nog eens als een stuk vuil. Toen had hij ook nog eens het lef om me te zeggen dat ik me "alles in aanmerking genomen bewonderenswaardig had gedragen". Ik bewonderenswaardig! Wat hij natuurlijk bedoelde, was dat hij zichzélf bewonderenswaardig had gedragen. De slijmbal. Maar ja, hij draaide er wel mooi voor op om de politie te woord te staan en die lui van de ambulance, en de hele rompslomp! Ha. Daar had hij niet op gerekend, wed ik.' Rufus hees zichzelf overeind. 'Ach, shit, hij kan doodvallen! Wie wil er nog iets drinken?'

'Waarom niet?' zei Ashley. 'Hetzelfde graag. Een gin-tonic, met ijs, zonder citroen.'

'Dit spul is geen kattenpis,' zei Gordon, terwijl hij Rufus zijn lege glas aanreikte. 'Doe maar een halve pint deze keer.'

'Een halve gin en een pint Guinness met citroen. Zonder ijs, maar met tonic. Komt eraan.' Rufus begaf zich zwalkend in de richting van de bar.

'Hij is niet half zo dronken als hij lijkt,' zei Ashley. 'Zijn vader is alcoholist en hij is nu aan het uitproberen of het hem ook staat.'

Gordon keek Rufus' verdwijnende gestalte na en wendde zich toen tot Ashley. 'Jij wilt mensen graag doorgronden, hè?'

'Nou,' zei Ashley, lichtelijk verbaasd, 'jij ook, zo te horen.'

'Klopt. Touché. Maar zeg eens, wie was die Leclare eigenlijk?'

'De school had hem in dienst als een soort zeilinstructeur,' zei Ashley met een onverschillig gebaar, alsof hij het had over de plaatselijke putjesschepper. 'De jongens die met hem voeren, waren heel erg op hem gesteld, op die onuitstaanbare, kameraadschappelijke manier die het zeilerswereldje kenmerkt. Hij was voortdurend zeiltochten aan het organiseren voor de jongens die zich het konden permitteren – of die zich met zo iets onuitsprekelijk saais onledig wensten te houden,' voegde Ashley er ijlings aan toe.

'Ik heb gehoord van gevallen in de Verenigde Staten waar dat soort mensen pedofielen bleken te zijn,' zei Gordon. 'Je weet wel, een zeilvakantie voor schoolkinderen door de Caribische Zee. Beetje pervers, zoiets.'

'Ja, maar in dit geval moet je daar niet aan denken. Wat je ook mag hebben gelezen over Engelse particuliere scholen, dat soort dingen komt maar zelden voor.'

'Waar zijn ze heen gegaan?'

'Van het westen van Schotland langs de kust naar de Giant's Causeway blijkbaar, en weer terug. Het jaar daarvoor was het… Waar zijn jullie vorig jaar ook weer heen gegaan, Rufus?' Rufus was terug en zette de glazen op tafel neer, een zak pinda's tussen zijn tanden.

'Hng?'

'Vorig jaar. Waar zijn jullie toen met de Zeilclub heen gegaan?'

'Hoer van Horror.'

'Wat zei je?'

'Hoek van Holland,' zei Rufus terwijl hij het pak met zijn tanden opentrok en naar Rufus schoof. 'Van Southwold over de Noordzee naar Vlissingen. Toen over de binnenwateren naar Amsterdam en het hele stuk weer terug.'

'En ik neem aan dat Leclare je met geen vinger heeft aangeraakt, en nooit de tere bloesem van je maagdelijkheid heeft bedreigd?'

'Sodemieter op, man!'

'Zomaar een gedachte.'

'Nu ik erover nadenk, ik heb er nog over gedacht om terug te gaan,' zei Rufus. 'Naar Amsterdam, bedoel ik. Ze hebben daar naakte vrouwen achter de ramen en meer stuff dan je van je leven bij elkaar hebt gezien.'

'Rook jij?' vroeg Gordon aan Rufus.

'Moet je dat nog vragen?' prevelde Ashley voor zich uit terwijl hij zichzelf te goed deed aan een pinda.

Gordon dempte gespannen zijn stem. 'Je kunt me zeker niet met iemand in contact brengen, hè?' vroeg hij. 'Sinds ik hier ben heb ik geen trekje meer gehad. Ik ben er één keer tegen Portia over begonnen, en ze keek me aan of ik een reptiel was.'

'Met alle plezier,' zei Rufus met een minzaam handgebaar. 'Wiet of hasj?'

'Wiet,' zei Gordon.

'Geen probleem. Heel toevallig heb ik zelfs iets bij me, de verrukkelijkste…'

Ashley voelde zich somber worden bij het vooruitzicht dat de conversatie zou ontaarden in een gesprek over drugs. Het was veel amusanter om Rufus en Gordon kritiek op Ned te horen spuien. Ned en drugs was helaas geen geschikte combinatie voor een onderhoudende gedachtewisseling. Tenzij, natuurlijk…

'Zou het niet leuk zijn,' zei Ashley, voorzichtig nippend aan zijn gin-tonic, 'om te zien hoe Ned wordt opgepakt door de narcoticabrigade? Een schandaaltje, een smetje op het onbevlekte blazoen van Sint Ned en zijn vader, denken jullie ook niet? En moet je je voorstellen hoe ontsteld die lieve Portia zou zijn.'

Rufus begon te giechelen, en Gordons mond viel open.

'Hij gaat vanmiddag met haar naar – hoe heette het ook weer? Iets belachelijk deftigs – het Knightsbridge College, nu weet ik het weer,' ging Ashley dromerig verder. 'Stel dat de politie een tip krijgt dat er al dagen lang zo'n vuile dealer om dat college rondzwerft, die illegaal spul aan de studenten levert. Stel je eens voor hoe onze blonde jonge god geboeid wordt afgevoerd.'

'Ja ja, maar hoe…'

'Zijn jack hangt onder aan de trap. We hoeven alleen maar onze hersens te gebruiken.'

Ned stond naakt voor het slaapkamerraam dat uitzag over Londen. Misschien dat hij over een uur of zo naar beneden zou gaan om een paar roereieren te maken. Maar waarom zou hij verder deze kamer nog ooit van zijn leven willen verlaten? Ze konden hier eeuwig blijven. Alleen moest Portia nog even naar dat sollicitatiegesprek. Maar zodra dat achter de rug was, zouden ze linea recta weer naar deze kamer teruggaan. Natuurlijk kwam zijn vader morgen terug uit de provincie, en dan moesten ze er toonbaar uitzien, maar morgen was een eeuwigheid weg. Hij popelde ernaar om Portia aan zijn vader voor te stellen, hij had het gevoel dat ze meteen de beste maatjes zouden zijn. Een visioen van hun latere leven doemde voor hem op. Portia en Pa met Kerstmis, op de kraamafdeling, op vakantie. De vrolijkheid, de genegenheid, de liefde... Hij kon wel huilen van verrukking.

Een beweging onder hem op straat trok zijn aandacht. Ashley en Gordon kwamen terug naar huis en ze hadden nog iemand bij zich. Ned glimlachte toen hij de onvaste gang van Rufus herkende. Hoe waren die elkaar in hemelsnaam tegen het lijf gelopen? Ieder ander moment had hij ze graag binnen genood, maar...

Ned, die van nature nooit zelfzuchtig of asociaal was, sloop naar de deur en draaide voorzichtig de sleutel om. Juist omdat het zo'n zacht geluid was, werd Portia er wakker van.

'Heb je de deur op slot gedraaid?'

'Ik moest wel,' fluisterde Ned. 'De anderen komen er zo aan. We kunnen misschien beter doen alsof we al weg zijn.'

Portia zag Ned door de kamer op haar afkomen en een intens geluk voer door haar heen, als wind die door hoog gras streek, en ze huiverde en tintelde van een genot dat zo groot was, dat ze het bijna als pijn ervoer.

'Je mag nooit meer bij me weggaan.'

'Wees maar niet bang,' fluisterde Ned en hij klom weer in bed.

Ze hoorden Ashley's stem van onder aan de trap.

'We zullen jullie niet storen, hoor. Ik moest even iets ophalen. Vermaken jullie je maar, jonggeliefden.'

Het gesmoorde gelach van Gordon en Rufus verrukte hen. Wat was het heerlijk als er om je werd gegiecheld.

Ned zuchtte van absolute voldoening en geluk. Waar in het ganse heelal was er één wezen dat zo grenzeloos te benijden was als hij? Hij was jong, gezond en gelukkig, en had geen enkele zorg of vijand op de wereld.

II

De arrestatie

Ned huiverde en trok de deken dichter om zich heen.

'Neem me niet kwalijk,' zei hij. 'Zou iemand me misschien mijn kleren kunnen brengen?'

De politieagent bij de deur richtte zijn blik van het plafond op Ned.

'Het is hier toch niet koud?'

'Nee, maar ziet u, ik draag alleen maar mijn...'

'Hartje zomer toch?'

'Ja, zeker, maar...'

'Nou dan.'

Ned keek naar de asbak die voor hem op de tafel stond en probeerde zich te concentreren op wat er was gebeurd.

Om vier uur had hij Portia afgeleverd bij het College, dat wil zeggen, ze hadden in een smalle straat achter Scotch House in een teleurstellend normaal portiek op de bel gedrukt voor de vierde verdieping.

'Ik wacht hier op je,' had hij beloofd, en hij had haar gezoend alsof hem een scheiding van jaren wachtte. 'En als je klaar bent, nemen we bij Harrods een sorbet om het te vieren.'

Hij had bijna een half uur op de stoep staan wachten, zich voor de aardigheid afvragend of het voor Portia al dan niet een goed teken was dat het zo lang duurde. Optimistisch als hij was, had hij uiteraard besloten van wel.

Een groep jonge Spanjaarden of Italianen (hij wist niet precies waar ze vandaan kwamen) was naar de deur toe gelopen. Ze hadden juist een sleutel te voorschijn gehaald, toen Ned, in een opwelling, had besloten om met ze mee naar binnen te gaan. De aanblik van een correct gekleed vriendje zou de balans misschien juist in Portia's voordeel kunnen doen doorslaan.

'Neem me niet kwalijk,' had hij gezegd. 'Is het goed als ik met u mee naar binnen ga?'

Ze hadden hem vol onbegrip aangekeken. Als dat maatgevend was voor de gemiddelde beheersing van het Engels hier, zou Portia haar handen nog vol krijgen.

'ik... zou... graag...' maar voordat hij verder had kunnen gaan, was het allemaal begonnen. Twee schijnbaar uit het niets opgedoken mannen hadden Ned elk bij een arm gepakt en naar een auto gesleurd. Te verbijsterd om iets te kunnen uitbrengen, was het laatste wat hij had gehoord het schorre gelach geweest van een stel mensen dat in de vaag verlichte deuropening van een naburig café stond.

'W-wat is dit?' had hij gevraagd. 'Waar bent u mee bezig?'

'Vraag maar liever waar je zélf mee bezig bent,' had een van de mannen gezegd, terwijl hij een in folie gewikkeld pakje uit de zak van Neds jasje had gehaald en de auto met gierende banden was weggereden.

Op het politiebureau was hij grondig gefouilleerd. Ze hadden hem alles afgenomen behalve zijn onderbroek en hij zat zich nu al meer dan een half uur in deze kamer af te vragen wat er in hemelsnaam aan de hand kon zijn. De volgende keer dat de deur openging en er iemand binnenkwam, zou hij erop staan dat hij zijn vader mocht bellen. De politie had er geen idee van dat ze te maken hadden met de zoon van een kabinetslid. Sir Charles was een zachtmoedig en door en door beleefd man, maar hij had in de oorlog wél een brigade aangevoerd, en zes jaar lang een stukje van het Britse Rijk bestuurd. In de Soedan had hij doodvonnissen geveld en voltrokken zien worden. Als minister voor Noord-Ierland had hij de periode van voorarrest verlengd en allerlei extreme maatregelen afgekondigd – 'zachte heelmeesters maken stinkende wonden' had hij eens, zonder nadere uitleg, tegen Ned gezegd. Met zo'n man viel niet te spotten. Ned kreeg bijna te doen met de politie. Hij zou zijn vader verzekeren dat hij goed was behandeld en dat hij geen wrok koesterde.

Eindelijk ging de deur van de verhoorkamer open.

'Zo, jongeman.'

'Goedemiddag, meneer.'

'Ik ben rechercheur Floyd.'

'Ik zou graag willen opbellen naar…'

'Sigaret?'

Floyd legde een pakje *Benson and Hedges* en een aansteker op tafel, waarna hij een stoel naar voren trok en tegenover Ned aan tafel ging zitten.

'Nee, dank u. Ik rook niet.'

'Je rookt niet?'

'Nee.'

'Vijftien gram hasj bij je, en je rookt niet?'

'Sorry?'

'Daar is het wat laat voor, vind je niet? Het zelf gebruiken is tot daar aan toe. Maar het aan buitenlandse studenten verkopen… dat vindt de rechter niet leuk.'

'Ik begrijp u niet.'

'Natuurlijk niet. Hoe oud ben je?'

'Zeventieneneenhalf.'

'Zeventieneneenhalf. *En een half*!'

De agent bij de deur lachte mee.

'Zo oud ben ik nu eenmaal,' zei Ned, wie de tranen in de ogen sprongen. Wat was er mis mee om dat te zeggen, het was toch zo?

Floyd fronste zijn voorhoofd en beet op zijn lip. 'Laten we het niet meer over drugs hebben, goed? Vertel me eens wat *binnenlands, binnenlands, binnenlands* betekent.'

Ned keek hem perplex aan. 'Wat?'

'Toch niet zo'n moeilijke vraag. *Binnenlands, binnenlands, binnenlands.* Zeg op!'

'Ik weet niet wat u bedoelt.' Ned had het gevoel alsof hij aan het verdrinken was. 'Ik wil graag mijn vader bellen.'

'Laten we bij het begin beginnen, oké? Naam?'

'Rustig aan een beetje, beste kerel.'

Ned en de rechercheur draaiden zich tegelijkertijd om. Een onberispelijk geklede man van rond de vijfentwintig stond, vriendelijk glimlachend, in de deuropening.

'En wie bent u dan wel?' stoof Floyd op.

'Komt u even mee, rechercheur,' zei de jongeman en hij wenkte hem met zijn vinger.

Floyd deed zijn mond open om te protesteren, maar iets in het uitgestreken gezicht van de jongeman bracht hem op andere gedachten.

De deur ging opnieuw dicht. Ned hoorde hoe Floyd met nauw bedwongen woede in de gang buiten zijn stem verhief. 'Met alle respect, meneer, ik zie niet in waarom...'

'Met alle respect... heel goed, Floyd. Respect. Dat hebben we nodig. Goed, geef dat maar aan mij, als je wilt. Bedankt... Het papierwerk doen we later wel.'

De deur ging weer open en de jongeman stak zijn hoofd glimlachend naar binnen. 'Ga je even mee, vriend?'

Ned sprong op en liep achter de jongeman aan een gang door, waarbij hij een nijdige rechercheur Floyd passeerde.

'Mag ik even bellen?' vroeg Ned.

'Wat halen ze zich in hun hoofd,' zei de jongeman alsof hij Neds vraag niet had gehoord, 'om je zo uit te kleden? Aha, daar hebben we meneer Gaine!' Hij wees op een breedgeschouderde man in een spijkerjasje die aan het eind van de gang tegen een branddeur leunde met een stapel keurig opgevouwen kleren in zijn armen, de schoenen er omgekeerd bovenop.

'Dat zijn mijn kleren!' zei Ned.

'Klopt. We kunnen ze nog niet meteen aantrekken, helaas, we moeten weg. Alles klaar, meneer Gaine?'

De breedgeschouderde man knikte en duwde de stang van de deur naar beneden. De jongeman leidde Ned via een paar treden een binnenplaats op en naar een groene Rover die in een hoek in de brandende zon geparkeerd stond.

'Ga maar achterin zitten, bij mij. Het rijden laten we maar aan meneer Gaine over, oké?'

Ned trok een grimas van pijn toen zijn blote bovenbenen in contact kwamen met de bekleding.

'Een beetje gebrand? Dat spijt me,' zei de jongeman opgewekt. 'We hadden eraan moeten denken de auto in de schaduw te zetten, nietwaar, meneer Gaine? Okidoki dan, portieren vergrendelen. Laten we geen tijd verliezen.'

'Waar gaan we heen?' vroeg Ned, die een deken zo om zich heen schikte, dat die zowel zijn benen als zijn schaamte beschermde.

'Mijn naam is Delft,' luidde het antwoord. 'Net als die vreselijke blauw-met-witte tegeltjes. Oliver Delft.' Hij reikte Ned zijn hand. 'En jij bent…'

'Edward Maddstone.'

'Edward. Noemen ze je ook zo? Of is het Ed, Eddie, Ted of Teddy?'

'Meestal Ned.'

'Ned. Waarom ook niet? Dan noem ik jou Ned en jij mij Oliver.'

'Waar gaan we heen?'

'Tja, we hebben heel wat te bepraten, hè? Ik vond dat we dat maar eens op een rustig plekje moesten doen.'

'Ja, maar… mijn vriendin, zie je… ze weet niet waar ik ben. En mijn vader…'

'Het is nog wel een eindje rijden vrees ik. Als ik jou was, zou ik proberen even mijn ogen dicht te doen. Ik ben dat in ieder geval wel van plan.' Delft legde zijn hoofd achterover.

'Ze zal ongerust zijn…'

Maar Delft, die kennelijk op slag in slaap was gevallen, zei niets.

Na zijn doorwaakte nacht op de *Orphana* en de hectische dag die erop was gevolgd, had Ned in de trein van Glasgow naar Londen ook geen oog dichtgedaan. De dag daarna, vandaag – was dat echt *vandaag?* – was hij met de bus heen en weer van Catherine Street naar het vliegveld gereden. Daar had hij weliswaar een tijd in bed gelegen, maar niet geslapen. Portia had een beetje gedoezeld, maar Ned was te gelukkig geweest om aan slapen te denken.

Nu echter begon hij te gapen, hoe krankzinnig de situatie waarin hij verkeerde ook was. Het laatste wat hij zag voordat hij in slaap viel, was het achteruitkijkspiegeltje, met daarin Gaine's kille ogen die hem observeerden.

'Vergeef me mijn brute behandeling van een ei,' zei Oliver Delft. 'Het is zijn leven begonnen als een omelet *aux fines herbes*, maar nu is het, vrees ik, gewoon een groengespikkeld roerei. Anti-aanbaklaag! Ze zeggen maar wat, als je het mij vraagt.' Hij schoof Ned een bord toe en glimlachte.

'Bedankt.' Ned viel erop aan, nu pas beseffend dat hij uitgehongerd was. 'Heerlijk.'

'Zeer vereerd. Terwijl jij eet, kunnen we praten.'

'Woon je hier?'

'Ik kom hier wel eens,' zei Delft, die met een glas wijn in zijn hand tegen de stang van het Aga-fornuis leunde.

'Ben je bij de politie?'

'Bij de politie? Nee, nee. Wat ik doe is veel minder spannend, moet ik bekennen. Ik ben maar een eenvoudige loonslaaf in de lagere regionen van de overheid. Heel saai. Ik ben hier om een paar onderste steentjes boven te krijgen.'

'Als het gaat over dat spul dat de politie heeft gevonden, ik zwéér je dat ik er niets vanaf weet.'

Delft glimlachte opnieuw. Het kostte hem moeite. Inwendig was hij spinnijdig dat ze hem met deze vervelende klus hadden opgezadeld. Het heerlijke lange weekend waar hij al tijden naar uitgekeken had, was naar de maan.

Vijf minuten... vijf onnozele minuten hadden Oliver van zijn vrijheid gescheiden. Hij had zijn bureau al afgesloten en was zelfs de dagstaat al aan het aftekenen, toen een gejaagde Maureen binnen was gekomen, wapperend met een telex van West End Central.

'Is Stapleton er nog niet? Mijn dienst zit erop.'

'Nee, meneer Delft. Meneer Stapleton is nog niet binnen. En verder is er niemand.'

'Stik!' had Oliver hartgrondig gezegd. 'Goed, laat maar eens zien.'

Hij had het getikte vel van Maureen aangepakt en het zorgvuldig doorgelezen. 'Hm. Wie is er aanwezig van de Zware Jongens?'

'Gaine, meneer.'

'Zeg hem dat hij de auto vast opstart. Ik ben over drie minuten bij hem.'

Dat was tenminste iets geweest. Gaine was Olivers eigen man en je kon erop vertrouwen dat hij het leven niet nog moeilijker ging maken door mensen tegen de haren in te strijken of op lange tenen te trappen.

Wat Oliver ook had verwacht aan te treffen in het bureau Savile Row, zeker geen angstige schooljongen. De hele zaak leek behoorlijk absurd. Ongetwijfeld een vergissing, had hij tegen zichzelf gezegd zodra hij de blondgekuifde tiener zag die met een vertwijfeld en verbijsterd gezicht zijn knie op en neer bewoog onder de tafel van de verhoorkamer. Delft mocht dan zelf nog pas zesentwintig zijn, hij had genoeg meegemaakt om er zeker van te zijn dat Ned Maddstone zo onschuldig was als een pasgeboren kuiken. Het pasgeboren kuiken van een *postduif*, bedacht hij. Dat beeld beviel hem en hij nam zich voor het in zijn rapport te zetten. Zijn superieuren waren ouderwets genoeg om een toepasselijke metafoor te waarderen.

Hij keek de jongen aan.

Ned zat aan de keukentafel, wipte nog steeds met zijn knie en had een ernstige, smekende uitdrukking op zijn onschuldige gezicht.

'Eerlijk,' zei hij. 'Ik zwéér het. Op de bijbel!'

'Rustig maar,' zei Oliver. 'Ik denk niet dat de bijbel eraan te pas hoeft te komen. Niet dat we er overigens een zouden kunnen vinden in deze poel des verderfs,' voegde hij eraan toe met een blik door de keuken alsof het een zeemansbordeel was. 'Je kunt zweren op Marguerite Pattens *Kleurrijk koken*, als dat je oplucht, maar nodig is het niet.'

'Geloof je me dan?'

'Natuurlijk geloof ik je, stomme ezel. Het is allemaal een groot misverstand. Maar, nu we hier toch zijn, kun je me evengoed vertellen wat de woorden *binnenlands, binnenlands, binnenlands* betekenen.'

'Geen flauw idee,' zei Ned. 'Die rechercheur vroeg me dat ook al, maar ik heb ze nog nooit gehoord. Ik bedoel, ik ken het woord *binnenlands* natuurlijk, maar…'

'Zie je, dat is nu juist waar we achter moeten zien te komen,' zei Oliver. 'Als we eenmaal zover zijn, kunnen wij jou laten gaan en kun jij doorgaan met je eigen leven en ik met het mijne, wat we allebei heel graag willen, denk ik zo.'

Ned knikte heftig. 'Nou en of! Maar…'

'Goed dan. Zullen we hier dan eens even naar kijken?'

Oliver liep op de tafel af en legde er een enkel vel papier op neer.

Ned liet zijn blik erover gaan en stond voor een raadsel. Hij herkende in één oogopslag de namen van de minister van Binnenlandse Zaken, de voorzitter van het Hogerhuis, de minister van Defensie en nog een paar, die hem vagelijk bekend voorkwamen. Onderaan stond de naam van zijn vader, *Sir Charles Maddstone*. Daar weer onder, in grote, zwarte, handgeschreven kapitalen, stonden de woorden:

BINNENLANDS BINNENLANDS BINNENLANDS

'Wat betekent dat?' vroeg hij.

'Het is van jou,' zei Oliver. 'Zeg jij het maar.'

'Van mij? Maar ik heb het nog nooit gezien!'

'Wat deed het dan in de binnenzak van je jasje?'

'In de… O!' Het begon Ned te dagen. 'Zat het… zat het in een envelop?'

'Het zat in een envelop!' zei Oliver. 'Volkomen juist! In deze envelop.' Hij hield Ned een witte envelop voor, een envelop die de politie tot zijn ergernis gedachteloos had opengescheurd. Oliver had onmiddellijk een haartje opgemerkt achter de klep, een kleine veiligheidsmaatregel om de ontvanger te waarschuwen dat eraan was geknoeid. Ze konden natuurlijk net zo'n envelop zien te vinden en de brief er weer in stoppen, maar geen mens kon zeggen wat voor andere signalen de politie wellicht had vernield. Echt te verwijten viel het ze natuurlijk niet, gaf hij toe. Het was een routinefouillering geweest. Ze waren ervan uitgegaan dat ze met niets serieuzers te maken hadden dan de drugsvoorraad van een rijkeluiszoontje.

'Maar waarom is het zo belangrijk?' vroeg Ned. 'Wat heeft het te betekenen?'

'Tja, je hebt net toegegeven dat die brief van jou is, dus ik zou zo zeggen, vertel *jij* me dat eens.'

Ned schoof ongemakkelijk heen en weer op zijn stoel. 'Ja, weet je, ik... ik heb hem gekregen.'

'Ja, je zult me toch iets meer moeten vertellen.'

'Van een man.'

'Goed, dat schakelt zo'n twee miljard mensen uit, maar dan blijven er toch nog genoeg over, nietwaar? We zullen het aantal iets meer moeten begrenzen.'

'Hij is dood.'

'Je hebt hem van een dode man gekregen.'

'Hij is pas gisteren gestorven.'

'Ga me nou niet zitten dollen, Ned, doe me een lol. Wie was hij en hoe heb je hem gekregen?'

Zeg me wat je in het leven het meest heilig is.

Ned had wel kunnen janken van vertwijfeling, nu hij zich voor een moreel dilemma geplaatst zag. Hij wilde deze aardige man helpen, maar hij wilde ook zijn woord houden. Zou hij niet het meest afschuwelijke onheil over zich afroepen als hij zo'n dure eed brak?

Wat is voor jou het belangrijkst op de hele wereld?

Wat zou *Portia* willen dat hij deed?

'Is het erg belangrijk dat ik het je vertel? Zo belangrijk, dat ik er een plechtige eed voor mag breken?'

'Luister eens, kleine padvinder,' zei Oliver, 'ik ga je iets vertellen. Iets wat je eigenlijk niet mag weten, maar ik vertrouw erop dat je het voor je houdt. Glas wijn?'

'Heb je misschien ook melk?'

'Melk? Eens kijken.' Oliver liep naar de koelkast en wierp er een achterdochtige blik in, alsof het de eerste koelkast was die hij ooit had geïnspecteerd. 'Melk, melk, melk... aha, inderdaad. Je moet weten, Ned,' ging hij verder, 'een van de dingen die ik voor mijn werk doe, is proberen te verhinderen dat mensen in dit land bommen laten ontploffen. Alleen maar halfvolle gepasteuriseerde, vrees ik. Is dat goed?'

'Dat is prima, bedankt.'

'Ik krijg het zelf niet door mijn strot. Bommen laten ontploffen, Ned, is waar sommige onverlaten zich mee bezighouden, zoals je ongetwijfeld uit de krant weet. Ze doen het in winkels, cafés, clubs, kantoorgebouwen en stations, en doden en verminken doodgewone mensen die met niemand anders ruzie hebben dan met hun bank, hun chef en hun wederhelft. Drink het uit het pak, goed zo. Grote jongen. Sommigen van die bommengooiers bellen naar de politie of naar de krant om de eer voor de aanslag op te eisen – alsof je in dit geval van eer kunt spreken! – of, als ze nog een greintje menselijk gevoel hebben en alleen maar onroerend goed willen vernielen, om de politie te waarschuwen zodat die het gebied kan ontruimen. Kun je me tot zover volgen?'

Ned knikte en veegde met de rug van zijn hand een witte snor van zijn lippen.

'Goed. Om te voorkomen dat de een of andere gestoorde aan de telefoon gaat hangen om voor de lol een loos alarm door te geven of een aanslag op te eisen, is er een min of meer functionerende regeling getroffen tussen ons – de overheid – en hen – de *bona fide* terroristen. Wanneer een terrorist een krant of politiebureau belt, noemt hij een codewoord, om te bewijzen dat hij serieus genomen moet worden. Ga ik te snel?'

'Nee.'

'Mooi. Nu wil het geval dat de laatste gecodeerde waarschuwing van de IRA voor een bomaanslag, nog maar een paar dagen oud, het woord *binnenlands* is, drie keer achter elkaar.'

'Maar…'

'Dus nu begrijp je misschien waarom rechercheur Floyd, God beware hem, een beetje van de kook raakte toen hij dat stuk papier in jouw jasje aantrof. En misschien begrijp je nu ook waarom hij mijn dienst heeft opgebeld en waarom ik nu aan jou vraag hoe je er aan bent gekomen. De man die jou die envelop heeft gegeven, was een IRA-terrorist, Ned. Het grootste tuig dat er bestaat. Zo'n man wiens idee van politiek protest eruit bestaat kleine kinderen van hun armen en benen te beroven. Wat voor geheimhoudingseed hij je ook heeft laten zweren, hij is totaal betekenisloos. Dus zeg me hoe hij heette.'

'Paddy Leclare,' zei Ned. 'Hij heette Paddy Leclare. Hij was zeil-instructeur. We zaten midden op zee, toen hij opeens doodziek werd. Hij heeft me die envelop gegeven vlak voordat hij stierf.'

'Mooi, je ziet het. We zijn eruit,' zei Oliver en hij klopte Ned op zijn rug. 'Zo moeilijk was het niet, hè?'

'Ik... ik had er geen flauw idee van. Ik bedoel, hij is door de school aangesteld en zo. Als ik ook maar één moment had ver-moed...'

'Natuurlijk niet, kuikentje.'

'Denk je dat hij het mij heeft gevraagd vanwege mijn vader?'

'Je vader? Waarom zou die... O, ben je een van die Maddstones? Net als Sir Charles? Is dat soms je grootvader?'

'Hij is mijn vader,' zei Ned verlegen. 'Ik was een... een nakomer-tje.'

'Ik heb in mijn tweede jaar op St. Mark's een kamer gehad in Maddstone Quad,' zei Oliver. 'Vanuit mijn raam keek ik pal op een groot, massief stenen standbeeld van de stichter van het College, John Maddstone. Je lijkt geen zier op hem. We plachten het blauw te verven in de nacht vóór de *Dies*, je kent het wel. Zo, zo. Ik denk dat het je vriend Paddy Leclare een hele kick heeft gegeven dat hij die brief aan jou toevertrouwde. Dat soort dingen spreekt die lui aan.'

'Hij was mijn vriend niet,' zei Ned verontwaardigd. 'Hij was ge-woon onze zeilinstructeur.'

'Excuus.'

Ned keek neer op het vel papier. 'Dus dit zijn allemaal mensen die de IRA wil vermoorden?'

'Daar lijkt het op het eerste gezicht zeker op,' gaf Oliver toe. 'Maar hoe de dingen zijn en hoe ze lijken, is niet altijd hetzelfde.'

Ned bestudeerde de lijst met namen. 'Ik zou niet weten wat het anders zou kunnen betekenen,' zei hij toen. 'Dit zijn toch allemaal politici en generaals en zo?'

'Tja, misschien *willen* ze dat we denken dat zij het op hen hebben gemunt. Misschien was je vriend Leclare er wel van overtuigd dat jij die brief uit nieuwsgierigheid zou openen en achterdochtig zou worden en hem aan je vader zou geven. Misschien is de bedoeling alleen maar om ons een hoop tijd, inspanning en mankracht te laten verspillen aan veiligheidsmaatregelen, terwijl ze in feite heel andere dingen op het oog hebben. Of misschien is die envelop wel geïmpregneerd met een dodelijk virus, en was het de bedoeling dat jij de infectie zou overbrengen op je vader die het dan op zijn beurt weer op het hele kabinet zou overbrengen. Misschien is dat de oorzaak van Leclare's plotselinge ziekte en dood – misschien is hij een beetje te onachtzaam omgesprongen met die microben.'

'O, mijn God! Maar...'

'Er is nóg een misschien. Misschien hebben zíj die hasj wel ongemerkt in je zak gestopt en vervolgens de politie getipt om mij uit mijn schuilhoek te lokken en ons hierheen te volgen. Misschien zitten ze nu buiten in een busje met een mortier die op deze keuken is gericht. Er zijn nog wel duizend meer misschiens. We weten het niet. Er zijn zoveel misschiens als er seconden in een eeuw zitten. Maar één ding kan ik je met zekerheid zeggen,' zei Oliver, terwijl hij tegenover Ned aan tafel ging zitten. 'We weten helemaal niets tot je me het hele verhaal van a tot z hebt verteld. Ik hoop dat je het daar mee eens bent.'

'Natuurlijk. Helemaal.'

'Mooi. Ik ben heel openhartig tegenover jou geweest en nu kun je met gelijke munt terugbetalen. Jij vertelt me alles wat je weet, en voor je het weet rijdt meneer Gaine ons terug naar Londen. Vóór het tienuurjournaal ben je weer thuis in de schoot van je familie, dat beloof ik je. Je hebt geen bezwaar tegen een bandrecorder, hoop ik?'

'Nee,' zei Ned, 'geen enkel.'

'Prachtig. Blijf rustig zitten en drink je melk. Ik ben zo terug.'

Hal-le-lu-ja! Olivers gedachten snelden voor hem uit terwijl hij de woonkamer binnenging. Als hij naar Londen terugreed, een voorlopig rapport tikte en het dan aan Stapleton overliet om de zaak af te werken, kon hij tegen middernacht op weg zijn naar het platteland. Misschien kon hij zijn weekend alsnog redden.

'Hallo, Gaine. Waar staat de Revox?'

'In de kast onder de boekenkast, meneer. Ik pak hem wel even.'

Oliver wierp een blik op de kruiswoordpuzzel van de *Evening Standard* waarop Gaine zijn geduchte hersens had zitten breken.

'Kijk, daar ga je de fout in, Gaine.'

'Meneer?'

'Vier horizontaal. "Zat". Je hebt "tor" ingevuld. Dat moet "lam" zijn'.

'O.'

'Hoe kwam je trouwens bij "tor"?

'Nou, meneer Delft, meneer,' zei Gaine terwijl hij Oliver de bandrecorder aangaf, '"Zo zat als een tor", zeggen ze toch?'

'Natuurlijk, stom van me,' zei Oliver die zich eens te meer verbaasde over Gaine's merkwaardige hersenkronkels. 'Goed, het duurt nog hooguit een uur. O, wees zo goed om de Rover vol te gooien, wil je? In de garage staan nog een paar jerrycans, als het goed is.'

'Al gebeurd, meneer.'

'Goed zo. O ja, Gaine?'

'Meneer?'

'Weet je zeker dat we niet zijn gevolgd hierheen?'

'Meneer!' Gaine keek diep gekrenkt.

'Ik dacht al van niet. Ik wilde het alleen maar even zeker weten.'

'Goed. Om bij het begin te beginnen. Hoe heb je die Paddy Leclare leren kennen?'

De vragen volgden elkaar op, de een na de ander. Ned zat al meer dan een uur te praten, en ze waren nog steeds niet bij de laatste nacht aan boord van de *Orphana* gekomen. Oliver had niet alleen elk detail willen weten van elke vorige zeiltocht naar het buitenland, maar ook van elke bijeenkomst van de Zeilclub.

'Het gaat geweldig, Ned. We zijn er bijna. Waar waren we? O ja, Ierland. De *Giant's Causeway*. Terwijl jullie dus aan het zwemmen waren en op het strand jullie ogen uitkeken naar de rotsformaties, was Leclare twee uur weg. Precies twee uur?'

'Anderhalf uur misschien, hooguit twee.'

'En toen hij terugkwam, was hij toen alleen?'

'Ik weet heel zeker dat ik niemand bij hem heb gezien.'

'En toen zijn jullie weer naar Oban teruggevaren, 's avonds en 's nachts. Hoe laat was dat?'

'Vijf over half negen. Ik heb het logboek bijgehouden. Dat heb ik u al verteld.'

'Ik wil het alleen allemaal heel zeker weten. Beschrijf me nu de weersomstandigheden eens. Kijk, de maan is net opgekomen, nog pas in het eerste kwartier, je kan het door het raam daar zien. Dus twee nachten geleden moet het knap donker zijn geweest. En daar voeren jullie, op zee, langs een ruige kust. Aardedonker, als je het mij vraagt, maar in deze tijd van het jaar duurt dat niet langer dan een paar uur. Klopt dat?'

En de vragen bleven elkaar opvolgen. Oliver was door zijn opleiding sowieso al grondig, maar nu ging hij met uiterste nauwgezetheid te werk, omdat hij geen zin had Ned later nog eens te moeten optrommelen om hem te vragen naar een paar details die hij had vergeten. Er zou in de komende weken al genoeg werk aan de winkel zijn: het hoofd van de school, de andere leden van die vermaledijde zeilclub en getuigen in Oban en Tobermorey en Nederland en tientallen andere plekken, ze moesten allemaal worden gehoord.

'…ik zag meteen dat hij heel erg ziek was… hij stuurde Cade weg om een fles whisky te halen… nee, Jameson… moest erom lachen… liet me plechtig zweren… op wat mij het meest heilig was…'

Oliver dronk zijn glas wijn leeg.

'Prima. Prima. En waar kwam die envelop vandaan?'

'Tja, uit een winkel, denk ik. Een kantoorboekhandel. Daar heeft hij niks over gezegd.'

'Nee, nee. Waar haalde hij hem op dat moment vandaan? Uit zijn zak? Uit een kistje? Dat bedoel ik.'

'O. Uit een kleine tas. Die lag op de kaartentafel.'

'Kleur?'

'Rood. Rode nylon.'

'Stond er een merknaam op? Adidas, Fila, zoiets?'

'N-nee... ik weet vrij zeker van niet.'

'Mooi, mooi. Je makker Rufus Cade was nog steeds buiten gehoor, denk je?'

'O ja, beslist.'

'Weet je dat zeker? Kon je het luik zien vanwaar je stond?'

'Nee, maar Paddy wel, en die zou Rufus hebben gezien als hij terug was gekomen.'

'Logisch. Ga door.'

'Tja, toen zei hij me dat ik die brief moest afgeven.'

'Er staat niets op de envelop. Hij heeft er toch geen adres op geschreven met onzichtbare inkt?'

'Nee.' Ned grijnsde bij het idee. 'Hij liet me de naam en het adres uit mijn hoofd leren.'

'En hoe luidden die?'

'Ik moest hem overhandigen aan Philip A. Blackrow, Heron Square 13, Londen sw1.'

Het was alsof Oliver Delft een hevige elektrische schok had gekregen. Elk zenuweinde prikte, zijn hart kreeg een enorme optater, en even werd het hem zwart voor zijn ogen.

Ned keek hem ongerust aan. 'Is er iets met u?'

'Kramp. Heb ik wel meer. Maak je geen zorgen.'

Oliver stond op, zette de bandrecorder uit en deed een paar passen, zijn lichaamsgewicht op de tenen van zijn rechtervoet plaatsend, alsof hij een spiertrekking wilde bestrijden. Het was van vitaal belang dat hij nu kalm bleef, volkomen kalm en volkomen meester van zichzelf en de situatie.

'Eh, luister,' zei hij. 'Ik moet even weg. Wacht hier op me. Maak wat toast, of zoiets. Er staat nog melk in de koelkast. Ik moet een paar dingen doen. Bellen, wat kleren voor je opscharrelen en zo. Je redt je wel?'

Ned knikte verheugd.

Gaine zat nog steeds te worstelen met de kruiswoordpuzzel.

'Alles in orde, meneer Delft?'

'Een echt klein eikeltje,' zei Oliver. 'We moeten met hem naar D16. Ik ga naar boven om het te regelen. Goddank is het maar een half uur rijden.'

Gaine's wenkbrauwen schoten omhoog. 'D16? Weet u het zeker, meneer?'

'Natuurlijk weet ik het zeker. Dit is uiterst geheim, Gaine. Absoluut uiterst geheim. Trommel een paar van je eigen mannetjes op, hoe sterker en stommer, hoe beter. Je kunt hun auto gebruiken als ze hier zijn. Ik heb de jouwe nu meteen nodig. Ik zie je morgenochtend op D16 met de benodigde papieren. Kom op, man, ga ze bellen. Gebruik de schone lijn. Kom op, nu metéén! Waar wacht je verdomme nog op?'

Gaine liep naar de deur, verontrust nu zijn chef voor de eerste keer in vier jaar zichzelf voor minder dan honderd procent in de hand leek te hebben.

Oliver bleef midden in het vertrek staan en dacht koortsachtig na. Het was ongelofelijk, ongelofelijk. De naam en het adres, luid en duidelijk uitgesproken in een aangesloten microfoon – tja, die band moest gewist worden, dat was punt één. Nee, niet gewist. Hij moest Londen iets kunnen geven. Die telex van West End Central stond in de dagstaat, en dan had je verder nog Maureen en die rechercheur.

Jezus nog aan toe, die jongen was de zoon van een kabinetslid! Hij zou levend worden gevild als hij dit verkeerd speelde.

Oliver dwong zijn gedachten een stap terug, weer in het gareel. Die rechercheur en de agenten die Ned hadden gearresteerd vormden geen probleem. Ze zouden vannacht nog de Officiële Acte van Geheimhouding tekenen en eeuwige stilte zweren, daar zou hij persoonlijk voor zorgen. Bovendien kenden ze Neds naam niet eens. Oliver was de verhoorkamer binnengekomen op het moment dat Floyd de jongen er net naar vroeg.

Zijn lange weekend was nu definitief van de baan. Zelfs een kort weekend zat er niet meer in. En dan was er nog het probleem met die band. Hij moest een band hebben waarop een naam en adres werden genoemd, dat was duidelijk, maar niet de naam Philip A. Blackrow, en niet dat adres.

Het was een verschrikkelijke dreun geweest, die naam te horen, maar goed beschouwd, bedacht Oliver, kon je het ook zien als een godsgeschenk. Als die telex vijf minuten later was binnengekomen, had Stapleton hier nu gezeten, en niet hij, Oliver. En als Stapleton de naam Blackrow had gehoord...

Nee, al met al was God oneindig goedertieren geweest. De jongen was op straat opgepakt. Niemand wist er iets van. *Niemand wist er iets van.* Dat simpele feit gaf hem vrijwel onbeperkte vrijheid van handelen in deze zaak. Van nu af aan was het alleen maar een kwestie van finesse en strategie.

Olivers eerste reactie, nog vrijwel voordat naam en adres helemaal uit Neds mond waren gerold, was het nemen van onmiddellijke, terminale actie geweest, maar dergelijke gedachten zette hij nu resoluut van zich af. In de wereld waarin hij werkte, was liquidatie, anders dan journalisten en romanschrijvers veronderstelden, altijd een allerlaatste redmiddel – zozeer zelfs, dat die vrijwel niet in aanmerking kwam. Dit was niet zozeer een kwestie van scrupules als wel van opties. Van een vijand kon je op een gegeven moment een vriend maken en van een vriend een vijand, een leugen kon tot de waarheid worden omgebogen en de waarheid tot een leugen, maar de doden konden nooit, helemaal nooit, weer tot leven worden gewekt. Flexibiliteit, dáár ging het om.

Bovendien had de dood er op een of andere manier een handje van tongen los te maken. De doden praten dan wel niet, maar de levenden wel, en levenden waren voor Oliver onontbeerlijk, wilde hij deze crisis doorstaan. Hij was er natuurlijk van overtuigd dat Gaine zo betrouwbaar was als de Bank van Engeland, maar je moest verder kijken. Oliver kon zich heel wat macabere scenario's voorstellen, en hij wist dat er nog veel meer waren die zijn voorstellingsvermogen te boven gingen, want het leven was nu eenmaal het leven. Er zou altijd de dreiging in de lucht blijven hangen dat

Gaine opeens een geweten zou gaan ontwikkelen, of gelovig zou worden, overweldigd door berouw en een drang tot biechten. Ouderwets, schuldbeladen liberalisme was trouwens ook een gevaarlijk vooruitzicht. En je moest altijd rekening houden met een avondje stevig doorzakken en de daarmee gepaard gaande dreiging van loslippigheid of chantage. Oliver had Gaine wel eens dronken meegemaakt – zat als een tor, zogezegd – en al wist hij dat de man er zijn kop altijd heel goed bij hield, je wist maar nooit of dat over tien, twintig, dertig jaar nog steeds zo zou zijn. Gegeven de wisselvalligheid en onzekerheid van alles, kon het blijvende en definitieve van de dood de allerrampzaligste keuze blijken. Paradoxaal, maar waar.

Oliver was iemand die nooit de aan Hamlet toegeschreven grootsheid had begrepen. Voor hem waren denken en doen één en hetzelfde. Terwijl hij naar boven ging om in de slaapkamerkast naar kleren te zoeken, begon het schitterende plan al tot in het laatste detail in zijn hoofd gestalte aan te nemen.

Toen Gordon thuiskwam was Portia in een knallende ruzie gewikkeld met haar ouders.

'Hij is *niet* als alle andere mannen!' gilde ze tegen Hillary. 'Hoe durf je dat te zeggen!'

'Misschien heeft hij een stel vrienden getroffen die naar Harrods gingen en is hij met ze meegegaan,' opperde Pete. 'Zo zijn die jongens. Geen loyaliteitsbesef. Kijk maar hoe ze zich in Palestina hebben gedragen. Of in Ierland. Maar goed dat die kinloze flapdrol is opgerot, als je het mij vraagt.'

'Palestina? *Ierland*? Wat heeft Palestina er in godsnaam mee te maken?'

'Kom, kom, kom.' Gordon suste Portia die zich tegen zijn borst wierp. 'Kalm aan, Pete. Je ziet toch dat ze van streek is? Wat is er aan de hand, Porsh? Hebben Ned en jij ruzie gehad?'

'Natuurlijk niet,' snikte ze. 'Maar hij is verdwenen, Gordon!'

'Verdwenen? Hoe bedoel je?'

'Wat ik zeg. *Verdwenen*. Ik... ik ben naar dat sollicitatiegesprek gegaan. Hij zou voor de ingang op me blijven wachten, maar toen ik buiten kwam, was hij er niet. En hij was ook niet in zijn vaders huis in Catherine Street. Ik heb er uren rondgehangen, maar hij is niet komen opdagen. En toen bedacht ik dat hij misschien hierheen had gebeld, dus ben ik zo snel mogelijk naar huis gegaan, maar hier hadden ze ook niets van hem gehoord. En, overigens,' zei ze terwijl ze zich tot Pete wendde, 'wat bedoel je eigenlijk met *kinloos*? Ned heeft een prachtige kin! Sterker nog, hij hoeft hem ten minste niet te verbergen onder een door de motten aangevreten pluisbaardje zoals sommige anderen.'

'Tja,' zei Pete, terwijl hij met veel zwier de *Morning Star* opensloeg, 'dat zullen we pas weten als hij oud genoeg is om een baard te laten stáán, hè, schat?'

'Wat een afschuwelijke manier om iemand te behandelen,' snoof Hillary. 'Het is in feite zoiets als emotionele verkrachting. Pure verkrachting. Verkrachting.'

Portia keerde zich briesend naar haar moeder om.

'Oké, oké,' zei Gordon en hij legde een verzoenende hand op Portia's schouder. 'Laten we ons even bij de zaak houden. Heb je al opgebeld?'

'Opgebeld? Waarheen?'

'Naar zijn vader. Catherine Street, dat was het toch?'

'Natúúrlijk heb ik dat gedaan. Zodra ik hier was.'

'Niemand thuis?'

'Ik heb de bel eindeloos laten overgaan,' zei Portia, terwijl ze naar de telefoon liep. 'Ik zal het nog eens proberen.'

'Vreemd, vind ik.'

'Vind ik ook. Dat probeer ik deze twee ook aan hun verstand te brengen, maar ze willen niet luisteren.'

'En zijn vader?'

'Ik heb zijn nummer niet. Hij is naar zijn kiesdistrict.'

'Ja, om op onschuldige vossen te jagen, veronderstel ik.'

'Het is júli, Peter!' gilde Portia. 'Er wordt niet gejaagd in juli!'

'O, neem me niet kwalijk, hoogheid. Het spijt me dat ik zo schandelijk slecht op de hoogte ben van de fijne nuances van de sociale kalender. Mijn tijd gaat tegenwoordig helaas heen met triviale zaken als geschiedenis en sociale rechtvaardigheid. Er schijnt nooit genoeg tijd over te zijn om me te verdiepen in de echt belangrijke kwesties, zoals hoe de hogere klassen hun jaar indelen. Daar moet ik me toch eens toe zetten.'

Deze fraaie volzinnen waren goeddeels verspild aan Portia, die een vinger in haar ene oor had gestoken en het andere tegen de hoorn drukte.

'Nog steeds geen gehoor,' zei ze. 'Hij is er niet.'

'Of hij neemt niet op,' zei Hillary.

Gordons vingers jeukten om de televisie aan te zetten om te zien of het misschien al op het nieuws was, maar hij wist dat hij zich voorlopig zo meelevend, broederlijk en bezorgd mogelijk moest opstellen. Deze persoonlijke crisis, en het publieke schandaal dat zeker zou losbarsten, zou Portia steeds dichter bij hem brengen.

Hij moest het rustig aan doen en niets overhaasten.

'Zal ik er eens heen gaan?' vroeg hij. 'Naar Catherine Street. Dan kun jij bij de telefoon blijven voor het geval hij belt.'

'O, Gordon, zou je dat willen doen?'

'Natuurlijk, geen probleem.'

'Maar stel dat hij belt als jij weg bent?' wilde Portia weten. 'Hoe kan ik je dan bereiken?'

'Ik vind wel ergens een telefooncel en bel elk uur hierheen,' zei Gordon.

'Zorg dat je om twaalf uur terug bent,' riep Hillary hem na. 'Als hij dan nog niet boven water is, moeten jullie morgenochtend maar verder kijken. Ik wil niet dat je de hele nacht op straat blijft rondhangen.'

'Goed,' zei Gordon. Geen probleem.'

Hij haalde zijn fiets uit de garage en peddelde richting Highgate en het ouderlijk huis van Rufus Gordon, zich verheugend op een ontspannen avondje wiet roken en gniffelen om het nieuws.

Ned was moe, maar vreemd uitgelaten. Het is geen kwelling om te praten met iemand die elk woord van je gretig opzuigt. Toen hij eenmaal had besloten om Oliver alles te vertellen, had hij er zelfs van genoten zijn geheugen minutieus af te tasten. Hij was er behoorlijk mee ingenomen hoe scherp en gedetailleerd zijn herinneringen bleken te zijn.

En wat een verhaal! Hij zat te popelen om het aan Portia te vertellen, als hij daar toestemming voor kreeg. Aan zijn vader zou hij het in ieder geval vertellen. En misschien aan Rufus, die was er immers die laatste avond ook bij geweest. Oliver zou Rufus trouwens sowieso willen ondervragen, net als de rest van de Zeilclub. Wat een schandaal voor de school!

Maar hoe die marihuana in zijn zak was gekomen bleef hem een raadsel. Ned vroeg zich af of die Spaanse studenten die hij bij de ingang van het college had aangesproken misschien de twee agenten achter zijn rug hadden zien aankomen en het pakje in zijn zak hadden gestoken om hun eigen huid te redden.

Oliver kwam de keuken in met een draagtas van een supermarkt. 'Details, details,' zei hij. 'Mijn afdeling, moet ik tot mijn verdriet zeggen, is verzot op details. Hier, je moet dit maar aantrekken. Je eigen kleren zijn in de kofferbak van de auto helemaal onder de olie gekomen, helaas.'

Ned pakte de tas aan en wierp er een blik in. Hij zag een paar Dunlop-tennisschoenen, een grijze broek, een pullover en een tweed jasje.

'Geweldig!' zei hij. 'Hartstikke bedankt.'

Oliver had de bandrecorder weer aangezet.

'Niets te danken. Goed, je hebt een vriendin, zei je?'

'Ja, Portia. Ze weet hier helemaal niets van. Trouwens, ik zou haar heel graag willen bellen.'

'Alles op zijn tijd. Wat doet haar vader eigenlijk?'

'Hij is docent geschiedenis aan de Polytechnische Hogeschool van Noordoost-Londen.'

Oliver had in zijn handen kunnen klappen van opgetogenheid. Het was bijna te mooi om waar te zijn. Een docent geschiedenis! Aan een Londense Polytechnische school nog wel…

'Juist,' zei hij. 'Even voor de securiteit, wat is zijn volledige naam en adres?'

'Ehm, Peter Fendeman, Plough Lane 14, nee, sorry, 41, Hampstead, Londen, NW3. Maar waarom…?'

'Wil je dat even herhalen? Alleen de naam en het adres.'

'Peter Fendeman, Plough Lane 41, Hampstead, Londen NW3.'

'Uitstekend.'

Ook nog joods, zo te horen. Het kon gewoon niet op, vandaag. Wanneer alles zo in elkaar grijpt moet je geen verbeelding krijgen, hield Oliver zichzelf voor. Het is Gods werk.

'Ned, je was fantastisch! Ik kan je niet zeggen hoe het me spijt dat we je hierheen hebben moeten slepen en je zo hebben moeten aanpakken. Luister, ik moet er als een haas vandoor naar het noorden, precies de andere kant uit, een paar dingen natrekken in Schotland, dus ik neem nu afscheid van je. Gaine zorgt verder voor je.'

Ned schudde de hem toegestoken hand hartelijk. 'Bedankt, meneer Delft. Reuze bedankt.'

'Oliver, hè. En jíj bedankt, Ned. Je hebt ons enorm geholpen. Je kunt heel trots zijn op jezelf.'

'Maar hoe zit het nu met die marihuana?'

'Waar heb je het over?' zei Oliver, terwijl hij de spoelen van de bandrecorder lichtte. 'Dat incident is vergeten, Ned. Sterker nog – het is nooit gebeurd. De politie heeft je nooit opgepakt, ze hebben zelfs nooit van je gehoord. Ze kennen je naam niet, ze weten niet eens hoe je eruitziet. Ik garandeer je, morgenochtend is elk spoor van je arrestatie spoorloos uitgewist, voorgoed.'

En, o, als je eens wist hoe waar dat was, zei Oliver tegen zichzelf. Hoe onvoorstelbaar heerlijk waar.

'Oef!' Ned glimlachte en loosde een zucht van verlichting. 'Als het de pers ter ore was gekomen, was mijn vader… nou ja, dan was zijn carrière naar de maan geweest.'

Oliver raadpleegde zijn horloge.

'Je zult nog even geduld moeten hebben voordat je weg kunt. Ik neem de enige auto mee die hier nu is. Maar we hebben een andere laten komen, en dat zal niet lang meer duren. Ik zou me maar aankleden als ik jou was. Goede reis dan maar, en als je iets nodig hebt, vraag je het maar aan meneer Gaine.'

De pullover paste. Dat was tenminste iets. Hij rook naar bedorven uien, maar hij paste in ieder geval precies. Het jasje en de schoenen zaten veel te krap, en de broek leek te zijn gemaakt voor een man die een kop kleiner was en er een bierbuik op nahield. Oliver had niet aan een riem gedacht, dus keek Ned in de keuken om zich heen naar touw. Hij vond een stuk in een la en sloeg het vijf keer om zijn middel. Hij pakte juist een mes om het door te snijden, toen hij de deur hoorde opengaan.

'O, hallo, meneer Gaine,' zei hij, terwijl hij zich opgelucht omdraaide. 'Ik wilde u vragen of...'

Gaine liep op hem af, en voordat Ned wist wat hem overkwam was zijn rechterarm zo hoog op zijn rug gedraaid, dat hij uit de kom schoot. Ned gilde het uit van het geluid van het krakende en knappende gewricht, en van de pijn. Hij gilde weer toen Gaine's enorme vuist zijn slaap trof en hij door zijn knieën zakte. Maar toen Gaine hem daarna nog een ongelofelijke harde slag in zijn nek gaf, was Ned al niet meer bij machte om te gillen.

Meneer Delft had weer eens gelijk gehad, dacht Gaine, toen hij het mes terug in de la legde. Smerig kereltje. Maar slap, zei hij tegen zichzelf terwijl hij neerkeek op de bewusteloze Ned. Heel slap. Alsof je een kip een vleugel uitrukte. Geen lol aan te beleven. Hij hoorde buiten een busje aankomen en na nog even een stevige en bevredigend krakende trap in Neds ribben te hebben uitgedeeld, liep Gaine de gang in.

'Oliver, lieve jongen, wat een heerlijke verrassing. Ik wou dat je het me had laten weten. Ik kan je niets te eten aanbieden.'

'Ik kom niet lunchen, moeder,' zei Delft, terwijl hij om haar heen naar binnenliep om haar omhelzing te vermijden. 'Ik kom eens met u praten.'

'O, hemeltje, dat klinkt bepaald sinister. Goed, laten we dan maar naar de salon gaan. Maria is in de keuken de oven aan het schoonmaken, het arme kind. Ik heb gisteren toch zo'n idióte ramp beleefd. Je gelooft je oren gewoonweg niet. Twee jongens uit Australië die diners verzorgen. De allerbéste aanbevelingen en adembenemend knap, zoals zo veel van die nichten tegenwoordig, maar hun soufflés ontploften, en Maria moest als een haas van dat Amerikaanse ijs met die belachelijke naam gaan halen. Monseigneur Collins was er, en een stel affréus rijke mensen die ik een beetje in de watten wilde leggen voordat ik ze een poot kon uitdraaien voor een bijdrage aan het Oratoriumfonds. Hemel, wat een muffe geur hangt hier, hè? Jeremy's sigaren, zeker. Zal ik een raam openzetten?'

'Nee, moeder, ga nu maar zitten.'

'Heel goed, jongen. Zo dan!'

'Waar is Jeremy, trouwens?'

'Op kantóór, natuurlijk. Hij werkt de laatste tijd als een paard. Als hij het maar niet overdrijft, net als je arme vader. Of net als jij, nu we het er toch over hebben. Je ziet er doodmoe uit, lieverd. Gewoon afgepeigerd. Maar luister, ik heb de indruk dat er iets goeds in de lucht hangt. Als je iemand kent die aandelen voor je kan kopen, zou ik meteen toeslaan.'

'Moeder, hoe vaak heb ik u al niet verteld dat het strafbaar is?'

'Och, ik weet dat dat zaakje met Colins luchtvaartmaatschappij niet helemaal deugde, maar dit blijft in de familie, dat telt toch zeker niet? Bovendien heeft Father Hendry me eens verzekerd, toen hij me de biecht afnam, dat handelen met voorkennis, zoals jij het noemt, helemaal geen doodzonde is, maar een dagelijkse zonde, dus ik denk echt niet dat het zo belangrijk is.'

'Ik heb een voorstel, moeder,' zei Oliver, terwijl hij met zijn rug tegen de schouw leunde, 'zullen we deze beleefde salonconversatie maar overslaan?'

'Ga alsjeblieft ergens anders staan, Oliver. Je ziet eruit als een Victoriaanse patriarch. Bespóttelijk autoritair gewoon. Je doet me denken aan pappie wanneer hij me een standje wilde geven. Dat is beter! Kom eens naast me zitten en doe niet zo plechtstatig. Vertel me maar wat je op je lever hebt.'

'Goed, nu u toch zelf over hem bent begonnen, laten we het eens over uw vader hebben.'

'Lieverd, wat een rare gedachte!'

'Niet oudoom Bobby, maar uw échte vader. Die hebben we nooit besproken, hè, u en ik?'

'Val er iets te "bespreken", zoals jij het noemt?'

'Natuurlijk. Ik heb het altijd geweten, namelijk.'

'Wat heb je altijd geweten, lieverd?'

'Hoe u over hem dacht. Hoe trots u altijd op hem bent geweest. Ik kon het van uw gezicht aflezen, die paar keer dat u zijn naam in mijn aanwezigheid hebt laten vallen.'

'Pappie was een geweldige man. Een gewéldige man. Als je hem had gekend, had je hem geadoreerd. Dan was je even trots op hem geweest als ik. Je hebt op een vreemde manier veel van hem weg.'

'Ik hoop oprecht van niet. Hij was een verrader.'

'Dat woord verbied ik je te gebruiken. Wie sterft voor zijn vaderland is geen verrader, maar een held.'

'Maar hij is toch helemaal niet voor zijn vaderland gestorven? Hij was een Engelsman. In hart en nieren een Engelsman. Hij had geen druppel Iers bloed.'

'Hij hield van Ierland, en Ierland hield van hem! Trouw aan het land waarin je bent geboren is fantasieloos en doodgewoon. Alleen trouw aan een idee heeft betekenis. Maar daar begrijp jij niets van. Jij zou een principe nog niet herkennen als je erover struikelde. Jij zou er zo'n officieel ambtenarenstempel op zetten, het aan een prikker rijgen en laten opbergen.'

'Maar een moord herken ik wel als zodanig, als ik erover struikel.'

'Moord? Waar heb je het over? Vader heeft nooit van zijn leven iemand vermoord.'

Oliver trok een witte envelop uit zijn zak. 'Voor u, geloof ik.'

'Jeetje!' riep zijn moeder uit met iets van haar eerdere luchthartigheid. 'Wat ongelofelijk spannend. Wat is het, een uitnodiging?'

'Ik geloof dat alles erop en eraan zit. Let u goed op dat haartje aan de klep. Maak hem eens open, moeder.'

'Er staat niet op dat hij voor mij is…'

'Ik weet uit zeer betrouwbare bron dat hij rechtstreeks moet worden overhandigd aan niemand anders dan Philippa Blackrow, Heron Square 13. Dat waren de exacte woorden – nou ja, exact genoeg in ieder geval. Geloof me, moeder, hij is echt voor jou bestemd, het geschenk van een dode.'

'Een dode?'

'Ja, helaas. Paddy Leclare is twee dagen geleden gestorven. Zijn laatste verzoek was dat deze envelop aan u bezorgd zou worden. Wie ben ik om geen gehoor te geven aan de wens van een stervende?'

'Het was een bittere teleurstelling voor me toen je solliciteerde bij Binnenlandse Zaken,' zei zijn moeder, treurig neerkijkend op de envelop die ze om en om keerde tussen haar vingers. 'Ik weet nog hoe enthousiast je was toen je werd aangenomen, en hoe diep ik me schaamde dat een zoon van mij zo weinig ambitie had dat hij dáár carrière wilde maken. Het blijkt dat ik je verkeerd heb beoordeeld. Je bent dus toch net als je grootvader, alleen zijn spiegelbeeld: je vecht aan de verkeerde kant, en zíjn kwaliteiten zijn jóuw slechte eigenschappen. Heb je een mes?'

Oliver overhandigde haar een zakmesje en keek toe hoe zijn moeder de envelop zorgvuldig opensneed.

'O, maar nu heb je toch een foutje gemaakt, lieverd,' zei ze met iets als triomf in haar stem. 'De brief moest met de gevouwen kant naar boven in de envelop zitten, dom van je dat je dat niet hebt opgemerkt.'

'Ik was er niet bij toen die brief werd opengemaakt.'

'Wie heeft hem dan opengemaakt?'

'Doet er niet toe.'

'Nou, dank je wel dat je hem bent komen brengen, Oliver. En wat gebeurt er nu? Gaan ze me arresteren? Opsluiten zonder vorm van proces? Executeren? Afvoeren naar een van jullie psychiatrische klinieken en vol thorazine spuiten, misschien?'

'Zulke dingen doen we niet, moeder.'

'Natuurlijk niet, lieve jongen. Dat zijn allemaal boze praatjes en geruchten. Jullie schieten geen mensen neer, evenmin als jullie martelen, liegen, afluisteren of chanteren, zo is het toch?'

Oliver spitste zijn oren toen hij opeens een traptree hoorde kraken. Hij liep snel door de kamer en trok de deur open.

'Ach, Maria, kunnen we je misschien ergens mee helpen?'

'Koedmorge, menier Oliver, mij spijt u storen. Iek wiel weten, wielen u en mevrouw Bleggro mieskien koffie? Of koekjes? Iek veel koekjes gebak.'

'Nee, dank je, Maria. Als we iets willen hebben, komen we wel naar beneden,' zei Oliver en hij duwde de deur dicht.

'Heel lief van je, hoor!' riep zijn moeder over haar schouder. 'Dank je wel, Maria.'

Oliver sloot de deur, liep naar het raam en keek uit over Heron Square. Door de spijlen van het balkon van de eerste verdieping zag hij een fonkelend groene Bentley een parkeerplaats inmanoeuvreren. In het park in het midden was een tenniswedstrijd gaande op een van de drie banen die waren gereserveerd voor de bewoners. Van de meeste gepleisterde voorgevels die op het plein uitzagen, wapperde wel de een of andere nationale vlag aan een roomwitte stok. De huizen hier waren zo luxueus en groot, dat nog maar enkele door particulieren werden bewoond; de meesten deden dienst als ambassades of kantoorruimte.

'Er is één ding dat ik wil weten,' zei Oliver. 'Waarom? Dat is de kernvraag, nietwaar? Waarom. U heeft meer dan waar de meeste mensen van dromen. Een rijke man die u aanbidt, gezondheid, vrienden, luxe, status... waaróm?'

Philippa Blackrow, die al langer met haar hartstocht leefde dan ze zich kon herinneren, stond het antwoord op die vraag zo duidelijk voor de geest, dat ze het bijna niet onder woorden kon brengen. Ze stak een sigaret op en keek naar haar zoon, wiens gezicht donker afstak tegen het raam.

'Toen de Engelsen je grootvader hadden neergeschoten,' zei ze na een tijdje, 'zijn mammie en ik in Canada gaan wonen om de nasleep te ontvluchten. Mammie is daar gestorven toen ik veertien was. De artsen hebben nooit gezegd wat het was, maar ik wist dat het was wat ze vroeger een gebroken hart noemden. Dat schijnen we niet meer te kennen, hè? De doktoren vertellen ons dat we ons niet moeten aanstellen. Tot op de dag van vandaag ben ik ervan overtuigd dat ze nooit ziek zou zijn geworden als pappie nog had geleefd. De Engelsen hebben allebei mijn ouders vermoord. Goed, mammie's broer, mijn oom Bobby, heeft me geadopteerd en zodoende ben ik naar Engeland teruggegaan en zijn dochter geworden. Ik mocht van hem nooit over pappie praten. Als ik alleen al zijn naam noemde, werd ik voor straf naar bed gestuurd. Ik moest oom Bobby vader en tante Elizabeth moeder noemen. Het was alsof mijn echte ouders nooit hadden bestaan. Pappie was de slechte schoonbroer die Oom Bobby's zuster het huwelijk in had gelokt, en zijn naam moest uit de familiegeschiedenis worden geschrapt. Ze zullen wel hebben gedacht dat ik hem zou vergeten, maar dat heb ik nooit gedaan. Hoe minder er over hem werd gesproken, hoe trotser ik op hem werd, en hoe vastbeslotener om wraak te nemen op het onrechtvaardige, wrede en laffe bewind dat zijn ondergang was geweest. Jij zegt dat ik meer heb dan waar de meeste mensen van dromen? Waar andere mensen van dromen kan me niet schelen. Ik heb altijd minder gehad dan waar ík van droomde. Het enige waar ik altijd van droomde, was een ouderlijk huis. Een vader en een moeder. De meeste mensen hoeven van die luxe helemaal niet te dromen, ze hebben die al zonder er bij stil te staan. Daar lag ik over na te denken, alleen in mijn bedje. Ik dacht, net als alle kinderen, na over onrechtvaardigheid. Onrechtvaardigheid is het grootste kwaad ter wereld, Oliver. Al het slechte spruit eruit voort, en alleen een kruiperige ziel kan haar verdragen. Je moet weten dat je bent genoemd naar de grote Ierse patriot, de Heilige Oliver Plunkett, die door de leugens van meinedige protestanten is verraden en veroordeeld om te worden opgehangen en gevierendeeld op de heuvel Tyburn, even hier vandaan, bovenaan Park Lane.'

'En laat mij nu altijd hebben gedacht,' zei Oliver, die over de daken van de huizen in de richting van Marble Arch keek, 'dat ik was genoemd naar Oliver Cromwell, juist de man die hem te pakken heeft gekregen. U schildert een heel lieflijk, heel sentimenteel, heel Iers tafereel, als ik zeggen mag, moeder, met nobele idealen en nog nobeler lijden, maar ik meen mij te herinneren dat Oliver Plunkett, de *Zalige* Oliver Plunkett, zoals ik op school heb geleerd, overigens...'

'De paus heeft hem onlangs heilig verklaard...'

'Ach ja? Zeker de krantenkoppen gemist. Hoe dan ook, in mijn herinnering heeft hij bij zijn dood God gedankt voor de genade van het lijden, en gebeden dat Hij zijn vijanden zou vergeven. Ik kan me niet herinneren dat hij verwensingen heeft uitgebraakt en bloedige wraak heeft gezworen op alle Engelsen. Denkt u dat hij zich zou verheugen in de aanblik van aan stukken gereten Engelse kinderen?'

'Ik verwacht niet van je dat je het begrijpt. Eerlijk gezegd praat ik er liever niet meer over.'

'Dat verbaast me niets,' zei Oliver en hij keerde zich af van het raam. 'Ik kan tenminste dankbaar zijn voor één stuk van uw jeugd.'

'En welk stuk mag dat wel zijn?'

'Doordat oom Bobby u heeft geadopteerd, is mijn echte afstamming toch tussen de mazen van het net doorgeslipt? Hij heeft uw vader zo diep onder de grond gestopt, dat ze hem niet eens hebben opgedolven toen ik werd gescreend voor de Dienst. Denkt u nu echt dat ze me daar hadden aangenomen als ze hadden geweten dat ik de kleinzoon ben van een verrader en spion van de Sinn Fein, een vriend van Casement en Childers en een gezworen vijand van de Kroon?'

'En dat ga je ze nu zeker vertellen.'

'Geen sprake van, moeder. U had het mis toen u zei dat ik geen ambitie heb. U en ik zijn de enige mensen op Gods aardbodem die de waarheid kennen, en zo blijft het. Ik heb mijn maatregelen getroffen en daar valt u ook onder.'

'Zo, Oliver? Val ik onder jouw maatregelen? Wat buitengewoon intrigerend. Heb je het allemaal uitgewerkt?'

'U gaat een bericht sturen aan uw vrienden dat Leclare's laatste boodschap aan u is onderschept. U vreest dat ze u in de gaten houden en u hebt besloten onder te duiken op het platteland.'

'Heb ik dat besloten, lieve jongen?'

'Ja. Van tijd tot tijd zal ik u komen bezoeken, en u zult me de namen geven van elk lid van elke bommenfabriek, elke cel, elke Actieve Eenheid, elk onderduikadres, elk wapendepot, en elke wervingsofficier, geldschieter en sympathisant waar u ooit van gehoord hebt. Het kleinste beetje informatie, het vaagste gerucht of roddeltje dat u ooit ter ore is gekomen in al die jaren van misdaad en verraad zult u aan mij doorgeven. Dat zal mijn carrière enorm bevorderen en uw hart tijdens uw levensavond op het platteland doen zwellen van moedertrots.'

'Toen ik van jou aan het bevallen was,' zei Philippa, 'heb ik mijn ontlasting laten lopen. Jarenlang heb ik me afgevraagd of de vroedvrouw misschien in de verwarring per ongeluk het kind had doorgetrokken en mij mijn eigen, in een laken gewikkelde stront in de armen heeft gedrukt. Nu weet ik het zeker.'

'Wat een prettige gedachte moet dat zijn.'

'En stel dat ik weiger?'

'Dat zou ik niet doen als ik u was, moeder. Ik verkeer in een positie waarin ik het leven erg moeilijk kan maken, voor u, voor Jeremy, voor uw stiefkinderen en vooral voor de jongeman die deze brief eigenlijk aan u had moeten bezorgen.'

'Wie is hij?'

'U kent hem niet, maar u zou hem adoreren, dat verzeker ik u. Hij doorstaat een eeuwigdurend lijden, als Christus aan het kruis, en dat allemaal vanwege úw zonden. Ik geef u een week om Jeremy uit te leggen dat u genoeg hebt gekregen van Londen en hunkert naar de landelijke rust van Wiltshire. En als u denkt dat u me nutteloze informatie kunt opdissen, moeder, kijk uit. Ik ben bereid het erop te wagen en u aan te geven. Dan mag u de rest van uw leven slijten in de zwaarste gevangenis van Europa.'

Terwijl Oliver het plein overstak neuriede hij een vrolijk wijsje. De zon scheen en de wegen roken aangenaam naar zacht asfalt. Arme moeder, ging het door hem heen, wat zal ze Londen missen.

Hij liep het Berkeley Hotel in om te telefoneren.

'Nieuwsredactie.'

'U spreekt met een lid van de IRA. We hebben de zoon van de Engelse oorlogsmisdadiger Charles Maddstone. Zijn kleren zullen u worden toegzonden als bewijs. De code luidt *binnenlands, binnenlands, binnenlands*. Goedenmiddag.'

Met handboeien aan een houten stijl vastgeketend zat Ned op de vloer van het busje tegenover twee van de afzichtelijkste mannen die hij ooit had gezien.

Toen hij vijftien was, had hij zijn sleutelbeen gebroken bij een partij rugby, en indertijd had hij gedacht dat wat hij toen voelde het summum van pijn was. Nu wist hij beter. Bij elke bocht en kuil waar Gaine, die in de cabine voorin achter het stuur zat, doorheen reed, voelde hij zo'n verblindende pijn door zich heen golven, dat oranje en gele lichtflitsen in zijn ogen vlijmden, het bloed in zijn oren gonsde en zijn ingewanden leken te exploderen. De pijn had zijn oorsprong in zijn schouder, van waaruit hij als een knagende achtergrondstraling uitwaaierde tot in de verste uithoeken van zijn lichaam, met verzengende vlammen die aan elke zenuw schroeiden. De inspanning om zich bewegingloos te houden zonder dat zijn lichaam bij het ademhalen verstrakte had hem weerhouden van elke poging om iets te zeggen, maar nu hij voelde dat het busje op een autoweg was aangekomen, waagde hij het gebruik te maken van het verminderde gehobbel en een paar woorden te spreken.

'Meneer Delft...' begon hij. De mannen tegenover hem wendden hun ogen in zijn richting. 'Meneer Delft zei dat ik naar huis kon.. Hij zei...'

Op dat moment haalde Gaine een vrachtwagen in, en Ned gleed voorover, wat een explosie in zijn schouder ontketende die helse pijnscheuten door zijn lichaam zond.

Vijf minuten later probeerde hij het nog eens. 'Ik mocht... ik mocht... naar huis...' De woorden kwamen amper boven gefluister uit.

De mannen bezagen hem even met zwijgende belangstelling en keken toen weer weg.

Ned had vrijwel elk besef van tijd en ruimte verloren. Hij wist niet of ze hem vijf minuten op de keukenvloer hadden laten liggen, of vijf uur. Hij had er geen idee van hoe lang ze al aan het rijden waren, of in welke richting. Het busje had geen ramen en was afgesloten van de voorcabine, en de enige aanwijzing waaruit af te leiden viel hoe laat het was, was de indruk dat het verkeer om hen heen drukker werd, wat leek te wijzen op de naderende ochtendspits.

Hij probeerde weer te spreken. 'Mijn schouder... ik denk dat hij... uit... uit... de kom is.'

Merkwaardigerwijze deed Ned, hoe beneveld zijn brein ook was, nog steeds zijn best om beleefd te blijven. Hij had kunnen zeggen dat ze zijn schouder uit de kom hadden getrókken, of zelfs dat Gaine dat had gedaan.

De mannen keken elkaar aan.

'Kun jij een schouder weer terug in de kom zetten?' vroeg een van hen.

'Ik raak hem met geen vinger aan,' zei de ander. 'Hij heeft in zijn broek gescheten. Hij stinkt als de hel.'

Neds gebroken neus zat vol geronnen bloed, zodat hij de stank die hem omhulde niet had geroken, maar nu begreep hij waarom hij zo'n glibberig gevoel tussen zijn billen had.

'Het spijt me...' zei hij, terwijl de tranen over zijn gezicht liepen. 'Dat wist ik niet. Het spijt me... alleen...'

'Schei godverdomme uit met dat gejank.'

'...Meneer Delft zei... hij zei dat ik naar huis mocht. Hij zal heel kwaad zijn... en mijn vader... mijn vader is een belangrijk man... alstublieft, alstublíeft!'

Om een eind te maken aan dat hinderlijke gejammer sloegen ze om beurten op hem in tot hij weer bewusteloos was.

Het gebeurt me niet vaak dat ik moet bekennen dat ik voor een raadsel sta, maar vandaag was de verdwijning van Ned Maddstone gedurende enige tijd een compleet mysterie voor mij. Het was alsof hij gewoon van het aangezicht van de aarde was weggeplukt. Tot mijn genoegen ben ik echter in staat gebleken de waarheid zonder hulp van anderen te achterhalen.

Ik had een vervelende avond achter de rug, gekweld door machteloze woede jegens het systeem dat zijn arrestatie had stil gehouden. Hoe typerend, dacht ik, toen er in elke nieuwsuitzending op de televisie, en vervolgens in de vroege uurtjes op de radio, over werd gezwegen als het graf, hoe buitengewoon typerend. Men had de politie benaderd, dat was me duidelijk. Een of andere vuile lakei van het ministerie was in actie gekomen om de zaak geheim te houden. Ik kwam in de verleiding om te gaan praten met Tom, in wiens souterrain ik kamers huur. Tom werkt op het partijbureau aan Smith Square en hoort alle geruchten. Ik kan dat weten, want ik lees regelmatig in zijn papieren wanneer hij boven dronken in bed ligt. Maar ik heb die aanvechting bedwongen, omdat ik liever geen vragen wilde beantwoorden. Niettemin was het om hels van te worden dat er nog niets bekend was gemaakt over Neds arrestatie.

Rufus en ik hadden niet alleen de politie maar ook de pers moeten tippen, zei ik woedend tegen mezelf. Het was naïef van me dat ik daar niet aan had gedacht. Ik nam mezelf voor om later een bord aan de muur achter mijn bureau te hangen –

We leven tenslotte in *Engeland*

– en geen enkele belangrijke beslissing te nemen zonder daar rekening mee te houden. Hoewel het er inmiddels op lijkt dat ik te hard heb geoordeeld over de politie en het establishment, blijft dat bord een goed idee.

Normaliter had Sir Charles rond het middaguur moeten arriveren voor een agendabespreking. Het leek me echter, in het licht van het uitblijven van elk nieuws, duidelijk dat hij de vorige avond al naar de stad was teruggekomen om zijn zoon op borg vrij te krijgen en een soort embargo voor de pers te bewerkstelligen. Niettemin was ik vastbesloten ervoor te zorgen dat de pers zich erop zou storten, zelfs al moest ik daarvoor nog een anoniem telefoontje plegen uit een cel. Eerst echter moest ik weten hoe de zaken er op Catherine Street precies voor stonden. Alleen al het vooruitzicht van Neds gegeneerde verklaringen en verwarde betuigingen van onschuld tegenover zijn vader vervulde mij met grote vreugde. Zou hij zonder eten naar bed gestuurd zijn? Zou zijn vader hem hebben geloofd? Ik had me voorgenomen hem met dezelfde tactloze, onhandige, ouwejongens-krentenbroodsympathie te behandelen als waarop hij het lef had gehad míj te trakteren.

Hoewel ik popelde om zo snel mogelijk op kantoor te zijn, nam ik zoals gewoonlijk de metro van half tien naar Victoria Station. Hoewel ik er graag vroeger had willen zijn, was het belangrijk niet te laten merken dat ik iets anders verwachtte dan een doodnormale doordeweekse vrijdag.

Toen ik Catherine Straat in liep, bleek er tot mijn vreugde een politieauto voor de deur te staan. Dat zag er beter uit, want het liet zich niet rijmen met een geregisseerde of coherente doofpotstrategie: hoogstens met een heel amateuristische. Als men de politie had benaderd, zouden ze daar nu niet open en bloot met een neutrale wagen voor de deur staan. Misschien was de narcoticabrigade bezig het huis binnenstebuiten te keren, bedacht ik, hopend bij mijn binnenkomst opengebroken vloeren en her en der over het Bokhava-tapijt verspreide boeken aan treffen. Wat een verrukkelijk vooruitzicht. Ik keek omhoog langs de voorgevel en meende even een gezicht achter het raam van de studeerkamer op de eerste verdieping te zien.

Ik liet mezelf binnen en liep de trap op terwijl ik me ondertussen oefende op een gelaatsuitdrukking die het midden moest houden tussen lichte nieuwsgierigheid en onverstoorbare paraatheid.

Sir Charles zat aan zijn bureau te praten met twee agenten. Ik zag dat het Neds vriendin Portia was geweest wier gezicht ik achter het raam had gezien. Daar stond ze nu ook en ze keek rusteloos links en rechts de straat af, terwijl ze met haar adem de ruit bewasemde.

'Ashley, de hemel zij dank!' riep Sir Charles toen ik binnenkwam, en hij stond gejaagd op.

'Sir Charles, wat is er aan de hand?'

'Heb jij Ned gezien?'

'Ned? Niet sinds gisteren, nee. Hoezo? Wordt hij vermist?'

'Niemand heeft hem meer gezien sinds gistermiddag vier uur!'

'Allemachtig!' zei ik. 'Wat ráár...'

De agenten keken me onderzoekend aan en ik boog beleefd mijn hoofd in hun richting.

'Heren, dit is meneer Barson-Garland, mijn assistent,' zei Sir Charles, een gebaar mijn kant uit makend.

De beide agenten verhieven zich even uit hun stoel en knikten me ernstig toe.

'Deze heren zijn heel behulpzaam geweest, Ashley, maar tot nu toe staan we voor een volslagen raadsel.'

Heel behulpzaam? De Londense politie mocht haar beleid ten aanzien van interne samenwerking wel eens onder de loep nemen, bedacht ik. Die stommelingen van de narcoticabrigade hebben nog niet eens de moeite genomen om hun collega's te vertellen dat Ned bij hén vastzat.

Ik moest bekennen dat ik niet had verwacht dat je voor een kleine overtreding als het bezit van marihuana een nacht kon worden ingesloten. Toen bedacht ik me echter dat Ned misschien, om zijn vader niet in moeilijkheden te brengen, had geweigerd zijn naam op te geven. Misschien dat zo'n gebrek aan samenwerking in combinatie met de arrogante Maddstone-manieren de verbaliserende agenten zo had geërgerd dat ze hem in de cel hadden gegooid om hem een lesje te leren.

'Hebt u de ziekenhuizen gebeld?' opperde ik. 'Of de politie-bureaus? Misschien is hij overvallen, of...'

'Ja, ja,' zuchtte Sir Charles, terwijl hij weer ging zitten. Aan zijn bureau had hij zijn natuurlijke positie van gezagsdrager ingenomen, met de politieagenten tegenover zich, pet op schoot, opschrijfboekje in de hand, als secretarissen aan wie een brief wordt gedicteerd. 'We hebben alles geprobeerd. De vermissing is doorgegeven aan elk politiebureau en ziekenhuis in Londen. De Veiligheidsdienst is onderweg. Het is natuurlijk bij mensen in mijn positie niet uitgesloten,' zei hij, terwijl hij zijn stem dempte, 'dat er een politiek luchtje aan zit.'

Iets aan de manier waarop hij 'mensen in mijn positie' zei, deed me sterk aan Ned denken. Die hemeltergend relativerende bescheidenheid van de Maddstones – alsof het refereren aan status, autoriteit en afkomst een onbetamelijke, soms niet te vermijden, maar gênante noodzaak was, waarvoor men begrip moest hebben.

Een van de agenten richtte zich tot mij. 'Wanneer hebt u meneer Maddstone voor het laatst gezien, meneer?'

Ik dacht even over die vraag na. 'Eh, rond lunchtijd, geloof ik. Eens even zien. Ik heb gisterochtend de correspondentie afgewerkt...' Mijn blik gleed naar Sir Charles' bureau, waarop nog steeds de stapel ongetekende post lag. 'Die brieven daar, trouwens. Toen ben ik weggegaan om... Portia, hoe laat zijn we ook weer weggegaan?'

Portia draaide zich bij het raam met een lege blik om. Ik kon zien dat ze de hele nacht geen oog had dichtgedaan en dat de vraag niet tot haar was doorgedrongen, dat ze alleen had gereageerd op het noemen van haar naam.

'Ik ben met je neef Gordon weggegaan,' friste ik haar geheugen op. 'Om hem het parlement te laten zien. Weet je nog? Hoe laat was dat volgens jou?'

'Lunchtijd,' zei ze dof. 'Jullie zijn om 'n uur of twaalf weggegaan. En later zijn jullie teruggekomen.'

'Teruggekomen?' zei ik en ik trok een wenkbrauw op. 'Ik kan me niet... O ja, je hebt gelijk. Ik ben teruggekomen om mijn tas op te halen. Dat zal om een uur of drie zijn geweest, maar toen heb ik Ned niet gezien. Jullie waren allebei boven... jullie hadden... geen tijd om beneden te komen,' redigeerde ik mijn antwoord zorgvuldig, daarmee een flauw glimlachje ontlokkend aan een van de agenten. 'En daarna moest jij toch ergens naar een sollicitatiegesprek? Wat is er gebeurd?'

Het verhaal kwam er stukje bij beetje uit. Ik besefte dat ze het al vaak had verteld, aan anderen, en aan zichzelf, telkens weer, en dat ze hoopte dat ze, door het te vertellen, ergens een betekenis of aanwijzing zou vinden. Ze had in Catherine Street bij de voordeur staan wachten, was naar huis gegaan, had eindeloos opgebeld en had om zeven uur 's ochtends eindelijk een functionaris van het Lagerhuis zover weten te krijgen dat hij Sir Charles belde op het adres waar hij in zijn kiesdistrict verbleef. Sir Charles was meteen naar Londen gereden en had de politie gebeld die tot nu toe geheel in het duister tastte.

'Neem me niet kwalijk, juffrouw Fendeman,' zei een van de agenten nu, 'maar er was geen sprake van onenigheid tussen u en meneer Maddstone? Geen ruzie of iets van dien aard?'

Portia keek hem met grote ogen aan. 'Ruzie? Ned en ik? Nee, dat was onmogelijk. We hebben nog nooit... we zouden nooit... We waren...'

Sir Charles liep op haar af met een zakdoek en sloeg een arm om haar schouder. De agenten wisselden een blik van verstandhouding, zagen mij toen naar hen kijken en sloegen hun blik neer naar hun opschrijfboekjes. Allemaal heel roerend.

'Is er misschien iets wat ik kan doen?' vroeg ik. 'Iemand bellen?'

'Dat is heel vriendelijk van je, Ashley, maar ik denk niet...' begon Sir Charles.

'De media zijn er ook altijd nog, Sir Charles,' zei een van de agenten. 'Ze kunnen heel nuttig zijn. Misschien dat meneer

Barson-Garland iemand zou kunnen bellen die u kent in de krantenwereld.'

Sir Charles verstrakte. De pers was niet zijn favoriete instelling. Ze hoonden hem vaak omdat hij 'achterliep' en een accent had waarbij vergeleken dat van de Hertog van Edinburgh deed denken aan het accent van een slagersjongen. Ze noemden hem vaak *Barkingstone, Loonystone* en *Mad Sir Charles.*

'Vinden we dat echt nodig?' vroeg hij bezorgd. 'Ze zullen alleen maar...'

Elke verdere speculatie over de rol van de pers werd opgeschort doordat er luid werd aangebeld. Portia hapte naar adem, rukte zich los uit Sir Charles' arm, liep naar het raam en keek naar beneden.

'Het zijn gewoon drie mannen,' zei ze dof.

'Dat zal de Veiligheidsdienst zijn, Sir Charles.' Sir Charles stond alleen midden in de kamer en zag er opeens precies zo oud uit als hij was. Ik besefte dat hij zijn arm om Portia heen had geslagen om niet alleen haar, maar ook zichzelf te ondersteunen.

'Ik zal ze binnenlaten,' zei ik.

En zo verstreek de morgen. Net voor lunchtijd bereikte ons een glimpje nieuws. Ik vertelde het aan Rufus en Gordon tijdens alweer een lunch in het café aan de voet van de Big Ben.

'De politie heeft een bezoek gebracht aan het Knightsbridge College,' deelde ik hen mee. 'Het blijkt dat vier Spaanse studenten gezien hebben hoe een blonde Engelse jongen gearresteerd en een auto in gesleurd werd. Ze waren het er niet over eens of het een Vauxhall of een Ford was, en ze zijn meegenomen om foto's van Ned te bekijken.'

'Jezus,' zei Rufus. 'Ze herkennen hem natuurlijk meteen.'

'Ik snap het niet,' zei Gordon. 'De politie weet al dat hij het is. Ze hebben hem toch zelf opgepakt, wat krijgen we nou?'

'Hoe meer tijd er verstrijkt en hoe meer politieagenten er mee te maken krijgen, des te minder waarschijnlijk lijkt het dat ze hem überhaupt hebben opgepakt,' mompelde ik, maar Gordon luisterde naar Rufus.

'Het was beslist een Vauxhall,' zei die met overtuiging. 'Geen twijfel over mogelijk. Een Vauxhall Cavalier. En het leken mij mannen van de narcoticabrigade. Ongeschoren, leren jasjes, verschoten Levi's, Adidas. De narcoticabrigade ten voeten uit. Gewoon zielig.'

'Jezus, wat een rotzooi. Bedoel je dat de narcoticabrigade hem vasthoudt en niet beseft dat hij als vermist is opgegeven? Misschien moeten we nog een keer opbellen.'

'Gordon, dat is een krankzinnig idee,' zei ik. 'Luister naar me. Je moet één ding goed tot je laten doordringen: welk merk spijkerbroek, en welke soort schoenen die mannen die we gisteren zagen ook droegen, ze waren niet van de narcoticabrigade of welke andere brigade dan ook.'

Nadat ik een kwartier heftig op ze had ingepraat had ik ze allebei ervan overtuigd dat we de zaak alleen maar zouden compliceren als we bekenden dat we er ook maar iets mee te maken hadden.

'Het moet toeval zijn geweest,' legde ik uit. 'Ned is ontvoerd. Dat is de voor de hand liggende en enige verklaring. Die kidnappers hebben stomtoevallig juist dát moment en díe plek uitgekozen. Als je erover nadenkt, is het niet zo onlogisch als het lijkt. Gisteren zou de eerste goede gelegenheid geweest zijn die ze in lange tijd hadden gehad. Ned heeft vijf maanden op school gezeten en is toen met die zeiltocht meegegaan. Maar gisteren, gisteren hebben ze hem en Portia het hele eind van Catherine Street tot Knightsbridge kunnen volgen, en in zijn kladden kunnen pakken toen hij alleen op het trottoir achterbleef. We hebben het allemaal zien gebeuren, en natuurlijk dachten we dat het een arrestatie was. De politie heeft onze tip waarschijnlijk niet eens de moeite waard gevonden. Of,' voegde ik eraan toe, 'ze hebben Rufus op de achtergrond horen giechelen en gedacht dat het een grap was van een stelletje scholieren, wat het in feite ook was. Hoe dan ook, het is stom toeval. Meer niet.'

Mijn verhaal klonk me zelf nogal magertjes in de oren, maar zij slikten het en zaten er een tijdje op te herkauwen. Zoals ik al had verwacht legde Gordon als eerste zijn vinger op de zwakke plek.

'Als hij is ontvoerd, waarom is er dan geen losgeld gevraagd?'

Daar was ik op voorbereid. 'Je hebt kidnappers en kidnappers,' zei ik met een betekenisvolle klank in mijn stem. 'Neds vader is twee jaar minister voor Noord-Ierland geweest.'

Hun monden vielen open toen de betekenis hiervan tot hen doordrong.

'Nu snappen jullie zeker wel,' ging ik verder, 'waarom we ons gedeisd moeten houden. Wij staan hier helemaal buiten.'

'Behalve dat we er getuige van zijn geweest,' zei Gordon. 'We zouden kunnen verklaren…'

'Die Spaanse studenten hebben er met hun neus bovenop gestaan, die kunnen signalementen genoeg geven. Wij stonden aan de overkant van een drukke straat. Nee, geloof me, alles wat wij zouden vertellen zou de verwarring alleen maar groter maken.'

Ik verliet het café in het volste vertrouwen dat ze niets onbezonnens zouden doen of zeggen. Toen ik weer in Catherine Street was aangekomen, merkte ik dat ik om naar binnen te mogen mijn Lagerhuispasje moest laten zien aan een bij de deur geposteerde agent.

Er staat een *chaise longue* in Maddstone's kamer, zo'n geval van pluche en goud waarop exotische prinsessen plachten te poseren met panters. Toen ik binnenkwam zag ik Sir Charles erop uitgestrekt. Alle kleur was uit zijn gezicht geweken. Portia leunde tegen hem aan, of hij tegen haar, en de tranen stroomden langs haar gezicht. Het was duidelijk dat hen tijdens mijn afwezigheid nieuws van grote importantie had bereikt.

Aan het bureau zat een man van achter in de twintig te telefoneren. Zijn ogen hadden me opgenomen toen ik de kamer binnenkwam, en ik kreeg de onaangename indruk dat ze, hoe loom en vriendelijk ze ook over me heen waren gegleden, tot in het diepst van mijn ziel hadden gekeken, en niet onder de indruk waren geweest van wat ze daar hadden aangetroffen. Iemand van de inlichtingendienst, zei ik tegen mezelf, terwijl ik probeerde dat gevoel van me af te zetten. Een training om zo'n blik te perfectioneren hoort natuurlijk bij het leren omgaan met geheime codes, microfilms en cyanidecapsules.

'Wat is er gebeurd?' vroeg ik.

Sir Charles sloeg zijn ogen op en probeerde iets te zeggen. De man was volkomen gebroken. Als dat het hout is waaruit onze politici zijn gesneden, dacht ik, is het geen wonder dat ons land naar de verdommenis is gegaan. Als ik eenmaal zo'n positie bekleed, zal je mij niet zo in elkaar zien storten.

Als ik eenmaal zo'n positie bekleed...

Curieus. Dit is de eerste keer dat ik die gedachte ooit heb geformuleerd. Ik heb mezelf altijd wijs gemaakt dat ik leraar wilde worden. Héél curieus. Nu ik het heb opgeschreven, voel ik me aangenaam opgelucht. Misschien heb ik het altijd al geweten. Zo, zo.

'En wie bent u?' vroeg de man aan het bureau, terwijl hij een glimlach in mijn richting zond en de hoorn zacht op de haak legde.

'Ashley Barson-Garland, ik ben Sir Charles' persoonlijke assistent.'

'Ashley Barson-Garland, Ashley Barson-Garland...' Hij pakte twee zwarte aantekenboekjes op die naast de telefoon lagen. 'Wat hebben onze blauwgeüniformeerde vrienden toch een verschrikkelijk handschrift... O ja, hier hebben we het. Ashley Barson-Garland. Er staat hier dat u research voor hem verricht en een schoolvriend bent van Edward. Maar u bent toch minstens twee, drieëntwintig?'

'Over twee weken word ik achttien,' zei ik, licht blozend. Nieuwe leerlingen op school hebben me wel eens aangezien voor een lid van het docentenkorps en ik vind het vervelend eraan te worden herinnerd dat ik er ouder uitzie dan mijn leeftijd.

'Neem me niet kwalijk. Mijn naam is Smith.'

Smith, welja. Een regelrechte belediging. Ik liep op hem af om hem de hand te schudden en hij had de gore moed om daarna zijn handpalm te inspecteren en me vervolgens aan te kijken, zodat ik opnieuw bloosde.

'Goed, meneer Barson-Garland,' zei hij, en openlijke afkeer zou ik minder beledigend hebben gevonden dan de manier waarop hij nu zonder een spier te vertrekken een zakdoek uit zijn mouw trok en er zijn hand mee afveegde, 'terwijl u aan het lunchen was, is er helaas slecht nieuws binnengekomen...'

Dat 'terwijl u aan het lunchen was' klonk alsof ik op vreselijke en wellustige wijze mijn plicht had verzuimd. In werkelijkheid had Sir Charles erop aangedrongen dat ik wat ging eten, en waren de twee politieagenten het met hem eens geweest dat er verder niets was dat ik kon doen.

'Slecht nieuws?' zei ik, weerstand biedend aan de verleiding om tekst en uitleg te geven en mezelf zodoende nog meer te vernederen.

'...de redactie van *The Times* blijkt een uur geleden een telefoontje te hebben gekregen waarin de verantwoordlijkheid voor de ontvoering van Edward Maddstone werd opgeëist. We gaan ervan uit dat het een serieuze mededeling was.'

'Maar wie...? Waarom...?'

'De man gaf zich uit voor een lid van de IRA. Wat het waarom betreft...'

Sir Charles stootte een kreunend geluid uit en Portia trok hem dichter tegen zich aan.

'O jezus,' fluisterde ik, 'ik had dus nog gelijk ook.'

'U had gelijk?' 'Smith' trok zijn wenkbrauwen op om uiting te geven aan een lichte bevreemding.

'Nou ja, de gedachte was bij me opgekomen,' zei ik. 'Ik bedoel, het was een van de mogelijke verklaringen. In het licht van, in het licht van... alles,' besloot ik lam.

'U bent heel scherpzinnig, meneer Barson-Garland. Goed, misschien zou u die scherpzinnigheid willen aanwenden om u nuttig te maken?'

Ik knikte energiek. 'Natuurlijk. Zegt u het maar.'

'*The Times* gunt ons wat tijd om de informatie na te trekken voordat ze er iets mee gaan doen, maar ze gáán er natuurlijk iets mee doen. Sir Charles en de jongedame moeten hier weg voordat het mediacircus arriveert en het hier een gekkenhuis wordt. Misschien kunt u een onderduikadres bedenken? Waar woont u zelf?'

'Tredway Gardens,' zei ik. 'Maar het zijn maar een paar kamers.'

'En, eh, déélt u die misschien ook met iemand?' De vraag was heel onschuldig geformuleerd, maar alweer kreeg ik de indruk dat hij iets in me had ontdekt wat hem amuseerde.

'Tom Grove. Hij werkt op het partijbureau. Het huis is van hem, ik huur het souterrain. Sir Charles' privé-secretaris heeft het geregeld,' zei ik, kwaad op mezelf dat ik het nodig vond daarover uit te weiden.

'Juist,' zei Smith. 'Goed, laten wij ons derwaarts begeven en wel aanstonds.'

'Ik heb helaas geen rijbewijs…'

'Laat dat maar aan mij over, mijn bovenstebeste.'

Terwijl ik dit schrijf, ligt Sir Charles boven te slapen, op Toms slaapkamer. De man die zich Smith noemt, heeft een dokter laten komen die hem heeft volgepompt met kalmerende middelen.

Die arme Tom Grove is uit zijn eigen huis gestuurd. Portia is een half uur geleden, nog steeds hysterisch van verdriet, opgehaald om nog meer vragen te beantwoorden. Het lijkt een tikje hardvochtig, maar de autoriteiten zullen wel weten wat ze doen. Smith zelf is verdwenen om ergens 'een paar mensen aan hun staart te trekken', maar zei dat hij morgen 'zijn hoofd wel even om de deur zou komen steken' en of ik het erg vond om zolang 'het fort te bewaken' – hij is werkelijk onuitstaanbaar met zichzelf ingenomen.

Maar het is nu aangenaam stil in de flat, in geen velden of wegen een journalist te bespeuren. Enerzijds heb ik met Ned te doen, maar anderzijds ben ik ervan overtuigd dat, waar hij ook is en wat hij ook doormaakt, het hem enorm veel goed zal doen.

Dit is voorlopig genoeg. Ik ga maar eens naar het zesuurjournaal kijken.

Hoe hevig ze zich er ook tegen verzette, Portia's avonden thuis waren tot een routine geworden. Ze had een hele tijd geprobeerd een toestand van voortdurende crisis te doen voortduren door over het minste en geringste met Pete en Hillary ruzie te maken, maar met het verstrijken van de weken namen de uitbarstingen in heftigheid af en begon het leven zijn gewone gang te gaan, een gang waaraan ze geen weerstand kon bieden, hoe groot het verraad dan ook mocht zijn dat schuilde in het aanvaarden van het feit dat het leven normaal was.

Als Gordon er niet was geweest, zou ze gek geworden zijn. Met veel tact en psychologisch inzicht had hij geopperd dat ze in plaats van te blijven wachten op nieuws, of aan Sir Charles' bed tevergeefs te blijven hopen op tekenen van herstel, hem, Gordon, een groot plezier kon doen door hem de bezienswaardigheden van Londen te laten zien. Alle idiote toeristische shit, had hij gezegd. Stomme dingen die elke dag ten minste een paar uur haar aandacht van Maddstone junior en Maddstone senior zouden afleiden. Hij zou het echt op prijs stellen, hij begon heimwee te krijgen en hij wist nog steeds de weg niet in de stad.

Peter gaf toe dat het hardvochtig zou zijn haar te houden aan haar belofte dat ze in de zomervakantie een baantje zou nemen en had hen beiden voldoende zakgeld gegeven om seizoensvervoerskaarten te kopen en lange dagen in kerken, musea, paleizen en galeries rond te zwerven.

'Ik wil dat jullie allebei aantekeningen maken,' had Peter gezegd. 'De architectuur van Londen is een verhandeling over de beweging van macht en geld. Jullie zullen constateren dat het een soort economische geologie is. Van de kerk naar de koningen naar de aristocratie naar de kooplieden naar de banken en, uiteindelijk, naar de multinationals. Het is alsof je de verschillende gesteentelagen in een rotsformatie leest.'

Gordon en Portia lieten zich daaraan niets gelegen liggen en drukten op de knopjes in het Wetenschapsmuseum, giechelden om de Koninklijke Garde en probeerden de wacht voor St. James' Palace te doen opkijken of met hun ogen te laten knipperen, net als de andere jeugdige toeristen die in Londen de bezienswaardigheden afgingen. Portia merkte dat het samen met Gordon bezoeken van haar favoriete musea, en de uitleg die ze hem over de schilderijen kon geven, haar het eerste beetje genoegen verschafte dat ze in weken had beleefd. Het betekende iets voor haar dat ze antwoord kon geven op vragen, dat er een beroep op haar werd gedaan.

Pete vroeg nooit naar de aantekeningen waar hij op had gestaan. Zijn eigen tijd ging op aan zijn zomerstudenten aan de Polytechnische Hogeschool. Een van hen had hem weten over te halen tot het formeren van een discussiegroep om het Britse kolonialisme in Noord-Ierland te analyseren, en Peter had de deelraadwethouder van onderwijs zo onder druk weten te zetten, dat die fondsen ter beschikking stelde voor een studiereis naar Belfast, zodat Pete's studenten met eigen ogen konden zien wat er 'ter plekke', zoals hij het graag noemde, gebeurde. Hillary had het druk met haar roman en was allang blij dat Portia onder de veilige hoede verkeerde van een verstandige neef.

Twee keer per week ging Portia Sir Charles nog bezoeken. Het was een opluchting dat de pers niet meer op de loer lag bij de ingang van het ziekenhuis, maar dat was ook een teken van het tanen van de publieke belangstelling, en dat baarde haar zorgen. Er was inmiddels van alles gebeurd, en het verdwijnen van de zoon van een minister was langzaamaan van de voorpagina's naar de binnenpagina's verhuisd, tot het ten slotte helemaal uit de kranten was verdwenen. Op het hoogtepunt van de publieke opwinding, toen de premier haar vakantie in Zuid-Frankrijk had afgebroken en bij de ingang van het ziekenhuis voor de televisiecamera's had verzekerd dat er actie ondernomen en genoegdoening geëist zou worden, was Neds ontvoering de sensatie geweest van de zomerperiode die in journalistieke kringen bekendstond als – zo had Portia tot haar ontsteltenis geleerd – 'komkommertijd'. Maar naarmate Ned meer en meer uit beeld verdween en er rapporten uitlekten waarin de IRA hardnekkig elke betrokkenheid bij de zaak ontkende, begonnen de kranten te suggereren dat het allemaal een ordinaire familieruzie was geweest, een puber met een boze bui, en niets meer. Ze stortten zich weer met wellust op de gebruikelijke augustusparade van dikke dames, honden met twee staarten en snijbonen die in Hebreeuwse karakters het woord 'armageddon' vormden. De topjournalisten gingen op vakantie in het buitenland, en hun onderknuppels die op de winkel pasten gaven er de voorkeur aan de tradities in stand te houden. Bovendien was Charles Maddstone de enige die voor een interview in aanmerking kwam, en die sprak geen woord. Tegen niemand.

De twee beroertes die hem hadden getroffen in de week na de verdwijning van zijn zoon waren zo zwaar geweest, dat zijn artsen weinig hoop hadden dat hij nog ooit zou kunnen lopen of spreken. De eerste beroerte had hem linkszijdig totaal verlamd, en na de tweede was hij in een diepe coma geraakt. Portia merkte dat de tijd die ze aan zijn bed doorbracht haar de gelegenheid gaf om zich te uiten zonder tegengesproken of verkeerd begrepen te worden.

'Geen nieuws, pap,' zei ze dan, terwijl ze de deur van zijn eenpersoonskamer achter zich sloot, een stoel naast zijn bed schoof en hem vertelde wat het laatste was dat ze over Neds verdwijning had gehoord. Dat ze hem 'pap' noemde, gaf haar een heimelijke en bijna erotische kick. 'Ze hebben iemand gezien in Scarborough, maar het was weer eens vals alarm.'

En zo babbelde ze verder en gooide eruit wat haar voor de mond kwam, waarbij ze om de zoveel tijd een gelegenheid vond om Neds naam nadrukkelijk te laten vallen, waarna ze een blik op Sir Charles' gezicht wierp om te zien of die ene vermelding wellicht het neergelaten touw zou blijken te zijn waaraan de oude man uit de put van zijn bewusteloosheid kon worden opgetrokken.

Op een dag, toen ze hem voor de zoveelste keer zat te vertellen hoe Ned met zijn vrienden het Hard Rock Café was binnengekomen, werd er op de deur geklopt. Een dokter die Portia nog nooit had gezien, vertelde haar dat hij had gesproken met Sir Charles' zuster, Georgina.

'Het wordt misschien tijd om de apparaten die hem in leven houden uit te zetten,' zei hij, 'en de patiënt vredig te laten inslapen.'

'Maar *Ned* is zijn naaste bloedverwant,' protesteerde Portia verontwaardigd. '*Hij* moet het beslissen.'

'Het duurt nu al langer dan een maand. We moeten het feit onder ogen zien dat er geen kans is op verbetering. Miss Maddstone heeft me gezegd dat ze er een week over wil nadenken voordat ze een beslissing neemt. En ik geloof niet,' voegde de dokter eraan toe, 'dat u bij de familie hoort?'

Thuis in Hampstead legde Pete haar uit dat in een privé-kliniek als deze zulke beslissingen meer uit financiële dan uit klinische overwegingen werden genomen. 'De verzekeringsmaatschappij zal er wel achter zitten, geloof mij maar,' zei hij. 'Dit soort dag-en-nacht *intensive care* is heel kostbaar. Het zijn meestal de mannen die over het geld gaan die roepen dat de stekker eruit moet.'

Gordon was verbaasd dat te horen. 'Ik dacht dat Engeland een nationale gezondheidszorg kende.'

'Nationale gezondheidszorg?' smaalde Pete. 'Als we dat nog eens mochten beleven...'

O, help, daar gaan we, ging het door Portia heen. Gordon moet inmiddels toch weten dat hij niet zulke schoten voor open doel moet geven. Pete is nu niet meer te stoppen.

Peter was in feite nog maar aan het warmdraaien, toen Hillary beneden kwam om te vragen wat voor kleren hij wilde meenemen op wat hij nogal pompeus betitelde als zijn 'Speurtocht naar de Waarheid rond Noord-Ierland'.

Het verbaasde Portia steeds weer dat haar moeder, in woord en geschrift toch zo'n vurige, toegewijde feministe, in de dagelijkse praktijk zo veel tijd besteedde aan de materiële verzorging van haar man. Voor zover Portia zich kon herinneren, had ze haar vader nog nooit een sok zien oprapen, laat staan wassen. Hillary kookte zijn eten, deed zijn boodschappen, waste zijn kleren en pakte zijn koffers, zonder dat Portia haar daar één keer over had horen klagen. Als alle mannen in wezen, zoals Hillary zo vaak had geschreven, verkrachters waren, dan vroeg Portia zich verwonderd af waarom ze als grootvorsten moesten worden behandeld.

Terwijl ze de garderobe bespraken waarin Pete er in de straten van West-Belfast zelfverzekerd, solidair en op zijn gemak zou uitzien, liep Gordon naar Portia toe en stelde haar voor om Pete en Hillary alleen te laten en ergens heen te gaan.

'Goed,' zei ze. 'Laten we naar de *Flask* gaan. Dat zal je leuk vinden.'

'Wat is dat, een park of zo?'

'Nee, een café. Het zal je bevallen.'

Gordon kende de *Flask Inn* heel goed, want hij was er al twee keer geweest in gezelschap van Rufus Cade. Maar hij gunde Portia het plezier om hem daar te introduceren. Hij had al vrij snel ontdekt dat hoe hulpelozer en onwetender hij zich voordeed, des te meer hij haar beviel. Gordon was daaraan gewend. De meeste meisjes die hij in New York had gekend, waren precies zo geweest.

'Zorgen jullie wel dat jullie om elf uur thuis zijn,' waarschuwde Hillary. 'Zodat jullie nog afscheid kunnen nemen van Pete.'

Er werd dringend aan de deur gebeld toen ze de kamer uit liepen, en Portia's hart maakte een sprongetje. Ze had geleerd niet al te geagiteerd te raken wanneer er werd op- of aangebeld, maar op een dag zou het ráák zijn. Je kon nooit weten...

'En doe even open,' riep Pete hen achterna. 'Als het niet belangrijk is, zijn we niet thuis.'

Toen ze naar beneden liepen, klonk er een enorme knal die de voordeur in zijn scharnieren deed schudden, alsof er een auto tegen aan was geknald. Daarna volgde een nog luidere knal, die de gang op haar grondvesten deed sidderen. Bij de derde knal vloog de voordeur in splinters uit zijn hengsels en viel hij met zo'n dreun achterover, dat de plavuizen in de gang barstten en de trap in zijn voegen kraakte. Drie mannen met gasmaskers en kogelvrije vesten stapten door de opening naar binnen.

Precies tegelijkertijd, op de seconde af, klonk in de zitkamer boven het zachte tinkelen van brekend glas, gevolgd door het sissen van traangas en de schrille angstkreten van Hillary en Pete.

Dokter Mallo was een heel eenvoudig man. Hij benaderde het leven rationeel, niet empirisch. De horizon van zijn wereld was nauw begrensd en dat verschafte hem, geloofde hij, meer geluk dan de meerderheid van zijn medemensen was beschoren. De jonge Engelsman die nu voor hem stond, bijvoorbeeld, interesseerde hem niet in het minst. Als getraind psychiater onderkende hij vanzelfsprekend de verdrongen spanning, de emotionele sublimatie en tekenen van erotische schaamte bij hem, maar alleen de papieren en de bankbiljetten die op zijn bureau werden neergelegd waren zijn inspectie en serieuze aandacht waard. Waar de man vandaan kwam, waar zijn geld vandaan kwam, de autoriteit achter de documenten die hij overlegde en de oorzaak van zijn neurosen waren vragen die alleen een empiricus of – erger nog – een psycholoog zou stellen. De enige vragen die dokter Mallo de moeite van het stellen waard vond, waren vragen naar authenticiteit, hoeveelheid, betrouwbaarheid en doelgerichtheid.

'Dit geld,' zei dokter Mallo, 'dekt de behandelingskosten voor één jaar. Bovendien is wat u me hebt gegeven, gezien de huidige zwakke koers van het pond, tot mijn spijt ongeveer één en een kwart procent te weinig.'

Oliver Delft trok een dik pak biljetten van twintig pond uit zijn zak. 'Het is een ernstig geval,' zei hij. 'Er zullen vaste bedragen worden overgemaakt naar een bank van uw keuze, jaarlijks of elk kwartaal. Ik neem aan dat u zich met die gang van zaken kunt verenigen? Helaas is dit, zoals u weet, niet de eerste keer dat mijn familie aanleiding heeft gehad om van uw diensten gebruik te maken.'

'Soms wortelen dergelijke problemen diep in de genetische erfenis,' zei dokter Mallo, zijn ogen gericht op het geld dat op het bureau werd uitgeteld. 'Genoeg, honderdveertig is te veel. Wilt u zo goed zijn hier en hier te tekenen. Ik kan u wisselgeld in Amerikaanse dollars of Zwitserse francs teruggeven.'

Oliver stak zijn geld weer in zijn zak en pakte de hem aangereikte pen aan.

'Dollars, graag.'

'Ik zie,' zei dokter Mallo, 'dat uw beklagenswaardige broer geen naam heeft.'

'Ik vrees dat u zult merken dat hij er verschillende heeft,' zei Oliver met een somber lachje. 'Vorig jaar was hij de wettige erfgenaam van het Getty-fortuin. Dat heeft hij een half jaar volgehouden, bijna een record. In de loop van zijn leven heeft hij zich ondermeer uitgegeven voor... eens denken, de geheime minnaar van Margaret Thatcher, een seksueel misbruikte wees, een Palestijnse wapensmokkelaar, een lid van de Deense koninklijke familie – noemt u maar op, zou ik haast zeggen.'

'Nee toch?' mompelde de dokter. 'En op het ogenblik?'

'Zit hij weer in de politiek. Hij denkt dat hij de zoon is van een Engelse minister, Maddstone. Hij luistert alleen maar als je hem Ed noemt. Of is het Ned? 't Valt niet te zeggen hoe lang het deze keer gaat duren. Hij haalt het allemaal uit de krant, natuurlijk. De echte Ned Maddstone is twee dagen geleden ontvoerd door terroristen. U zult er wel over gelezen hebben.'

Dokter Mallo reageerde niet.

'Hoe dan ook,' ging Oliver verder, 'dat is wat hij zich nu inbeeldt. Het is treurig dat we de zorg voor de jongen aan anderen moeten overdragen, maar we kunnen het gewoon niet meer aan, helaas. Hij is jong, verkeert in uitstekende gezondheid en kan extreem gewelddadig zijn. Hij heeft de familie verschrikkelijke dingen aangedaan. Onvergeeflijke dingen. Als u hem ziet, zou u het niet zeggen, maar volgens mij is dat vaak het geval.'

'Inderdaad.'

'Ik geloof ook dat deze vorm van manie over het algemeen vrij ongeneselijk is. Vaak van blijvende aard.'

'Soms is dat helaas waar, de patiënten reageren zelden snel. Maar als er sprake mocht zijn van verbetering...?'

'Dat lijkt me erg onwaarschijnlijk,' zei Oliver. 'Maar als de omstandigheden van de familie op de een of andere manier mochten

veranderen en we bereid zouden zijn hem nogmaals een kans te geven, dan zouden we ons natuurlijk op de gebruikelijke wijze met u
in verbinding stellen. Zo niet...'

'Zo niet, meneer, dan kunt u erop vertrouwen dat hij de best
denkbare behandeling zal krijgen. In geval van overlijden...?'

'Hij is me zeer dierbaar. Ik vertrouw erop dat u met uw staf alles
in het werk zult stellen om hem een lang en, voor zover mogelijk,
gelukkig leven te bezorgen. Mijn vader en ooms hebben me verzekerd dat ik me in dit opzicht op u kan verlaten.'

'Natuurlijk kunt u zich op ons verlaten,' verzekerde de dokter
hem. 'Onze leefregels en oefenprogramma's hier zijn van het hoog-
ste niveau. U zult ook tevreden zijn over de ernst waarmee we
kwesties als hygiëne, veiligheid en algemene gezondheid tegemoet
treden. Bovendien staan we onder strenge overheidscontrole. Er
zijn patiënten die hier meer dan dertig jaar gelukkig te midden van
ons hebben geleefd. We hebben hier zelfs drie mannen die nog zijn
ondergebracht door uw... grootvader.'

'U zult merken dat het gezelschap en de conversatie van anderen
hem opwindt,' zei Oliver, terwijl hij opstond. 'Ze voeden zijn wanen. U zult er, dunkt me, goed aan doen hem van anderen weg te
houden tot hij een stuk kalmer is geworden. Laat de herinnering
aan zijn oude leven eerst vervagen.'

'Natuurlijk, natuurlijk, daar kunt u op rekenen. En wanneer zullen we het genoegen hebben hem te mogen ontvangen?'

'Mijn vrienden brengen hem aan het eind van de middag. Ik zou
er graag bij zijn geweest als hij hier wordt geïnstalleerd, maar, helaas, drukke werkzaamheden...'

'Verontschuldigt u zich niet, ik begrijp het volkomen. Als ik verder niets meer voor u kan doen... er staat een auto gereed die u
rechtstreeks naar het vliegveld zal brengen.'

Ned ontwaakte uit een droom over stromen bloed en speeksel die uit Paddy Leclare's mond welden, en hij wist meteen dat de beweging die hij onder zich voelde de deining van een zee was. Hij probeerde zijn ogen open te doen. Even had hij het gevoel dat ze aan elkaar plakten van bloed en zweet, maar toen besefte hij dat ze, integendeel, wijd open waren. Er was gewoon niets te zien. Hij bevond zich ofwel ergens waar geen sprankje licht was – zelfs niet de zwakste weerkaatsing van wat dan ook – of hij was stekeblind geworden. Zijn instinct zei hem dat hij niet blind was, maar opgesloten zat in een pikdonkere ruimte.

Terwijl de zagende pijn in zijn schouderkom als een zwarte wolk over elke seconde hing die hij bewust beleefde, merkte hij dat hij elk van zijn andere martelingen afzonderlijk naar de voorgrond kon halen. Hij kon zich bijvoorbeeld concentreren op de brandende pijn van de geschaafde huid rond zijn polsen, op het misselijkmakende kloppen van zijn in elkaar geslagen neus, of op de stekende pijn van een gebroken rib die bij elke ademtocht zijn long doorboorde. Die kwellingen verlustigden zich aan hem als een zwerm woedende wespen, en eronder schuurde en knarste de schouder, knagend als een slecht geweten, met meedogenloze wreedheid tegen de kom. Maar achter de ellendige foltering van zijn ontwrichte schouder, hoe vreselijk die ook was, woedden andere kwelgeesten die nog zwaarder te verduren waren, de kwelgeesten van verwildering, eenzaamheid en pure, naakte angst.

Neds waarneming was zo beperkt door doodsangst en verwarring, dat hij steeds minder in staat was greep te krijgen op enige identiteit uit verleden of heden. IJlend, en in de loop van uren die minuten of dagen hadden kunnen zijn, trachtte hij met zijn geest het beeld vast te houden van alles wat hem ooit heilig was geweest, zijn vader, cricket, een voor de wind zeilend jacht, zijn mooiste wollen blazer, warme pap die licht gezouten was, het luiden van de schoolklok 's avonds – de beelden kwamen willekeurig – een paar zilveren haarborstels die hij op een rommelmarkt had gekocht en tot hun oude glans had opgepoetst, de versnellingen van zijn eerste fiets, de scherpe, zure lucht van de *National Geographic*, koude melk, versgeslepen potloden, zijn naakte lichaam in de spiegel, gemberbrood, het gekletter van hockeysticks bij een afslag, de geur van een platendoekje… maar elk beeld waarop hij zich concentreerde ontglipte aan zijn mentale greep, en hoe hardnekkiger hij ze probeerde te vangen, des te verder sprongen ze weg, als een stuk zeep uit een zich sluitende vuist.

Het allerdierbaarste beeld, het beeld dat hij uit alle macht had proberen te negeren, liet zich ten slotte niet langer wegdrukken, en hij toverde zich Portia voor zijn geestesoog om hem gezelschap te houden. Maar ze wilde niet komen. Haar handschrift, haar lach, de glanzende warmte van haar huid, de katachtige ondeugendheid in haar ogen – het was allemaal weg.

Nu was alleen Christus nog over. Christus zou komen en hem uit deze barre wanhoop opheffen. Neds gescheurde lippen konden zich amper sluiten om de woorden van zijn gebeden. Hij smeekte om medelijden, hoop en liefde. Hij vroeg om een teken dat hij gehoord was. En toen, opeens, verrees Jezus voor hem, zwevend, stralend. Ned keek in de zachte, liefhebbende ogen van zijn heiland en kwam overeind om door hem in zijn armen te worden genomen, en weggevoerd van dit verschrikkelijke oord. Met een woedende grauw sprong Satan tussenbeide en opende zijn enorme muil. Hij scheurde de Zoon Gods in bloederige stukken, en terwijl hij zich met een kreet van triomf op Ned stortte, sloot hij zijn zwarte kaken om hem heen.

Ned werd opnieuw in duisternis wakker en hoorde het motorgeronk van het busje en het voorbijzoeven van verkeer. Misschien had hij zich die zee verbeeld.

Het enige wat hem nu nog met de werkelijkheid verbond, waren zijn pijn en het gestage geluid van banden over asfalt. Het was alsof hij was wedergeboren en terechtgekomen in een ziedende woestenij van oneindige eenzaamheid en pijn. Elk moment leek een eeuwigheid aan lijden te bevatten die hem verder weg wierp van wat hij was geweest en dichter bij een nieuw bestaan waarin vriendschap, familie, toekomst en liefde nooit een rol zouden kunnen spelen.

Later verbeeldde hij zich dat hij in een witte ruimte was geweest. Hij herinnerde zich schel, fluorescerend licht en de stank die van hem opsteeg toen een scalpel het touw rond zijn middel doorsneed en zijn broek op de grond viel. Hij meende een scherpe prik in zijn arm te hebben gevoeld, een totaal nieuwe pijnscheut en een knarsende schok in zijn schouder, stromen warm water die over hem heen spoelden en sterke armen die hem wegdroegen.

Toen hij opnieuw wakker werd, merkte hij dat hij in een bed lag in een kamertje waarin elk oppervlak roomblank was geschilderd. De deur, de muren en het plafond, de stalen buizen aan het voeteneind van zijn bed, de tralies voor het ene raam en de wolken aan de hemel daarachter, alles was roomblank. Hij kon niet zien wat de kleur van de vloer was, omdat het maar een klein kamertje was, en iets hem plat tegen het bed gedrukt hield. Toen hij zijn hals rekte en zijn hoofd oprichtte, zag hij dat er twee brede, zwarte riemen over zijn borst en benen waren gespannen, elk vastgemaakt met iets wat leek op de sluiting van een veiligheidsgordel. Maar toen hij zijn hoofd ophief, brandden zijn nekspieren en staken zijn ribben in zijn borst, zodat hij zijn hoofd weer liet rusten en zich liet troosten en sussen door de over zijn hele lichaam verbreide pijn. Hij voelde zich nu rustiger en bijna vrolijk. De zwarte maalstroom van zijn nachtmerries was tot rust gekomen, en het krankzinnige van zijn situatie begon hem te vermaken.

Hij doezelde weg en toen hij wakker werd, baadde de kamer nog steeds in hetzelfde witgele licht. Hij had jeuk op de arm onder zijn goede schouder, en opeens kwam er een herinnering boven dat de bovenste van de twee riemen op een gegeven moment was losgegespt, dat hij overeind was geholpen, en er een naald in zijn huid was geprikt. Hij meende zich te herinneren dat hij met een dikke tong 'Goedemorgen' had gemompeld en 'Dank u' voordat hij weer in slaap was gevallen. Hij staarde naar het roomblanke plafond en probeerde zijn gedachten te verzamelen. Voordat hij daarin was geslaagd, hoorde hij het geluid van voetstappen die een piepend geluid maakten over een glad oppervlak. Ze kwamen dichterbij, en Ned tilde zijn hoofd een paar centimeter op. Ergens vlakbij ging een deur open en dicht, en Ned liet zijn hoofd weer rusten.

Er rammelden sleutels in het slot, en Ned schrok wakker, boos op zichzelf dat hij weer was weggedommeld.

'Hallo, jongeman! We voelen ons nu zeker een stuk beter?'

Een kleine, gezette man in een korte, witte tandartsjas kwam de kamer binnen, glimlachend, en met tintelende ogen. Hij had Engels gesproken met een accent dat Ned niet thuis kon brengen. Een lange, goed gebouwde en jongere man met blond haar en bleekblauwe ogen bleef in de deuropening staan met een stalen kom in zijn handen.

'Je bent heel ziek geweest, beste jongen, en wij zijn hier om ervoor te zorgen dat je beter wordt en weer aansterkt.'

Ned wilde iets zeggen, maar de dikkerd hief zijn hand op.

'Nee, nee. Praten kunnen we later nog. Ik ben dokter Mallo en we zullen nog menig gezellig uurtje met elkaar babbelen, dat beloof ik je. Maar eerst moet je weten dat Rolf je zal verzorgen. Je hebt jezelf behoorlijk toegetakeld, en we moeten je lichaam de tijd geven om te helen. Rolf kan je pijn verlichten...' hij gebaarde naar de lange man die de kamer binnenkwam met de stalen kom in zijn uitgestrekte handen, als een misdienaar die de hostieschaal aanreikt, '...en als tegenprestatie hoop ik dat je je kalm zult houden en je niet opwindt, ja?'

Ned knikte en zag dokter Mallo een injectiespuit en een glazen ampul uit de kom pakken.

'Uitstekend, uitstekend. Je bent een beste jongen.'

Rolf bukte zich om de riem rond Neds borst los te maken. Ned dwong zich om rechtop te gaan zitten en zag de dokter de naald in het kurkje van de ampul steken.

'Maar dat is geweldig! Je kunt al rechtop zitten!' Dokter Mallo straalde van voldoening, schoof de mouw van Neds nachthemd omhoog en wreef met een watje over de bovenarm. 'Dat is koud, ik weet het. Goed, Rolf kan beter overweg met een naald dan ik, maar ik hoop dat het geen pijn doet... Zo! Dat was alles.'

Ned ging weer achterover liggen en meteen werden zijn hersens omspoeld door een warme vloed van rust. Hij glimlachte naar de dokter en naar Rolf, die zich over hem heen boog en de riem weer vastgespte.

'Heerlijk... Wat heerlijk... Zalig...'

Dokter Mallo straalde weer en liep om het bed heen naar de andere kant. 'En je schouder doet minder pijn?'

'Ja,' prevelde Ned, terwijl zijn geest rondzweefde. 'Ik voel helemaal niets.'

'We hebben hem stevig ingezwachteld. Je bent nog jong en hij zal keurig helen, denk ik. Goed, ga nu maar slapen en blijf rustig.'

Ned kon zich niet herinneren dat ze de kamer verlieten en toen hij de volgende keer wakker werd, was het bijna donker.

In de dagen die daarop volgden, deed Ned zijn best om een paar woorden, hoe weinig ook, te wisselen met Rolf, die hem met regelmatige tussenpozen kwam bezoeken met zijn stalen kom en spuit, met nieuw verband soms, of met een plastic fles om in te plassen en bekers soep die Ned alleen maar door een glanzend stalen buisje mocht drinken.

Rolf bleek totaal onaanspreekbaar. Ned kon niet anders concluderen dan dat hij blijkbaar geen Engels sprak. Dokter Mallo, die hij niet meer had gezien, had Engels gesproken met een accent dat Duits of Scandinavisch had geklonken, dus leek het waarschijnlijk dat Rolf ook een buitenlander was.

Nee, Ned was de buitenlander. Waar hij zich ook mocht bevinden, het was ver van Engeland. De zwarte nachtmerrie van zijn dag of dagen van pijn bewees dat. Kreten van meeuwen in de verte gaven Ned de indruk dat hij zich dicht bij zee bevond, misschien wel op een eiland. Het een of andere instinct zei hem dat hij zich ergens in het noorden bevond. Misschien kwam het door het licht, dat hij er zo zeker van was, misschien door dokter Mallo's accent, dat hij nu voor Scandinavisch hield. Dat zou ook kloppen met het helblauw van Rolfs ogen en zijn bleekblonde haar.

Ned begon in de periodes voorafgaand aan elke injectie, waarin hij weliswaar pijn had, maar helder van geest was, na te denken over zijn situatie. Na enige tijd besloot hij dat het niet het sóórt licht was dat hem zei dat hij zich in een noordelijk land bevond, maar het constante ervan. Op welk moment Ned ook wakker werd, de hemel buiten was altijd helder, op zijn hoogst hing er een beetje schemerlicht. In deze tijd van het jaar, wist Ned, werden de nachten steeds korter, hoe verder je naar het noorden reisde. In de nacht dat ze met de *Orphana* naar Oban waren gevaren, de nacht waarin Paddy was gestorven, was het maar heel kort donker geweest.

Ned was ervan overtuigd dat die collega van Oliver Delft, Gaine, gek was, of crimineel. Hij had Ned in elkaar getrapt en geslagen en hem afgevoerd met de hulp van twee smerige, lelijke, gewelddadige en kwaadaardige psychopaten wier lege, wrede ogen Ned altijd zouden bijblijven. Hij was hier beland, waar ze hem vriendelijk behandelden en goed verzorgden, maar in een afgesloten kamer met tralies voor het raam aan zijn bed gekluisterd hielden. Wat had dat te betekenen?

Ergens zouden zijn vader en Oliver Delft naar hem op zoek zijn. Misschien eiste Gaine een losgeld. Ned was voldoende overtuigd van Delfts capaciteiten en zijn vaders invloed om er het volste vertrouwen in te hebben dat ze Gaine te pakken zouden krijgen.

Maar wat zou zijn vader ondertussen wel niet denken? En Portia, hoe zat het met haar?

Tot zijn bevreemding was het zijn vader, niet Portia, die hem bezocht in de luide en levendige dromen die de uren vulden waarin hij sliep. Als hij wakker lag en zich voorstelde wat hij zou doen wanneer hij terug was, wanneer hij dacht aan thuis en aan school en aan de plaatsen en de mensen die hij kende, dook het beeld van Portia nooit op. Het verontrustte Ned niet dat hij zich moest dwingen haar beeld op te roepen. Hij vermoedde dat hij bang was dat ze kwaad was geworden toen hij niet was komen opdagen. Misschien had ze wel gedacht dat hij was weggelopen. Misschien was ze zelfs wel bang geweest dat ze hem die middag in zijn slaapkamer teleurgesteld had, en dat hij er als een lafbek bij de eerste de beste gelegenheid vandoor was gegaan. Wanneer deze hele idiote situatie was opgehelderd, zou Ned haar meenemen naar een hotelletje op het platteland en daar zouden ze elkaar helemaal opnieuw leren kennen.

Maar voorlopig hoopte Ned dat Rolf hem tenminste iets te lezen zou brengen. Wanneer zijn riemen los werden gemaakt, kon hij al gemakkelijk rechtop zitten en hij dacht dat hij zijn rechterschouder en de spieren van zijn bovenlichaam goed genoeg kon bewegen om een boek vast te houden. Lezen zou hem helpen de tijd te doden, en die begon meer en meer op hem te drukken nu de pijn afnam en hij minder suf begon te worden van de injecties. Bovendien had de school hem aan het eind van het jaar een boekenlijst opgegeven, en Ned wilde niet achter raken.

Hij begon het Rolf iedere keer dat die kwam te vragen.

'Morgen, Rolf. Wat ik wou vragen... zijn er hier ook boeken?'

'Rolf, ik kan me nu echt goed genoeg bewegen om te lezen...'

'Het doet er eigenlijk niet toe wat voor boeken, maar als je iets kunt vinden over de Europese geschiedenis...'

'Misschien zou je dokter Mallo kunnen vragen wat hij ervan vindt, maar ik denk echt dat het mijn genezingsproces...'

'Heb je dokter Mallo er al naar gevraagd? Wat zei hij?'

'Rolf, toe nou! Als je me kunt verstaan, mag ik alsjeblieft iets te lézen hebben?'

'Rolf, ik wil dokter Mallo spreken. Versta je me? Jij... dokter Mallo vertellen... hij naar mij komen, ja? Snel. Dokter Mallo naar mij komen. Erg belangrijk...'

Woede begon in Ned op te borrelen en woede dreef hem tot een verschrikkelijke misrekening. Het was onmogelijk, besloot hij tijdens zijn eindeloze uren van eenzame opsluiting, dat Rolf hem niet had begrepen. Hij deed opzettelijk wreed.

Op een ochtend kon hij zich niet langer inhouden.

'Wat heeft dokter Mallo over mijn boeken gezegd? Vertel eens.'

Rolf ging doodgemoedereerd door met het losgespen van de riemen en het verrichten van de voorbereidende handelingen voor Neds injectie.

'Ik wil weten wat dokter Mallo heeft gezegd. Vertel het me.'

Rolf reikte hem zonder iets te zeggen een lege urinaal aan.

Ned, die ziedde onder de bittere onrechtvaardigheid van zijn situatie, schoof de fles onder de dekens en plaste hem vol, terwijl de woede binnen in hem klom en klom.

Rolf boog zich over hem heen met de naald, en Ned, even razend geworden door het hardnekkige zwijgen als door de onverstoorbare routine van de man, trok het urinaal onder de dekens vandaan en wierp hem de inhoud in het gezicht.

Rolf bleef zeker vijf minuten roerloos staan en liet de urine van zijn gezicht en kin druipen.

Neds drift was op slag bekoeld en hij probeerde tevergeefs een lach te onderdrukken. Rolf bukte zich langzaam en legde de injectienaald terug in de kom op het wagentje, pakte een handdoek op, vouwde die zorgvuldig in vieren en begon zijn gezicht te betten. Er was iets in de kille onbewogenheid van zijn gedrag dat Neds lachen in angst deed omslaan, en hij begon als een kind van drie excuses te brabbelen.

'Vertel het alsjeblieft niet aan dokter Mallo!' smeekte hij. 'Het spijt me, Rolf, het spijt me. Ik wilde alleen... het spijt me verschrikkelijk... ik wist niet wat ik deed...'

Rolf legde de handdoek weer op het wagentje en richtte zich op. Hij keek Ned eens peinzend aan, zo te zien zonder een spoor van woede of enige andere emotie.

Rolf beduidde Ned met zijn handen dat hij moest gaan liggen, het gebruikelijke gebaar waarmee hij aangaf dat hij klaar was om de riemen vast te gespen.

'Maar mijn injectie dan? Mijn injectie, Rolf...'

Rolf klikte de riem dicht en keek op Ned neer, zijn hoofd een tikje schuin.

Rolf, het spijt me écht, ik beloof je...'

Rolf legde allebei zijn handen, de ene over de andere heen, plat op Neds schouder en drukte, met zijn hele gewicht erachter, als een bakker die deeg kneedt. Het gewricht schoot met een krak uit de kom.

Rolf gaf een knikje, keerde zich toen om en rolde het wagentje de kamer uit. Binnen een paar uur had Ned geen stem meer over. Het schreeuwen had zijn keel aan rafels gescheurd.

Tijdens de eindeloze dagen die volgden lag hij moederziel alleen te jammeren. Zonder iemand die naar hem kwam kijken, zonder injecties of pijnstillers en doorweekt van zijn eigen zweet en urine, had hij niets anders om aan te denken dan twee verschrikkelijke feiten en één niet te beantwoorden vraag.

Ten eerste: Rolf had niet zijn zelfbeheersing verloren. Als hij Neds schouder had ontwricht in de hitte van het moment, terwijl Ned hem in zijn zeiknatte gezicht had zitten uitlachen, zou er misschien later sprake kunnen zijn geweest van verzoening of een beroep op begrip. Dan was het geweld even erg geweest, maar menselijk.

Ten tweede, en Ned huilde en huilde om het wrede ervan: Rolf had willens en wetens Neds góede schouder, de linker, uit de kom gedrukt. De gemaltraiteerde rechterschouder, die nog steeds aan het herstellen was, had hij met rust gelaten. Zo'n onverzoenlijke, methodische wraak sloot elke hoop uit.

Ten derde kwam de vraag, een vraag die in hem groeide en groeide terwijl hij hem steeds weer voor zich uit fluisterde: Waarom? Wat had hij misdaan? In jezusnaam... waaróm?

III

Het eiland

Eindelijk, eindelijk, eindelijk, eindelijk.

Papier.

Twee pennen.

Viltstiften, zodat ik mezelf niets kan aandoen. Zodat ik niemand anders iets kan aandoen.

Het is heel moeilijk om te beschrijven hoe ze in de hand liggen. Ik heb heel lang geen pen meer gehanteerd. Het kost me een eeuwigheid om een woord af te maken. Ik maak mezelf in de war doordat ik zo strak naar mijn hand kijk dat die zijn onbevangenheid verliest, en vergeet hoe hij zelfs de eenvoudigste letters moet schrijven.

Ik heb hetzelfde probleem met mijn stem. Soms gaan er dagen voorbij dat ik geen woord zeg. Ik ben bang om tegen mezelf te praten. Soms hoor ik andere stemmen voorbij schuifelen en ze klinken als krankzinnige stemmen. Zo wil ik niet klinken.

Wanneer ik besluit tegen mezelf te praten, neem ik me voor alleen maar dingen te zeggen die redelijk en logisch klinken. 'Vandaag ga ik me voor de lunch driehonderd keer opdrukken en na de lunch vijfhonderd keer,' zeg ik bijvoorbeeld tegen mezelf. Of: 'Vanmorgen zal ik het Onze Vader opzeggen, en de Geloofsbelijdenis, en alle psalmen die ik ken en elke hoofdstad die ik me kan herinneren.' En ik hou mijzelf hardop voor dat ik niet moet wanhopen als ik iets niet meer weet. Ik heb ontdekt dat frustratie en teleurstelling de vijand zijn. Een tijd geleden was ik de hoofdstad van India vergeten. Het klinkt stom, maar ik heb een hele tijd zitten huilen en schreeuwen, mezelf geslagen en letterlijk mijn haren uit mijn hoofd gerukt, en dat alleen maar omdat de hoofdstad van India me niet te binnen wilde schieten. Toen werd ik op een ochtend zomaar wakker met 'New Delhi' in mijn hoofd. Dat ik er niet meer op kon komen had mij zoveel ellende en pijn bezorgd, dat ik bijna kwaad was dat ik het opeens weer wist, ook omdat het zo'n eenvoudige plaatsnaam was. Ik weet dat het vergeten, al was het maar voor een paar dagen, me niet enkel en alleen een ellendig gevoel had bezorgd: ik had er uitslag van gekregen en verstopping en diepe wanhoop. Ik nam me voor om voortaan gewoon te lachen wanneer ik ook maar de kleinste kleinigheid vergat.

Zo is het eens gebeurd, een jaar geleden misschien, dat ik de naam van mijn biologieleraar niet meer wist. Ik lachte van plezier. Ik heb mezelf toen werkelijk gedwongen om verheugd te lachen om het idee dat mijn brein meneer Sewell onder de grond had gestopt. Waarom zouden New Delhi of meneer Sewell voor mij hier op afroep beschikbaar moeten zijn? Dat ik zo tegenover mijn geheugen ben gaan staan, heeft echt geholpen. Nu ik mezelf niet meer dwing om van alles en nog wat te onthouden, of mezelf beoordeel naar mijn herinneringsvermogen, staan mij allerlei dingen juist helderder voor de geest. Ik denk dat ik, als ik morgen examen zou moeten doen, met gemak zou slagen. Let wel, nu ik de eerste twee bladzijden die ik heb geschreven nog eens bekijk, moet ik misschien toegeven dat elke examinator me zou laten zakken vanwege de onleesbaarheid van mijn handschrift. En natuurlijk weet ik ook dat meneer Sewell niet mijn leraar biologie op mijn middelbare school is geweest. Hij en mijn school zijn producten van mijn verbeelding.

Het is heel interessant om over te lezen wat ik heb geschreven. Ik merk dat ik steeds dubbele letters wil schrijven. Ik wilde zelfs 'examinator' met twee x-en schrijven. Ik vraag me af wat het betekent. Ik heb zo'n gevoel dat het iets te maken heeft met een angst om de dingen te snel af te hebben. Ik heb geleerd hier alles te rekken. Elke hap eten die ik neem, elke lichaams-oefening, elke wandeling door mijn kamer, alles is heel rigoreus gepland en duchtig doordacht. Hé! Wat mooi! Duchtig door-dacht!

...duchtig doordacht...

Mijn hemel, wat práchtig! Ik heb er nog nooit op gelet hoe taal eruitziet als hij wordt opgeschreven. Voor buitenlanders die zo'n zin lezen, moet hij naar Engels rúiken. Ik laat al jaren en jaren woorden over mijn tong en door mijn keel rollen voor het genoegen van hun klank, maar het is nog nooit bij me opgeko-men dat woorden er, zelfs in mijn afschuwelijke handschrift, zo mooi, zo onvergankelijk kunnen uitzien.

'Duchtig doordacht' klínkt trouwens ook mooi. Tenminste, hardop uitgesproken in een eenzame kamer.

Ik vind ook mooi wat het betekent, voor iemand in mijn toe-stand.

Goed, ik zit te kijken naar het papier dat ik heb beschreven, en het moment uit te stellen dat ik coherent en consequent over mezelf ga schrijven, bang dat ik te snel te werk zal gaan en de dag aanbreekt dat ik al schrijvende mijn heden heb ingehaald en niets meer mee te delen zal hebben.

Consequent? Is dat wat ik bedoel? Ik bedoel 'in een historische sequentie', maar 'consequent' is natuurlijk niet het goede woord.

Chronologisch is wat ik bedoel. Ze komen wel terug, als ik me maar niet opwind.

Wanneer ik alles chronologisch ga opschrijven, zal ik heel anders tegen alles aankijken, denk ik. In mijn hoofd en mijn geest, alleen hier in deze kamer, is mijn leven teruggebracht tot een eigenaardig soort spel. Net als elk ander spel kan het amusant zijn en uiterst ontregeld. Op papier zal het er wel uit gaan zien als een *verslag*, vermoed ik. Het zal allemaal waar worden, en ik kan er niet zeker van zijn wat het me zal doen wanneer ik weet dat het allemaal waar is. Misschien zal ik er knettergek van worden, misschien zal het me bevrijden. Het is het risico waard dat uit te vinden.

Ik zal met de tijd beginnen. Het heeft me, denk ik, vijf uur gekost om dit allemaal op te schrijven. Ik baseer al mijn berekeningen op schaduwen en eten en tellen. Ik ben ervan uitgegaan dat mijn ontbijt om acht uur komt. Het doet er niet echt toe of het acht uur is, of zeven, of negen, het enige wat telt is het verstrijken van de uren, niet hoe ze worden genoemd. Toen ik een tijdje in het schoolkoor zong, voordat ik de baard in de keel kreeg, leerden we muziek te lezen aan de hand van intervallen. Het deed er niet toe of de eerste noot die je zong een c of een f was, het ging om de sprong tussen de eerste en de volgende, het *interval*, precies zoals Julie Andrews die kinderen leerde... ik ga niet kwaad worden als ik niet op hun namen kan komen... die jongens en meisjes die ze 'Do Re Mi' leerde zingen. Zo zit het ongeveer met mij en de tijd. Er bestaat een woord voor. Iets met *tonisch*...

Laten we dus zeggen dat het ontbijt om acht uur is. Als dat zo is, dan is de lunch om half een. Dat weet ik omdat ik heel wat keren de tijdsduur tussen ontbijt en lunch heb afgeteld. Eén Mississippi, twee Mississippi, drie Mississippi, vier Mississippi. Enzovoorts. Dat was een heel donkere periode: in de loop van vele, vele dagen en weken placht ik de tel kwijt te raken en door die mislukking bracht ik dan de rest van de dag huilend door. Ik begon te geloven dat ik opzettelijk de tel aan het kwijtraken was, omdat ik de tijd niet meer meester wilde zijn. Toch kwam de dag dat ik de kunst van het tellen had geperfectioneerd zonder een steek te laten vallen, zoals ik het noemde, en ik er zeker van kon zijn dat er viereneenhalf uur verstreken tussen ontbijt en lunch. Ik ontdekte dat de telling (wanneer ik er zeker van was) altijd ergens uitkwam tussen zestienduizend en zestienduizendvijfhonderd Mississipi's. Zestienduizendtweehonderd seconden is viereneenhalf uur, hoewel je me zou uitlachen als je wist hoe lang het me heeft gekost om absoluut zeker te zijn van die simpele rekensom. Delen door zestig en nog eens zestig moet toch geen kunst zijn, maar mijn hersenen hadden er moeite mee al die getallen tegelijkertijd te bevatten.

16.200. Het lijkt helemaal niet zo veel wanneer ik het opschrijf. Zestienduizendtweehonderd – lijkt het meer in letters of in cijfers? Geloof mij maar, wanneer je ze aftelt, één voor één, lijkt het uren te duren. Nou ja, het duurt ook uren, natuurlijk. Viereneenhalf uur.

Deze kamer heeft één hoog raam en aan de andere kant ervan (ik ben, trampolinespringend op mijn bed, zo hoog gekomen dat ik het kon zien) staat een boom die ik mijn lariks noem. Ik heb nooit een lariks kunnen onderscheiden van een eik, maar volgens mij zijn lariksen hoog, en mijn boom ís hoog, zodat hij best een lariks kan zijn. Op winterdagen, wanneer de zon laag staat, zie ik zijn schaduw over het plafond glijden. Ik zou aan de hand daarvan veel kunnen berekenen, maar ik weet niet genoeg van de zon en de aarde. Wel weet ik dat, wanneer ik de schaduwen begin te zien, de zomer voorbij is en de lange winter aanbreekt, en dat wanneer de schaduwen beginnen weg te blijven, het lente is en de eindeloze zomer voor de deur staat.

Ik heb geprobeerd, zoals je je zult kunnen indenken, de dagen en de weken te tellen, maar iets houdt me tegen. Ik heb een tijdje geprobeerd ze op de muur te krassen met mijn nagels, maar daardoor sleten ze al snel af, en kon ik niet verder. Ze nemen altijd het plastic bestek mee terug, en ik weet zeker dat ze mijn viltstiften zouden afpakken, als ik er streepjes mee op de muur ging zetten. Ik zou nu op het papier kunnen beginnen met de traditionele rij soldaatjes met een streep erdoor voor elke week, zoals gevangenen plegen te doen, maar eerlijk gezegd wil ik niet weten hoeveel tijd er is verstreken. Ik kan je niet zeggen hoeveel winters en zomers er zijn geweest. Soms denk dat het er drie zijn, soms wel vijf.

Er is een tijd geweest waarin ik dacht dat ik wist wanneer het zondag was. Dan zag het er buiten op een bepaalde manier vrolijk uit en hing er binnen een sfeer die me ervan overtuigde. De voetstappen leken anders te weergalmen in de gangen, wat wel idioot zal klinken. Dan zei ik tegen degene die me mijn eten bracht, meestal Rolf of Martin: 'Prettige zondag!', zonder daar ooit een reactie op te krijgen. Eén keer zei Martin, die ik korte tijd voor aardiger hield dan Rolf: 'Het is vandaag woensdag,' en dat bracht me om een of andere reden helemaal van slag.

Ze hebben me naar deze kamer verhuisd toen mijn schouders geheeld waren. Ik ben de eerste kamer vrijwel vergeten, en dat is misschien een zegen. Ik lag daar aan mijn bed vastgegespt en bevond me vrijwel op mijn dieptepunt. Rolf weigerde tegen me te praten. Dokter Mallo weigerde te komen. Mijn herinneringen kwelden me meer dan de pijn. Ik geloofde namelijk nog steeds dat het allemaal snel afgelopen zou zijn, begrijp je. Ik dacht dat de vader uit mijn dromen me zou komen bevrijden, dat het verschrikkelijke misverstand snel zou worden opgelost. Nu weet ik beter. Dokter Mallo heeft me uitgelegd dat dit hier mijn huis is en dat ik geen ander heb. Ik ben ziek geweest.

Mijn hoofd heeft vol gezeten met ingebeelde herinneringen die alleen door de tijd kunnen worden uitgewist. Als ik mezelf niet overhaast, en geduld heb, zal ik de dingen helderder gaan zien.

Ik ben een ernstig zieke jongeman. Ik ben een fantast die voor zichzelf een geschiedenis is gaan verzinnen die niet de zijne is. Een gevoel van persoonlijk tekortschieten heeft me ertoe gebracht te geloven dat ik eens een leven van comfort en genegenheid en respect heb gekend. Ik heb me ingebeeld dat ik een gelukkige, aangepaste en populaire jongen was met een beroemde en belangrijke vader en een tevreden bestaan op een bekende particuliere school. Blijkbaar komt dit veel vaker voor. Veel misdeelde kinderen kiezen ervoor liever in zo'n wereld te wonen dan de realiteit van hun leven onder ogen te zien. Het valt me zwaar omdat mijn fantasiebeeld zo realistisch was, dat ik de herinneringen aan mijn werkelijke leven heb weggebrand. Ik kan ze niet meer oproepen of voor de geest halen, hoe hard ik het ook probeer. Mijn aangenomen identiteit ligt zo diep in me verankerd, dat ik die, zelfs nu ik de waarheid weet, niet helemaal kan loslaten. Dokter Mallo heeft me gezegd dat ik zo'n beetje het moeilijkste en ongeneeslijkste geval ben dat hij in zijn hele professionele leven is tegengekomen, en dat helpt. Het kost me moeite er niet een beetje trots op te zijn.

Hoe meer ik erin slaag de waarheid te accepteren, des te gemakkelijker mijn leven hier wordt. Het papier en de viltstiften zijn het resultaat van een 'doorbraak' die een tijd geleden heeft plaatsgevonden. Ik kom tegenwoordig van tijd tot tijd bij dokter Mallo. Misschien dat mijn bezoeken aan hem regelmatig zijn, eens in de veertien dagen, dat kan ik niet goed uitmaken. Acht of negen bezoeken geleden stortte ik in en gaf ik toe dat ik wist dat ik niet Ned heet en dat alles wat ik tot dan toe voor mijn herinneringen had gehouden, inderdaad nooit is gebeurd, zoals hij me al zo vaak had verteld. Misschien dacht hij dat ik hem dat vertelde om hem een plezier te doen, want er veranderde aanvankelijk niets. Hij was zelfs heel streng tegen me, en beschuldigde me ervan dat ik alleen maar deed alsof ik hem gelijk gaf om mijn leven gemakkelijker te maken. Maar een paar bezoeken later zei hij me dat ik echt een doorbraak had bereikt en dat het daarom verantwoord was mij een paar voorrechten te verlenen. Ik vroeg hem of dat soms betekende dat ik boeken mocht lezen. Dat komt later, zei hij, want boeken kunnen gevaarlijk zijn voor mensen met een zwakke greep op de werkelijkheid. Om te beginnen zou het een goed idee zijn als ik pen en papier kreeg en alles opschreef wat ik voelde. Als dokter Mallo ervan overtuigd was dat ik echt vat op mijn situatie kreeg, mocht ik misschien de bibliotheek gaan bezoeken.

En hoe zat het met de andere patiënten? Was het mogelijk dat ik contact kreeg met hen? Ik had perioden in de avond en middag opgemerkt die werden ingeluid en afgesloten door een elektrische bel en die altijd gepaard gingen met het verre geluid van deuren die open- en dichtgingen, schuifelende voetstappen en soms zelfs wat gelach.

Dokter Mallo feliciteerde me met mijn opmerkingsgave en sprak de hoop uit dat ik op een zeker moment evenwichtig en sterk genoeg zou zijn om met anderen om te gaan zonder mezelf in gevaar te brengen. Tot het zover was, was het belangrijk om aan mijn geestelijke gezondheid te werken. Hij is blij dat ik zo veel zelfrespect heb dat ik mezelf fysiek fit houd en hij hoopt dat ik mentale oefeningen voor mezelf kan bedenken die het equivalent zijn van de gymnastiek waarmee ik mijn lichaam in conditie houd.

Ik zal dus vanaf nu heel kalm aan doen en erop toezien dat ik me niet te veel opwind. Ik moet niet te veel waarde hechten aan ogenschijnlijke tekenen van vooruitgang, want als ik eerlijk ben, moet ik toegeven dat echo's van oude, ingebeelde herinneringen nog steeds als verleidelijke geesten door mijn hoofd spoken tijdens mijn slaap, en soms zelfs wanneer ik wakker ben. Ik schiet er helemaal niets mee op als ik al te optimistisch raak over mijn toestand. Ik heb nog een lange weg te gaan.

Ik hoor het wagentje piepen op de gang. Het wordt tijd voor mijn medicatie en avondeten. Ik moet mijn pen neerleggen, mijn papieren netjes op tafel ordenen en rechtop gaan zitten. Dokter Mallo mag niet te horen krijgen dat ik verhit of ongedisciplineerd ben geweest.

Von Trapp! Dat waren de kinderen uit *The Sound of Music*. Zie je wel. De dingen komen echt bij je terug wanneer je je ontspant. De kinderen uit de zangersfamilie Von Trapp...

Dit is een heerlijke en hoopgevende dag geweest.

'Dag, Ned, mijn vriend, hoe gaat het vandaag?'

'Heel goed, dokter Mallo, maar mag ik u iets vragen?'

'Natuurlijk. Je weet dat je me alles kunt vragen wat je wilt.'

'Ik vind het onjuist dat u me nog steeds Ned noemt.'

'Daar hebben we het al eens over gehad. Ik wil je met alle plezier anders noemen. Heb je een voorstel? Een naam die je je herinnert, bijvoorbeeld?'

Ned fronste zijn voorhoofd bij dat laatste. 'Tja, soms denk ik dat ik misschien wel Ashley ben.'

'Wil je dat ik je Ashley noem?'

'Ik denk het niet. Het klopt niet helemaal. Ik weet zeker dat ik me een Ashley herinner en dat ik aan hem denk in combinatie met iemand als ik. Ik associeer de naam Ashley met doen alsof je iets bent wat je niet bent, maar het is allemaal een beetje verward. Ik denk niet dat ik Ashley ben. Ik had gehoopt dat u een naam zou kunnen bedenken. Misschien dat mijn echte naam me binnenkort te binnen schiet, maar tot dat gebeurt, is elke naam die u mij geeft beter dan Ned. De naam Ned begint me te irriteren.'

'Heel goed. Dan noem ik je…' dokter Mallo keek de kamer rond alsof hij verwachtte dat zijn blik zou vallen op een voorwerp dat hem op een passende naam zou brengen. 'Dan noem ik je Thomas,' zei hij nadat hij een tijd naar een schilderij op de muur achter Ned had gestaard. 'Wat vind je van Thomas? Een Engelse naam, volgens mij, want je bent Engels. Dat weten we.'

'Thomas…' Ned herhaalde de naam met genoegen. 'Thomas…' zei hij nogmaals, verrukt als een kind dat een cadeautje uitpakt. 'Thomas is heel goed, dokter. Dank u. Dat vind ik een heel leuke naam.'

'Dan noemen we je dus Thomas,' zei dokter Mallo, 'maar ik wil dat je begrijpt wat die naam inhoudt. Het is een vlucht van Ned vandaan, een symbool, zullen we zeggen, van een nieuw begin. Het is van belang dat je realistisch staat tegenover die naam en je niet inbeeldt dat Thomas een verleden heeft waarin je je kunt terugtrekken. Het is een naam die we samen hebben bedacht uit praktische overwegingen en om je vooruitgang te symboliseren. Meer niet.'

'Absoluut!'

'Goed dan, Thomas, jonge vriend. Hoe gaat het?'

'Goed, vind ik,' zei Ned. 'Ik ben de laatste tijd heel gelukkig.'

Die nieuwe naam klonk hem heerlijk in de oren, het maakte een gevoel in hem los dat hij later in zijn kamer zou opbergen en koesteren. 'Hallo, Thomas.' 'Thomas, leuk je te zien.' 'O, kijk, daar heb je Thomas!' 'Die goeie Thomas...'

'En eindelijk,' zei dokter Mallo glimlachend, terwijl hij een blik wierp op een dikke bundel papieren die voor hem lag, 'ben ik in staat om zonder al te veel moeite je handschrift te ontcijferen.'

'Het is echt een stuk beter, hè?' stemde Ned enthousiast in. 'Ik merk dat ik de letters nu zo veel makkelijker kan vormen.'

'En *langzamer*, hoop ik? Niet zo jachtig meer?'

'Absoluut.'

'Je hebt al een hele baard nu. Heb je er last van?'

'Ach,' zei Ned, terwijl hij langs zijn kin streek. 'Ik heb er even aan moeten wennen. Het kriebelt, en het zal er wel raar uitzien, denk ik.'

'Nee, nee. Waarom raar? Een baard is volkomen natuurlijk.'

'Tja...'

'Wil je jezelf eens zien met baard?'

'Mag ik? Mag ik dat werkelijk?' Neds benen begonnen opgewonden op en neer te bewegen.

'Ik zou niet weten waarom niet.'

Dokter Mallo trok een la van zijn bureau open en pakte er een handspiegel uit die hij naar Ned toe schoof. Ned pakte hem op en legde hem, met afgewend hoofd, op zijn dansende knieën.

'Ben je bang om erin te kijken?'

'Ik – ik weet het niet...'

'Hou je voeten op de grond en haal een paar keer diep adem. Een-twee-drie, een-twee-drie.'

Neds knieën stopten met op en neer gaan; hij wendde zijn hoofd in de richting van de spiegel, pakte die van zijn schoot, slikte twee maal en deed langzaam zijn ogen open.

'En?'

Ned keek naar een gezicht dat hij niet kende en dat met evenveel verbazing en afgrijzen naar hem terugkeek. Het was een hol gezicht, een gezicht van uitstekende jukbeenderen en diepliggende ogen. Het strokleurige haar was lang en hing sluik over de oren, de baard zag er ruwer uit, met een vleugje rood. Ned legde een hand tegen zijn eigen gezicht en zag een knokige hand langs de baard van het gezicht in de spiegel strijken en aan de snor trekken.

'Wie is dat?' riep Ned. 'Wie is die man? Ik ken hem niet!'

Tranen trokken strepen door de baard van het gezicht in de spiegel. De tong likte aan de gebarsten lippen. De mond kneep zich vol afschuw samen bij het zien van Thomas' gezicht.

'Zo is het genoeg. Geef me die spiegel maar terug.'

'Wie is dat? Hij walgt van mij! Wie is hij? Wie is hij? Dat ben ik niet! Is hij Thomas? Hij is niet Ned. Wie is hij?'

Dokter Mallo drukte op een zoemer aan de onderkant van zijn bureau en zuchtte. Dwaas van hem om zo'n experiment te wagen. Een onsmakelijk tafereel, maar ook fascinerend. Wat een beklagenswaardige ontreddering, wat een totale subjectdislocatie. Mallo was indertijd gepromoveerd op het werk van Piaget en daar moest hij nu aan denken. Als hij nog wetenschappelijke ambities had gehad, had hij er een artikel over kunnen schrijven, maar die dagen lagen achter hem. Hij keek toe hoe Rolf zijn kamer binnenkwam, Ned het spiegeltje afpakte, en hem met de methodische efficiëntie die hem nooit verliet in de handboeien sloeg.

'Rustig, Thomas. Je ziet nu, hoop ik, zelf wel dat je nog een lange weg hebt te gaan. We zullen je een rustperiode toestaan. Voorlopig niet meer schrijven, alleen vredige reflectie. Chloorpromazine,' zei hij tegen Rolf, '50 milligram, dacht ik.'

Neds ogen waren gefixeerd op de handspiegel die omgekeerd op het bureau lag. Hij merkte niet dat Rolf zijn mouw omhoogschoof. Hij was geheel in beslag genomen door de vurige wens om dat uitgemergelde gezicht nog één keer te zien en die boosaardige ogen uit hun kassen te rukken.

Er waren bijzondere dagen, die heel zelden voorkwamen, dagen waarop het eten op Neds blad hoog werd opgetast en er vazen met bloemen en schalen met vers fruit op zijn tafel werden gezet. Martin en Rolf brachten hem 's ochtends naar een douche aan het eind van de gang. Ze duwden hem eronder en sponsden hem schoon. Daarna, nog steeds onder de douche, maar met de kranen dichtgedraaid, knipten ze zijn haar en schoren zijn baard. Wanneer ze dan weer op zijn kamer waren, was die ook geboend en gedweild. De po was verdwenen, en de zoete lucht van een dennengeurspray hing in de lucht.

In de middagen van die uitzonderlijke dagen kwam dokter Mallo hem bezoeken in gezelschap van een man en een vrouw die geen witte jas droegen en de sfeer van de buitenwereld met zich mee de kamer in brachten. De handtas van de vrouw en de aktetas van de man fascineerden Ned. Er hingen kleuren en geuren omheen die intrigerend, betoverend en ook beangstigend waren.

Ze spraken onderling in een taal die Ned niet verstond, dezelfde taal die Rolf en Martin tegen elkaar spraken en die, zoals Ned al lang geleden had besloten, Scandinavisch was. Hij hoorde zijn naam vallen in die gesprekken, de laatste tijd hadden ze het steeds over Thomas, de naam Ned gebruikten ze niet meer.

De vrouw knoopte soms een gesprek met hem aan.

'Weet je nog wie ik ben?' vroeg ze dan in Engels met een zwaar accent.

'Zeker, hoe maakt u het,' antwoordde Ned dan.

'Maar hoe gaat het met jóu?'

'O, veel beter, dank u wel. Veel beter.'

'Ben je tevreden hier?'

'Heel tevreden, dank u. Ja, hoor. Heel tevreden.'

Op een dag in de zomer kwamen ze weer, maar nu met zijn drieën; hetzelfde tweetal als altijd, deze keer echter aangevuld met een tweede vrouw, jonger dan de andere en met veel meer vragen op haar programma. Ned merkte dat dokter Mallo zich niet op zijn gemak voelde bij haar vragen en hij deed zijn best om de antwoorden te geven die de dokter van hem verwachtte en verlangde.

'Hoe lang ben je hier nu al, Thomas?' Het Engels van deze nieuwe vrouw was nog beter dan dat van dokter Mallo, en ze wendde zich rechtstreeks tot Ned. De anderen stelden hem altijd heel beleefde vragen, maar wekten nooit de indruk dat ze ook belang stelden in het antwoord. Deze vrouw leek oprecht geïnteresseerd in Ned en luisterde heel aandachtig naar wat hij zei.

'Hoe lang?' Ned keek naar dokter Mallo. 'Ik weet het niet precies...'

'Niet naar de dokter kijken,' zei de vrouw. 'Ik wil weten hoe lang jíj denkt dat je hier bent geweest.'

'Dat kan ik moeilijk zeggen. Misschien drie of vier jaar. Misschien wat langer?'

De vrouw knikte. 'Juist. En je heet Thomas, geloof ik?'

Ned knikte geestdriftig. 'Absoluut.'

'Maar toen je hier kwam, heette je Ned.'

Ned merkte dat hij die naam niet graag hoorde. 'Ik was toen een beetje in de war,' zei hij. 'Ik moest een boel ideeën in mijn hoofd opruimen. Ik had me van alles ingebeeld.'

'Heb je al vriendschap gesloten met de andere patiënten?'

Dokter Mallo begon iets tegen de jonge vrouw te betogen; ze luisterde even en gaf toen snel antwoord. Ned meende een paar woorden op te vangen die klonken als 'beter' en 'hysterie'.

Het was vreemd om te zien hoe klein dokter Mallo opeens leek, en hoe bang hij was voor die vrouw. Hij hield zijn hoofd scheef naar één kant terwijl hij naar haar luisterde, knikte en glimlachte, hij likte nerveus langs zijn lippen en maakte aantekeningen op een klembord dat hij bij zich had. En het was niet alleen het feit dat de vrouw een kop groter was dan hij, waardoor hij zo klein leek. Zijn hele gedrag deed Ned denken aan hoe hij zelf probeerde te doen wanneer hij zijn best deed om het Rolf of dokter Mallo naar de zin te maken.

De vrouw wendde zich weer tot Ned. 'Dokter Mallo vertelt me

dat je sinds je hier bent, zelf liever niet met andere patiënten om-
gaat?'

'Ik… ik denk dat ik er nog steeds niet aan toe was.'

De vrouw trok haar wenkbrauwen op. 'Waarom niet?'

Ned wist dat hij niet naar dokter Mallo moest kijken voor een
aanwijzing of bemoediging. Die zou het meer op prijs stellen als hij
liet merken dat hij zelfstandig kon denken.

'Ik wilde meer zelfvertrouwen hebben, als u begrijpt wat ik bedoel. Ik wilde tegen niemand liegen over wie ik ben. Bovendien,'
liet hij erop volgen, 'spreek ik alleen maar Engels en wilde ik vermijden dat ze me verkeerd zouden begrijpen.' Die laatste gedachte
viel hem zo maar in, en hij hoopte dat de dokter tevreden zou zijn
over zijn vindingrijkheid.

Daarop volgde weer een druk gesprek met dokter Mallo, waarin
zich nu ook de andere vrouw en de man mengden. Dokter Mallo
knikte gedecideerd en maakte nog een paar aantekeningen. Ned
zag dat hij heel hard zijn best deed om verheugd te kijken.

'Ik spreek je nog wel, Thomas,' zei de jonge vrouw. 'Ik hoop dat
het gezelschap van mensen die Engels spreken je zal helpen. Wil je
me beloven dat je met andere patiënten zult proberen te praten?
Begin maar met één of twee. Onder toezicht voor het geval het je
nerveus maakt. Ik denk dat het je goed zal doen.'

Ned knikte en deed zijn best een moedige en vastberaden indruk
te maken.

'Mooi.' Ze keek de kamer rond. 'Ik zie hier geen boeken,' zei ze
toen.

'Ik ben weer aan het schrijven,' zei Ned, bijna verdedigend. 'Ik
heb zelfs een paar gedichten geschreven.'

'Je zult vast en zeker betere gedichten schrijven als je de kans
krijgt om te lezen. Boeken zijn altijd heilzaam. Tot ziens, Thomas.
Als ik je de volgende keer kom bezoeken, verwacht ik hier boeken
te zien. Dan zullen we praten over wat je hebt gelezen en wat voor
vrienden je hebt gemaakt.'

Toen Martin die avond binnenkwam om hem zijn eten te brengen en de schaal fruit en de vaas met bloemen weg te halen, begon

Ned bijna te huilen.

'Die vrouw zei dat ik met andere mensen moet praten. Is dat waar? Ik wil alleen gelaten worden. Zeg tegen dokter Mallo dat ik niemand wil ontmoeten. Zeker geen Engelsen.'

'Je doet wat dokter zegt. Als hij wil jij praat met andere mensen, dan jij praat met andere mensen,' antwoordde Martin. 'Geeft niet Engels of niet Engels. Jij niet kiezen. Dokter kiezen. En hier, kijk.' Martin liet een enorme Engelse encyclopedie naast zijn bed op de grond vallen. 'Jij lezen.'

Ned viel die nacht in slaap met een glimlach om zijn lippen. De vervlogen herinnering kwam bij hem boven aan een vriendelijke oude man die de *Verhalen van Oom Remus* voorlas. Iets over Broer Konijn, de teerpop en de rozenstruik. Hij wist dat het verhaal relevant was, al wist hij niet precies waarom.

Babe keek op van het schaakbord toen Martin met een onwillige patiënt door de opening in de glazen scheidingswand de serre binnenkwam.

Gladgeschoren voor de officiële inspectie van gisteren, zag Babe. Weer zo'n verrekte Noorman, aan het blonde haar en de blauwe ogen te zien. Angstogen, overigens. Maar, pas op, misschien was dat spel. Achterdochtig en opmerkzaam onder het mom van lijdzaamheid en de mist van de thorazine. Ik ken die blik maar al te goed. Onze vriend zit hier al een tijdje, dat zie je zo. Weet hoe hij zich gedeisd moet houden. Waarom hebben ze hem bij ons weggehouden? Wat is zijn grote geheim, vragen we ons af. Heeft zich op eigen kracht in conditie gehouden, dat kan ik zien. Het hele scala aan rek- en stootoefeningen. En over stootoefeningen gesproken, Martin zal ze wel op hem hebben uitgeprobeerd, dat vette varken. Niet erg ver mee gekomen, als je ziet hoe kortaangebonden hij die jongen bij de schouder mee zich meetrekt. Zo, zo. Weer eens wat anders om de gedachten over te laten gaan.

Babe sloeg zijn ogen neer naar zijn schaakbord en begon monotoon te mummelen boven de stukken.

'Zo, jij wou semi-Slavisch op mij uitproberen, hoerenjong dat je bent? Dáár weet ik een paar weerleggingen op…' Wat ben je toch een virtuoze brabbelaar, Babe, voegde hij er voor zichzelf aan toe.

'Jij hier zitten,' zei Martin tegen de jongeman.

Spreekt *Engels* tegen hem, christenzielen! Gods eigen gezegende Engelse tongval. Martins verminkte benadering ervan, toegegeven, maar niettemin Engels.

Babe had bijna zijn belangstelling verraden door zijn hoofd op te heffen en hun kant uit te kijken.

Rustig aan, Babe, jongen. Er kunnen heel wat redenen zijn waarom Martin Engels spreekt. Die jongen kan ook een Fin zijn, een Vlaming of een Hollander. Hij hoeft niet per se een Brit uit Brittenland te zijn. Nooit overijlde conclusies trekken. De *lingua franca* van alle chique internationale inrichtingen is Engels. Wordt gesproken in elk deftig bankgebouw, bordeel en gekkengesticht van hier tot in de Balkan.

De jongeman was gaan zitten en wilde nu weer opstaan.

'Zitten, zei ik,' zei Martin terwijl hij hem driftig terugduwde. 'Zitten en hier blijven.'

Waarom zeg je niets, jongen?

Babe's ogen schoten heen en weer tussen de schaakstukken en hij plukte aan de lippen van zijn openhangende mond. Niemand kon vermoeden dat hij wist dat er een wereld bestond buiten de vierenzestig velden die voor hem lagen, laat staan dat iemand door zou hebben dat al zijn aandacht was gericht op deze onwennige nieuweling in de wereld van de serre.

Martin was doorgelopen en liet zijn blik over de andere patiënten glijden terwijl zijn patiënt heen en weer schoof op zijn plastic stoel.

'Mag ik nu gaan, alsjeblieft?' jammerde hij ten slotte.

Engelen en verleners van Gods genade, bewaar ons! Meer dan een Brit. *Engels.* Zo Engels als een *muffin*! Zo Engels als folteren! Zo Engels als hypocrisie, pedofilie en het Parlement van Fowles! Vijf woordjes, maar ik kan ze even feilloos ontleden en decoderen als wie dan ook.

'*Mag ik nu gaan, alsjeblieft?*' Particuliere school. En een goeie ook, niet een van die vergaarbakken. Een van de beste, een van de top drie, of ik ben gek, en dat ben ik nooit geweest, zoals God kan getuigen.

F3, loper g2, korte rokade...

Winchester, Eton of Harrow?

De c-pion opspelen, hem later offeren om ruimte te krijgen op de damevleugel...

Niet Winchester, denk ik. Te beleefd.

Loper ruilen tegen het paard, en ik beheers de zwarte velden.

Eton? Denk het ook niet. Heeft niet helemaal die houding. Die zou iemand van Eton nooit verlaten, zelfs hier niet. Blijft Harrow over. *Semper floreat herga.*

'Babe, ik wil je graag aan iemand voorstellen.'

Martin boog zich over het bord en sprak Zweeds tegen hem.

'Ik wil met niemand kennismaken,' zei Babe in dezelfde taal, terwijl hij onhandig een ruil uitvoerde op het bord en de stukken om liet vallen. 'Laat me met rust.'

'Niks mee te maken wat jij wilt, ouwe zak. Hij heet Thomas. Je kunt hem leren schaken.'

Ned bukte zich en raapte een zwarte loper op. Babe graaide hem terug en zette hem met een klap op het bord, zonder hem aan te kijken.

'Zitten en schaken,' zei Martin gebiedend tegen Ned. 'Dit is Babe. Hij is onze oudste gast. Was hier zelfs al vóór dokter Mallo, klopt toch, Babe?'

'Al voordat jij een waterig kloddertje zaad was dat langs het been van je zondige vader naar beneden droop, vuile, stinkende schijtbak,' mompelde Babe, terwijl hij uiterst zorgvuldig de witte dame op haar plaats zette.

'Hè? Wat zegt hij?'

'Hij zegt dat hij hier inderdaad al heel lang is,' zei Ned. 'Luister, Martin, moet ik met hem praten? Mag ik alsjeblieft terug naar mijn kamer? Of in ieder geval alleen aan een tafeltje zitten?'

'Praten,' zei Martin. 'Ik kom straks terug. Praten, schaakspelen. Aardig zijn tegen elkaar.'

Het bleef bijna een minuut stil aan de tafel, terwijl Babe de stukken opzette en Ned zich concentreerde op het trekken van een ongelukkig gezicht.

Over Babe's schouder zag hij een grasveld dat van de serre flauw afdaalde naar een rij bomen, die zo dik in het blad zaten dat zich de nabijheid van een river liet vermoeden. Ned zag buiten patiënten rondwandelen of op een bank in de zon zitten. Dat dat allemaal kon, verbaasde hem.

Het heldere licht in de kamer en de geur van andere mensen, vermengd met de zure lucht van zon op vinyl, benevelden Ned. Hij voelde Martins wantrouwende ogen ergens vandaan op zich gericht, zodat hij de indruk vermeed dat hij een gesprek wilde aanknopen. In plaats daarvan hing hij broedend in zijn stoel en keek naar de schaakstukken alsof het vijanden waren.

Wat die oude man, Babe, waar Martin bij stond had gezegd, als Ned het tenminste goed had verstaan, was niet te geloven. Hij had hem een 'vuile, stinkende schijtbak' genoemd en het aan de snelheid en onduidelijkheid van zijn dictie overgelaten de betekenis van de woorden te versluieren. Babe mocht een gestoorde, oude man zijn, maar hij was in ieder geval onderhoudender dan een eenzame kamer.

'Dat is de truc, jongen,' zei de oude man opeens. Hij hield zijn ogen nog steeds op het bord gericht en sprak binnensmonds, maar Ned kon hem glashelder verstaan. 'Je hebt Martin bij zijn taas. Hoe bokkiger je kijkt, des te liever is het hem. Niet meteen iets terug zeggen, leg je hand tegen je kin, zodat hij je lippen niet ziet bewegen, en blijf dat misnoegde pruilmondje trekken. Je doet het meesterlijk.'

Neds hart begon sneller te kloppen. Hij steunde zijn elleboog op de tafel en duwde zijn mond in de holte van zijn palm.

'Bent u Engelsman?'

'Nou nog mooier!'

'Kijkt Martin mijn kant op?'

'Hij staat een kop koffie te drinken en naar je achterhoofd te loeren met een smoelwerk als een nijdige strontvlieg. Zijn slaapkameravances soms afgewezen, jochie? Je hoeft niet te blozen. Hij probeert het bij elke nieuwe patiënt. Doe je ook een zet? Je wil me toch niet vertellen dat ze je op Harrow niet hebben leren schaken?'

Ned hapte naar adem en keek op voordat hij zichzelf had kunnen inhouden.

Babe zat aan zijn lippen te plukken en tuurde naar het bord alsof er niets was gezegd. Hij kwijlde een beetje en begon een soort liedje te lallen: 'Ik had je niet zo moeten overrompelen. Ik ben een vreselijke toneelspeler, dat moet je me maar vergeven. Maar als professor Higgins het heeft klaargespeeld, waarom zou het die ouwe Babe dan niet lukken? Ogen op het bord en een zet doen, verwend stuk vreten.'

Ned verzette een pion en ging weer met zijn hand voor zijn

mond zitten. 'Hoe kunt u dat weten? Ik bedoel... niet dat ik daar geweest ben, op Harrow. Heeft u in dokter Mallo's dossier gekeken? Hebt u mij tegen hem horen praten?'

'Hou je nou rustig, beste Thomas. Laten we niet tekeergaan als een stier in een porseleinkast. Of wat voor stier dan ook, in een porseleinkast of in een arena of opduikend uit de zee om maagden te schaken en te bezitten. Je zult vanzelf wennen aan mijn krankzinnige metaforen en woordspelingen. Onthoud één ding, als we het vandaag en de volgende paar dagen slim spelen, laat Martin ons met rust en is hij blij toe. Mij houdt hij voor een gekke oude, vreemde oude, onschuldige oude, grappige oude, weerzinwekkende oude man, maar jou mag hij niet, en hij vertrouwt je ook niet. Hij en Rolfie zien het als hun taak deze inrichting te beschermen tegen de dwaze, ruimdenkende goedgelovigheid van de brave dokter Mallo. Dat je je onder ons mag mengen, komt zeker door die vrouw die hier gisteren voor het eerst op bezoek is gekomen, of heb ik dat mis?'

'Nee, dat klopt,' fluisterde Ned.

'Juist – lieve hemel, je moet nog veel leren van het edele schaakspel, snotaap die je bent. Nooit van een vork gehoord? – juist, dat dacht ik al. Alsof de woorden 'hervormster' en 'nieuwe bezem' op haar maagdelijke boezem stonden geborduurd. Mallo en de verpleging zullen wel razend zijn dat zij zich ermee heeft bemoeid. Als ze jou nog niet met ons hebben laten praten, moet daar een reden voor zijn en ze zullen het niet leuk vinden dat ze de wet krijgen voorgeschreven door een verlichte ijveraarster met moderne opvattingen. Wie heeft jou hier opgeborgen?'

Ned zei niets.

'Je wilt er niet over praten? Ik zal je nergens toe dwingen, jongen, nooit.'

'Nee, dat is het niet. Ik weet het gewoon niet.'

'O. Hoe lang zit je hier al?'

'Ik...' Ned wist niet wat hij moest zeggen.

'Je raakt hier gemakkelijk de tijd kwijt. Heb je een flauw idee van de datum wanneer je voor het laatst vrij man was?'

'Dertig juli. Maar ik was ziek… ik haalde me van alles in mijn hoofd. Ik moet eigenlijk helemaal niet aan die tijd denken. Dat houdt me op. Dokter Mallo heeft me gezegd dat ik al die associaties moet vergeten, het zijn wanen…'

'Wanen zijn het enige waarop je hier kunt afgaan. Dertig juli, zei je? Van welk jaar?'

'Negentientachtig,' zei Ned, terwijl er een gevoel van opwinding in hem begon te groeien, 'en bovendien heet ik geen Thomas. Mijn echte naam is…'

'Wil ik niet weten. Nog niet. Als ze je een andere naam hebben gegeven, moet je door mij niet bij je oude worden genoemd. Doe een zet, schiet op. Doe een zet, nu. Haal die armzalige loper van je uit de stront, als je kunt.'

Ned keek neer op de schaakstukken die voor zijn ogen dansten.

'Kan ik u Babe noemen?'

'Zeker kun je me Babe noemen, en wat zal het me een genoegen doen om antwoord te geven op die naam, uitgesproken met zo'n mooie, zuivere klank. En het eerste dat Babe voor Thomas zal doen, wanneer we onze cipiers ervan hebben overtuigd dat het hun eigen idee is geweest om ons samen te brengen, is hem een echte partij *schach, écheques, chess, scacchi*, noem maar op, te leren spelen, want op het ogenblik kun je er nog geen hout van, jonge vlegel. Schaak… en mat.'

'Ik heb nooit veel meer geleerd dan de regels, sorry.'

'Ik zet de stukken opnieuw op, en jij draait je om. Je kwijnt weg als een lusteloze lelie in de lente. Ik hang je de keel uit, en je vindt me olfactorisch afstotend, wat wil zeggen dat je vindt dat ik erger stink dan de smerigste bunzing die ooit op vier poten rondliep. Maar voordat je je omkeert moet je me iets vertellen.'

'Wat?'

'Hoe lang denk je dat je hier al bent?'

'Tja, ik weet niet welk jaar we nu hebben, maar het moet… Ik weet het niet. Drie jaar? Vier?'

'Tien jaar, Thomas, mijn vriend. Volgende maand tien jaar.'

'Wat?!'

'Niet zo hard! En houd je ogen altijd neergeslagen. Vandaag is het, bij de genade Gods, de achttiende juni van het jaar negentiennegentig.'

'Maar dat is onmogelijk... Het kán niet zo lang geleden zijn. Dan zou ik zevenentwintig zijn. Dat is onmogelijk!'

'Het spijt me dat ik degene ben die het je moet vertellen, Thomas, maar je ziet er eerder uit als zevenendertig of zevenenveertig. Je haar begint al grijs te worden aan de slapen en die ogen van je hebben niets jongs in zich. Pas op, hij staat naar ons te kijken. Keer je om en kijk een andere kant uit.'

Martin kwam met een gemeen, sarcastisch lachje op zijn gezicht naar Ned toelopen. 'Dat was kort spel. Jij niet goed schaken? Jij verliezen van ouwe man?'

Ned schudde zijn hoofd.

'Ik mag hem niet,' zei hij, naar de mummelende Babe wijzend. 'Hij stinkt.'

'Jij komt elke dag praten en spelen met Babe. Elke dag een uur meer. Is goed voor jullie twee.'

'Maar...'

'Geen maar. Geen maar. Jij klagen en ik zet jullie altijd bij elkaar. Wil jij dat? Wil jij op één kamer met stinkende ouwe man?'

'Nee!' riep Ned, razend. 'Nee! Daar kun je me niet toe dwingen!'

De volgende twee maanden ging Ned naar zijn kamer met allerlei stukjes papier in zijn kleren verstopt. Op die papiertjes stond alles gekrabbeld wat Babe wist van schaaktheorie, aanvals- en verdedigingsspel, gambieten, combinaties en eindspelstudies. Zijn studieprogramma begon met partijen van Philidor en Morphy en parels uit de romantische school: partijen die net als schilderijen een naam droegen: de *Evergreen*, de Twee Hertogen, de Onsterfelijke. Daarna kwam het tijdperk-Steinitz en de moderne school, vervolgens een positionele theorie die de Hypermoderne heette en waarvan Ned hoofdpijn kreeg. Vervolgens een inleiding in openings- en tegenspel waarvan de nomenclatuur op Neds lachspieren werkte. Caro-Kann en Dame-Indisch, Siciliaans en Frans, Giuoco Piano en Spaans. De Draak, de Tartakower-variant en het Nimzowitsch. Het geweigerde Damegambiet en aangenomen Damegambiet. De Marshall-aanval, Maroczy en de vergiftigde pion.

'We kunnen pas vrienden worden wanneer we samen een partij kunnen schaken. Je hebt het in je een redelijke speler te worden. Iedereen heeft dat in zich. Het is alleen maar een kwestie van geheugen en de weigering om van jezelf te denken dat je de hersenen hebt van een garnaal.'

Er waren eindeloos veel dingen die Ned van Babe wilde weten, maar elke vraag werd van het bord gewoven.

'Schaken, jochie. We knijpen onze blinde ogen toe en spelen een partij schaak. Het is jouw zet, en pas op je achterste rij.'

Dokter Mallo was tijdens Neds eerste week in de serre een kijkje komen nemen en had Babe gezegd dat hij maar een ommetje moest gaan maken over het gazon.

'Ik wil even babbelen met mijn vriend Thomas. Ik zal de stukken niet verplaatsen,' had de dokter Babe verzekerd, toen die, zacht vloekend in zijn baard, wegslofte.

'En hoe bevalt het je hier, Thomas?'

'Ik vind het een beetje vreemd,' zei Ned onzeker. 'Het is een heel eigenaardige man, en ik begrijp maar weinig van wat hij zegt. Hij kan heel grof zijn, maar als ik niet te veel praat, lijkt hij zich weinig van me aan te trekken.'

'Heb je eigenlijk al met andere patiënten gesproken?'

'Ik probeer het soms,' zei Ned. 'Ik weet niet wie van hen Engels spreekt. Ik heb die man daar gisteren van streek gemaakt door op een stoel naast hem te gaan zitten, en toen begon hij me in het Engels uit te schelden.'

'Ja, dat is dokter Michaels, een heel trieste man. Je zult nooit veel zinnigs uit hem krijgen, vrees ik. Labiel, maar niet gevaarlijk. Ik ben blij, Thomas, dat je hier kunt zitten. En Babe is niet' – dokter Mallo keek met, naar Ned instinctief aanvoelde, lekenogen naar de stelling op het bord – 'Babe is niet nieuwsgierig naar je? Hij overstelpt je niet met vragen?'

'Hij vraagt me nooit iets,' zei Ned met een teleurgestelde klank in zijn stem, 'behalve wanneer ik nu eindelijk eens een zet ga doen of waarom ik met mijn benen wip onder tafel.'

'Ik vraag het je maar omdat het zo belangrijk is dat je niet wordt aangemoedigd in die fantasieën over jezelf. Als iemand je zou vragen wie je bent en wat voor ziekte je hebt...?'

'Ik weet niet wat ik zou zeggen, dokter. Ik zou ze zeggen dat ik Thomas heet en dat ik aan de beterende hand ben. Ik praat liever niet over mezelf.'

'Mooi. Schaakt Babe goed?'

Ned haalde zijn schouders op.

'Volgens mij niet. Als je oplet, kun je mat in vier geven,' zei dokter Mallo terwijl hij opstond en met een kort en tevreden knikje wegliep.

'Mat in vier, hij kan m'n rug op, en die van iedereen hier!' had Babe binnensmonds gebriest toen Ned hem het gesprek had overgebriefd. 'De windbuil, de bedrieger, de kwakzalver. Als je je h-pion niet opspeelt, is het mat voor jou, en niet in vier zetten, maar in één.'

'Wanneer kunnen we eens over iets anders praten dan over schaak, Babe?'

'Wanneer je van me gewonnen hebt.'

'Maar dat gebeurt nooit!'

'Dat dacht je maar. Ik heb vandaag het Nimzo-Indisch voor je genoteerd. Dat systeem zal je bevallen.'

Met het verstrijken van de weken raakte Ned meer en meer geobsedeerd door hun partijen. Hij viel elke avond in slaap met een hoofd vol van de diagonale spanningen en krachtvelden die door de stukken werden uitgeoefend. Schaken en de kracht van elk stuk op het bord beheersten zijn gedachtewereld. Hij begon stellingen met gemak blind na te spelen, zonder zich het hele bord te hoeven voorstellen. Zijn vragen, die zich uitsluitend tot schaken beperkten, begonnen Babe nu te bevallen.

'Ho even. Je verwart hier strategie met tactiek. Dat is iets wat me herinnert aan mijn vroegere militaire training. De strategie, moet je weten, is het strijdplan, het Grote Idee. We gaan de slag winnen door die heuvel te bezetten. Dat is de strategie, die heuvel bezetten. Hóe bezetten we die heuvel? Kijk, daar heb je de tactiek. We kunnen hem eerst bestoken met artillerievuur en er dan een infanterie-aanval op doen. We kunnen hem bombarderen vanuit de lucht. Misschien maken we een omtrekkende beweging naar een heel ander doel en brengen we de vijand in de waan dat die hele heuvel ons aan onze reet kan roesten. 's Nachts sturen we onze speciale eenheden op ze af, met messen tussen hun tanden en schoensmeer op hun gezicht, om ze te overrompelen. Er zijn eindeloos veel tactieken, maar ze staan allemaal in dienst van het éne strategische idee. Kun je me volgen?'

Ned, geheel geobsedeerd als hij was door de finesses van het schaakspel, stond pas later stil bij de woorden 'mijn vroegere militaire training'. Een man van Babe's leeftijd had waarschijnlijk in de oorlog gevochten. De Tweede Wereldoorlog. Toen Ned hem had gevraagd of hij Engelsman was, had Babe gezegd: 'Nou nog mooier!', wat Ned had opgevat als een krachtige ontkenning. Maar Babe's uitspraak was, qua accent en dictie, heel Engels, een sappig en heerlijk ouderwets Engels dat Ned herinnerde aan radio-uitzendingen van vroeger. Zijn taalgebruik echter, zijn woordkeus en de vreemde draai die hij gaf aan algemeen bekende uitdrukkingen, was helemaal niet Engels. Het had iets quasi-Iers of namaak-Hollywoods. Hij zou op een gegeven moment wel meer over hem te weten komen.

Maar voorlopig had Ned, die nu twee maanden schaaktraining achter de rug had, een spannende week voor de boeg. Hij had, voor het eerst, *remise* gespeeld. Babe was degene geweest die hem zijn hand had gereikt, over het bord heen, om remise aan te bieden, wat Ned, die de overwinning rook, opgewonden had geweigerd. Babe had vervolgens aangestuurd op een gedwongen ruil van dames en torens, en de partij was doodgebloed in de remise waartoe hij al die tijd al toe voorbestemd was. Maar Ned had zwart gehad, en remise met zwart was altijd een positief resultaat. Schaken is een spel waarbij het zo op het scherp van de snede gaat, had Babe hem uitgelegd, dat het voordeel van de eerste zet in een toernooipartij groot genoeg is om ervoor te zorgen dat de meerderheid van de overwinningen naar de witspeler gaat. Ned wist dus dat dit resultaat met zwart een keerpunt was.

De volgende dag had Babe, met zwart, gemakkelijk gewonnen, en Ned, die razend was op zichzelf, had die avond naarstig gestudeerd om de volgende dag iets schitterends op het bord neer te zetten.

Hij was in slaap gevallen met het vage plan om maar eens de Winawer-variant van het Frans te proberen, want zijn intuïtie zei hem dat Babe die niet graag speelde. Hij werd wakker met een duidelijk winstplan in zijn hoofd. Daarbij ging het niet alleen om het schaken *an sich*, maar ook om de psychologie van het spel, en toen Rolf, die dienst had, hem naar de serre bracht, deed hij alsof hij te weinig had geslapen en slecht gehumeurd was.

'Ik had gisteren niet zo mogen verliezen,' zei hij zonder zijn gebruikelijke, beleefde groet uit te spreken. 'Je hebt me erin geluisd. Het was beschamend.'

'Wat krijgen we nou?' vroeg Babe, de witte stukken ordenend aan zijn kant van het bord. 'Met het verkeerde been uit bed gestapt?'

'Laten we nu maar gewoon spelen,' zei Ned knorrig, terwijl hij in stilte bad dat Babe de koningspion zou spelen, maar strak naar de c-pion keek, alsof hij hoopte op een Engelse opening of op Dame-Indisch flankspel.

Babe haalde zijn schouders op en speelde e4, wat Ned meteen met e5 beantwoordde. Babe zette zijn paard op f3, en Ned strekte zijn hand uit naar zijn paard, alsof hij zich had neergelegd bij het Italiaans of Spaans. Toen nam hij zijn hand met een geïrriteerd fronsje terug en begon te denken. Hij deed vijf minuten over zijn tweede zet, het saaie, uiterst verdedigende en amateuristische d6 van de Franse verdediging. Babe bleef zijn stukken ontwikkelen volgens de standaardtheorie, en Ned antwoordde aarzelend. Zijn hart begon steeds wilder te kloppen toen elke zet het patroon volgde dat hij de avond tevoren had berekend, en de partij zich ontwikkelde tot de Winawer-variant die hij had voorbereid. Er kwam een moment waarop Babe heel zorgvuldig moest spelen om een combinatie te vermijden die hem, wist Ned, een actieve pion zou hebben gekost. Babe speelde niet de snelle, voor de hand liggende zet, en Ned, over het bord gebogen, zag uit zijn ooghoeken dat Babe zijn hoofd naar hem had opgericht en hem aankeek. Ned verroerde zich niet, maar bleef fronsend naar de stukken staren, zonder iets te laten merken toen Babe niet in zijn val trapte en de enige correcte zet speelde. Ned had niet alles gezet op één goedkope, tactische valstrik, zoals hij twee weken eerder misschien zou hebben gedaan. Sterker nog, hij zou teleurgesteld zijn geweest als Babe zich had laten verrassen. Hij wist dat hij een goede stelling had, en dat was het enige waar het hem om te doen was.

Na een uur geconcentreerd en zwijgend spelen stond Babe een pion achter en moest hij een als los zand aan elkaar hangende stelling hergroeperen om allerlei tactische rampen te vermijden. Wanneer een stelling eenmaal is gewonnen, kan de speler die de overhand heeft opeens tientallen aanvalscombinaties opzetten en fantastische offers brengen. Ned zat een spectaculair dame-offer door te rekenen dat volgens hem moest leiden tot een geforceerd mat in vijf of zes zetten, toen Babe zijn koning omlegde en diep in zijn keel lachte.

'Je hebt me alle hoeken van het bord laten zien, sluw hoerenjong dat je bent.'

'Geef je op?'

'Natuurlijk geef ik op, stuk schoelje. Mijn stelling lijkt wel gatenkaas, het is een wonder dat de stukken er niet doorheen vallen. Je hebt het helemaal uitgedacht, hè, jochie? Van het eerste pruillipje tot het laatste gestotter. Je bent doortrapt jongen, doortrapt als de duivel zelf.'

Ned keek gespannen op. 'Maar het spel, Babe, dat was toch niet alleen maar trucs en psychologie? Ik bedoel, als zuiver schaken was het toch ook goed?'

'Zuiver schaken bestaat niet. Er bestaat goed schaken en slecht schaken. De goede schaker houdt even zeer rekening met de ademhaling van zijn tegenstander en de manier waarop hij zich over het bord buigt als met de diepte van zijn geest en de plaats waar hij zijn paarden neerzet. De goede schaker let evengoed op de manier waarop zijn tegenstander een stuk speelt als het veld waar hij het heen speelt. Weet je dat je net een Smislovschroef hebt gespeeld? Dat heb je gedaan, echt. Een heuse, onvervalste Smislovschroef.'

'Een wat?'

'Vassily Smislov, wereldkampioen, uit de Sovjet Unie. Ik heb hem nog zien spelen, trouwens. Een meester in het eindspel en geslepen als een vos. Hij had er een handje van om, als hij een zet had gedaan, het stuk in het veld te schróeven, het erop te drukken en langzaam rond te draaien alsof hij het daar voor altijd wilde vastzetten. Daar joeg hij zijn tegenstanders de doodschrik mee op het lijf, met dat geintje. Jij deed daarnet precies hetzelfde toen je je toren op de zevende rij zette. Maar, meer dan dat, je hebt het grootste geheim van het schaken door. De allerbeste zet in een schaakpartij is niet de beste. Nee, de allerbeste zet is de zet waarvan je tegenstander juist wil dat je hem níet speelt. En dat heb je keer op keer gedaan. Je wíst dat ik de bloedpest heb aan die tactische hel van het Frans, nietwaar? Ik heb het je nooit verteld, maar je hebt het geroken. O, jongen, ik zou je kunnen omhelzen, zo trots ben ik op je.'

Ned zag dat er tranen langs Babe's gezicht liepen.

'Ik heb het alleen maar aan jou te danken,' zei hij.

'Lazer op! Hoe lang geleden is het helemaal… negen, nee, achteneenhalve week, sinds je voor het eerst een pion mijn kant op geschoven hebt. Kijk eens naar jezelf, kijk eens naar wat je kunt met die zestien stukken goedkoop hout. Heb je ooit geweten dat je zo diep kon denken en zo gemeen kon spelen? Nou? Nou? Zeg nu maar eens tegen die ouwe Babe dat je versteld staat van jezelf!'

'Babe, ik sta versteld van mezelf,' zei Ned. 'Ik weet niet hoe ik het voor elkaar heb gekregen. Ik kan het niet geloven. Ik kan het gewoon niet geloven. Maar het komt door jou. Jij hebt het voor mij gedaan.'

'Ik heb niets gedaan. Helemaal niets, behalve je het besef bijbrengen van je eigen denkkracht. Geen enkele speler ter wereld kan jou nu nog een amateurtje of een zondagsspeler noemen. De groten zullen je altijd verslaan, zeker, maar je zult jezelf nooit te grabbel gooien boven een bord. Dit vraagt om een heildronk.'

Ned schoot in de lach. 'Zal ik Rolf fluiten?'

'Je denkt dat ik een grapje maak. Duik in je geest en tover er je lievelingsdrank uit te voorschijn. Wat is het? Ben je net als ik een whiskydrinker, of heeft de man van Harrow een voorkeur voor de grote, volle wijnen uit Bordeaux? Of behaagt jou juist veeleer het roddelend tintelen van champagnes die slechts geschikt zijn voor hoeren en boeven? Zelf hunker ik naar de zilte smeerolie van een Bunnahabhain, die mysterieuze Andere van de Islay-malts. Ik heb zijn merkwaardige, gedrongen fles nu in mijn hand en ik scheur mijn nagels aan het lood om de hals – hé, zeg! Wat heb ik verkeerd gezegd?'

Tranen dropen van Neds kin op het schaakbord.

'Niets... niets... Alleen heb ik nooit echt de kans gehad om een favoriete drank uit te kiezen. Mijn lievelingsdrank is... was... gewoon een glas koude melk.'

Een herinnering aan Oliver Delft die de koelkast opentrok, overviel hem en hij slikte krampachtig een snik weg.

'Sssj,' kalmeerde Babe hem geschrokken. 'Laat niets merken. Het spijt me, Thomas, het spijt me echt. Ik had geen flauw idee. Die stomme tong van me, die vindt zichzelf altijd zo leuk. De vrouwen vonden mij een verleider met woorden, en soms laat ik me meeslepen door de herinnering daaraan. Het is mijn enige en laatste ijdelheid in dit oord van vergane geesten, en in mijn vulgaire haast heb ik je meegenomen naar een plek die je vergeten bent te bezoeken. Maar dat doet er nu allemaal niet toe. De dag zal komen wanneer je er met vreugde naar zult terugkeren.'

'Nee!' zei Ned heftig. 'Dat moet ik niet doen. Dat moet ik absoluut niet doen. Er zijn dingen in mijn verleden die ik nog steeds niet goed begrijp, en dokter Mallo zegt...'

'Dokter Mallo zegt! Troost je maar met de gedachte dat hij een man is die het presteert om te zeggen: "Als ik me niet erg vergis, is het mat in vier." Dokter Mallo weet geen ene flikker, en zeg niet dat het niet zo is. Hij heeft een ziel van pus en de hersens van een rottende drol. Hij is een mislukkeling en geen woord van wat hij zegt kan jou raken.'

'Híj een mislukkeling? En wat zijn wij dan?' piepte Ned. 'Wat zijn wij dan in hemelsnaam?'

'Dat is iets wat we voor onszelf moeten uitmaken, Thomas. Kijk uit, Rolf komt eraan, nies keihard in je zakdoek, alsof je een stofje in je neus hebt gekregen.'

Het laatste wat Ned die middag tegen Babe zei was: 'Wil je me alles leren, Babe? Alles wat je weet? Net zoals je dat met schaken hebt gedaan. Leer me alle wetenschap en filosofie en poëzie die je kent. Leer me geschiedenis en aardrijkskunde. Leer me muziek en kunst en wiskunde. Wil je dat? Jij weet zo veel, en ik weet zo weinig. Ik zou naar Oxford zijn gegaan, maar…'

'Nou, dat is je tenminste bespaard gebleven,' had Babe geantwoord, 'dus er is nog hoop. Ja, ik zal je alles leren, Thomas. We zullen het brede pad van de filosofie bewandelen, zoals we het smalle pad van schaken hebben bewandeld. Wie weet wat we gaandeweg zullen leren over onszelf?'

Babe, die zo veel tijd mocht doorbrengen in de serre of buiten op het grasveld als hij wilde, zag Ned door de glazen scheidingswand teruggebracht worden en glimlachte stil voor zich uit.

Een duivels partijtje schaak had die jongen daar gespeeld.

Babe leed niet echt aan een Godscomplex, maar zijn geest, die hij zo onverdroten levendig had gehouden, snakte ernaar om iets te doen, om te vormen, om te scheppen. Hij had altijd geweten dat hij een geboren leraar was: het leven van actie en idealen had niets anders voor hem gedaan dan hem hierheen voeren. In de buitenwereld had hij zijn echte roeping laten schieten, en nu kreeg hij een kans om zichzelf te verlossen door een laatste daad van toewijding. Toewijding deze keer niet aan de armen, de misdeelden, de onderdrukten en de verworpenen, maar toewijding aan het leven van de geest en de kracht van de menselijke wil.

Toen Ned twee maanden eerder de serre was binnengekomen, was Babe bijna bereid geweest om zijn taaie greep op de wereld los te laten, en om het zo zorgvuldig in hemzelf opgetrokken en al die jaren zo trouw verdedigde fort te verlaten. Ned zou het nooit weten, maar de partijen schaak die ze samen hadden gespeeld, waren Babe's redding geweest. Hoeveel ze ook hadden betekend voor Ned, voor Babe hadden ze meer betekend.

Babe's brein was een gril van God, en God verdiende beter dan dat die gril zou sterven met de oude man in wie hij huisde. Zijn fabelachtige en feilloze geheugen was het talent waardoor hij zich al vroeg had onderscheiden. Maar een geheugen dat het moet stellen zonder energie, wilskracht en plan heeft geen enkele waarde, en die kwaliteiten bezat Babe ook, en in afschrikwekkende overvloed. Had hij ze niet bezeten dan zou zijn brein, hoe snel en geducht ook, nooit het ijzingwekkende regime hebben overleefd van verdovende middelen, afzondering en elektroshocks waaraan het zo veel jaren was blootgesteld.

Babe's brein en geheugen waren, uiteindelijk, louter een kwestie van genetisch geluk, en hij ging er ook absoluut niet prat op: hij was tot het inzicht gekomen dat het zijn wilskracht was, en zijn wilskracht alleen, die hem onderscheidde van gewone mensen, en dat wilskracht − anders dan cerebrale vaardigheden − kon worden onderwezen, overgedragen en gecontinueerd.

Met uitzondering van de *Universal British Cyclopaedia* (Ed. F.S. Dorrington) waren de enige boeken die Ned van de staf mocht lezen gesteld in het Zweeds, Deens en Duits. Hoewel Dorringtons werk over alles van Aahhotep tot Zwingler voor Ned zeer aanvaardbaar was, dacht Babe daar anders over. Hij had Ned het boek uit handen genomen, het op een willekeurige bladzijde opengeslagen en gesnoven van minachting.

'Moet je zien,' zei hij, nijdig met zijn vinger op de pagina tikkend. 'Kijk eens even naar deze beide Grays, als je wilt?'

Ned keek over Babe's schouder en zag dat er onder het lemma 'Gray' twee bijdragen stonden, de eerste voor een zekere George Gray, die als volgt begon: 'Beroepsspeler en kampioen uit Queensland die reeds op 17-jarige leeftijd in de biljartwereld opzien baarde met zijn buitengewoon gewaagd spel...' en een tweede, veel korter stukje, gewijd aan ene Thomas Gray: 'Engels dichter, begraven in Stoke Poges.'

'En hier,' ging Babe verder, een pagina terugslaand: '"Grappa, berg in Italië, toneel van heftige strijd tussen de Italianen en Oostenrijkse Duisters in de Grote Oorlog."' Geen woord over die hemelse, walgelijke drank die de plek ontsterfelijk maakt! Nee, nee, nee, dit is waardeloos. Ik pak het je af. We zetten je meteen aan Zweedse en Duitse boeken.'

'Maar, Babe, ik ken geen Zweeds of Duits...'

'Kun je me een beroemd boek noemen dat je goed kent? Dan gaan we eens zien of ze het hier in een van die twee talen in de bibliotheek hebben.'

Ned schuifelde nerveus heen en weer. 'Een beroemd boek.'

'Een roman, ga me niet vertellen dat je nog nooit een roman hebt gelezen.'

'Jawel, op school hebben we *De Burgemeester van Casterbridge* gelezen. *En De Heer van de Vliegen*.'

'Ja, dat haalt je de koekoek. Heb je ooit *Schateiland* gelezen? Ik weet zeker dat ze dat hier in het Duits hebben.'

'O ja!' zei Ned geestdriftig. 'Zeker zes keer.'

'Zes keer maar? Wat was er mis mee? Het is een meesterwerk.'

'Maar hoe moet ik er een woord van begrijpen? Het enige Duits dat ik ken, is: *Sprechen Sie Englisch* en *Achtung, Schweinhund*!'

'We zullen het samen lezen. Je zult verbaasd staan van jezelf.'

De weken gingen voorbij, en, aanvankelijk in een pijnlijk traag tempo, gingen ze door de pagina's van *Schateiland* heen. Na *A Christmas Carol, De Rode Letter* en *De Graaf van Monte Christo* merkte Ned dat hij de tekst sneller in zich op kon nemen en in staat was zelf zinnen te vormen. Na een tijd begon hij op zijn kamer voor zichzelf te lezen en al gauw lag de snelheid waarmee hij Duitse boeken doornam hoger dan het tempo waarmee hij als jongen boeken in zijn eigen taal had gelezen. Daarna kwam Zweeds, gevolgd door Latijn, Frans, Spaans en Italiaans.

'Spreekvaardigheid staat gelijk aan dwang maal zelfvertrouwen over een bepaalde tijd gerekend,' zoals Babe graag zei. 'Als een kind van vijf een taal kan leren, moet dat ook binnen het bereik van een vijftigjarige liggen.'

'Een kind van vijf kan ook uren hollen, struikelen en vallen zonder moe te worden,' bracht Ned daar dan tegen in, 'maar dat wil niet zeggen dan een vijftigjarige dat volhoudt.'

'Links gelul. Daar moet je bij mij niet mee aankomen.'

Soms slenterden Babe en Ned in de zomermaanden samen over het gazon, terwijl ze op gedempte toon Zweeds met elkaar spraken (het was een geliefd spel van hen om niemand van de verpleging te laten merken dat Ned hun taal had geleérd, en hen nu kon verstaan wanneer ze in zijn bijzijn met elkaar spraken), en dan moedigde Babe Ned aan om over zijn verleden te praten.

'Charlie Maddstone? Nee toch? Ik heb nooit onder hem gediend, maar vrienden van mij wel. En hij is de politiek ingegaan? Dat had hij nooit moeten doen. Daarvoor is hij honderd jaar te laat geboren.'

Het was een enorme opluchting voor Ned dat hij over zijn verleden kon praten, en hij voelde zich opbloeien. Zijn honger naar kennis nam toe en het duurde niet lang, of Babe en hij spraken over ideeën waar Ned zijn leven lang nog niet bij had stilgestaan.

'We zijn tijd aan het veroveren, besef je dat, Ned?' Babe noemde hem nu bij zijn echte naam wanneer de staf hen niet kon horen. 'Wat beschouwt iedereen in de werkelijke wereld, de wereld buiten dit vervloekte eiland, als zijn kostbaarste bezit? Tijd. Tijd, de erfvijand, zoals ze hem noemen. Wat hoor je telkens weer? "Had ik maar meer tijd." "Hadden we maar tijd van leven." "Er is nooit tijd genoeg." "Ik heb nooit de tijd gehad om muziek te leren, van het leven te genieten, de namen te leren van de sterren aan de hemel, de planten op aarde, en de vogels in de lucht." "Ik heb nooit tijd gehad om mezelf Italiaans te leren." "Er is geen tijd om na te denken." "Hoe vind ik daar in hemelsnaam de tijd voor?" "Ik heb nooit de tijd gekregen om haar te zeggen hoeveel ik van haar houd." En het enige wat we hebben, jij en ik, is uitgerekend tijd, en als we dat beschouwen als het prachtigste geschenk dat de mens ooit heeft gekregen, dan kunnen we inzien dat we hier, in deze inrichting, één zijn met Augustinus in zijn cel en Montaigne in zijn toren. Wij zijn de uitverkorenen, de bevoorrechten. Wij hebben wat de rijkaard het meest begeert en nooit kan kopen. Wij hebben wat Henri Bergson zag als Gods voornaamste instrument om ons te kwellen en gek te maken. Tijd. Oceanen van tijd om in te bestaan en om in te worden.'

Er waren dagen waarop Ned zich die woorden herinnerde, ze onderschreef en het lot prees om zijn gevangenschap en de vrijheid over de tijd die zij hem schonk. Anderzijds werd hij ook opstandiger en narriger naarmate hij meer wist.

'Begrijp jij waarom wij hier zijn, Babe?' vroeg hij eens.

'Poeh, Ned, doodeenvoudig. Ik ben hier omdat ik gek ben. We zijn hier allemaal omdat we gek zijn. Is je dat niet uitgelegd toen je hier kwam?'

'Nee, serieus. Jij bent niet gek, en ik weet dat ik het ook niet ben, hoewel ik dat uitsluitend aan jou te danken heb. Vertrouw je me niet genoeg om iets over jezelf te vertellen? Je hebt me zelfs nooit je echte naam verteld.'

Ze waren over het gazon aan het rondwandelen, en Babe bleef staan en trok aan zijn baard. 'Ik kom uit een verarmde tak van het grote en oeroude Schotse geslacht Fraser, en ben Simon gedoopt. Als jongste van zes ben ik de bijnaam Babe nooit meer kwijtgeraakt. Ik ben meteen na mijn afstuderen gerecruteerd vanwege dat vervloekte geheugen van mij,' zei hij, terwijl hij over het gazon naar de kale heuvels in de verte staarde. 'Feiten haken zich bij mij vast in de diepe hersenpan waarmee het God heeft behaagd mij op te zadelen. In die dagen haakten ze zich zelfs nog sneller en steviger vast. Intelligentie en doorzettingsvermogen hadden er niets mee te maken. Ik kon me de tijd van elke Derby-winnaar even goed herinneren als de stellingen van Spinoza of de categorische imperatieven van Kant. Er woedde een koude oorlog en iemand als ik konden ze goed gebruiken. Maar ik had ook een geweten, Ned, en de dag kwam dat ik een vriend van me ging opzoeken die schrijver was. Ik vertelde hem dat ik wilde meewerken aan een boek. Een prachtig boek, dat in Amerika zou worden gepubliceerd, want in Engeland zouden we nooit toestemming hebben gekregen om het uit te geven. Een boek dat zou afrekenen met elke gemene streek, elke hypocriete uitvlucht en elke smerige leugen die het Westen ooit heeft geproduceerd in zijn vuile oorlog om de suprematie over zijn vermeende vijand. Ik ben geen verrader, Ned, en dat zou ik ook nooit kunnen zijn. Ik hield van Engeland. Ik hield er zo veel van dat ik het zich in zijn jacht op vervlogen grandeur niet wilde laten verlagen tot onder het niveau van mestkevers. Goed, die schrijver bleek helemaal geen vriend, en om een lang verhaal kort te maken, toen ben ik hier beland. Dit is een plek waarvan ze gebruik maken als het ze uitkomt. Als iemand een bedreiging vormt, snap je. De Russen hebben hun psychiatrische gevangenissen en wij, zoals je hebt gemerkt, ook. De onze worden beter geheimgehouden, dat is het enige verschil dat ik ooit heb kunnen constateren.'

Ned dacht een tijd na. 'Zoiets had ik geloof ik zelf ook al bedacht,' zei hij ten slotte. 'Daarom wilde ik het van jou horen. Als jij hier zit om die reden, dan is het logisch dat ik hier om dezelfde reden zit. Alleen weet jij waarom je hier bent, en ik niet. De een of andere – wat zal ik zeggen – samenzwering heeft mij hier gebracht, en ik moet weten hoe die in elkaar steekt.'

'We zijn slechts speelballen der sterren, Ned, geslagen en verstrooid waarheen het hun goeddunkt.'

'Dat geloof je zelf niet. Jij gelooft in de vrije wil. Dat heb je me zelf gezegd.'

'Zoals iedereen met een flintertje eerlijkheid in zich geloof ik wat ik denk dat ik geloof wanneer ik 's ochtends wakker word. Soms denk ik dat we alleen maar zijn bepaald door de codering van onze genen, soms heb ik het idee dat we worden gevormd en ontwricht door onze opvoeding. Op betere dagen hoop ik inderdaad met enige overtuiging dat wij, en wij alleen, onszelf maken tot alles wat we zijn.'

'Aanleg, opvoeding en Nietzsche, kortom.'

'Ha!' Babe sloeg Ned op zijn rug. 'Het begint te komen, de jongen begint er te komen,' bazuinde hij over het brede, ongeïnteresseerde gazon. 'Luister,' zei hij en hij schoof zijn arm door die van Ned, 'als je jouw situatie wilt begrijpen, kun je dan niet wat van die logica toepassen die ik je met zo veel hersenbloed heb proberen bij te brengen? Pak Ockhams Scheermes en snij het irrelevante en het verwarrende weg. Noteer alleen wat je wéét. Heb ik je ooit verteld over Zeno?'

'Zijn paradox over Achilles en de schildpad. Ja, die heb je me al eens verteld.'

'Ja, maar hij had ons nóg een les te leren. Ik zal hem je demonstreren.'

Babe nam Ned mee naar een hoge spar die van de helling wegleunde naar een hoge schutting aan het eind van het gazon.

'We gaan onder die boom zitten. Grote denkers hebben altijd onder bomen gezeten. Het is een academische gewoonte. Dat woord zelf is afgeleid van de *Akademeia*, de boompartij waar Plato zijn leerlingen onderrichtte. Zelfs het Franse woord *lycée* stamt af van het *Lukeion*, de tuin waarin Aristoteles zijn school hield. Boeddha en Newton hebben hun flits van inzicht eveneens onder een boom gekregen, zeggen ze, en Ned Maddstone zal hem daar ook krijgen. Goed, kijk nu. Ik raap een sparappel op, een *strobilus immo-bilis*, en ik leg die voor je neer en vraag je: is het een stapel?'

'Sorry?'

'Is het een stapel?'

'Nee, natuurlijk niet.'

Babe legde er een tweede naast. 'En nu, hebben we nu een stapel? Natuurlijk niet, we hebben niet meer dan twee sparappels. Overigens, is je ooit opgevallen dat in het Engels het woord voor sparappel, *fir-cone*, een anagram is van *conifer*, naaldboom? Weer zo'n vuil grapje van God, zou je kunnen denken. Kijk ook eens naar de ordening. Een rij van drie, dan vijf, dan acht, dan dertien enzovoort. Een reeks van Fibonacci. Kan toch geen toeval zijn? Meneer God verraadt zichzelf opnieuw. Maar dit terzijde. Hier hebben we twee sparappels. Goed dan, nu leg ik er een derde bovenop. Is het nu een stapel?'

'Nee.'

'Ik leg er nóg een bij.'

Ned leunde achteruit tegen de zachte warme schors van de spar en zag Babe om zich heen graaien naar sparappels en er telkens één bij leggen.

'Ja, nu is het volgens mij toch wel een stapel,' zei hij ten slotte, niet alleen omdat hij dat vond, maar ook uit medelijden met Babe.

'We hebben een stapel!' zei Babe. 'Een stapel sparappels. Zeventien van die schatjes bij elkaar. Dus Ned Maddstone deelt de wereld mee dat zeventien officieel een stapel vormt?'

'Nou ja…'

'Zeventien sparappels vormen een stapel, maar zestien niet?'

'Nee, dat zeg ik niet helemaal…'

'Daar hebben we de moeilijkheid. De wereld is vol van dit soort stapels, Ned. Dit is goed, dat is niet goed. Dit is pech, maar dat is een schrijnend onrecht. Dit is massamoord, en dat genocide. Dit is kindermoord, dat is abortus. Dit is wettige gemeenschap, dat is verkrachting. Het verschil tussen de twee is telkens niet meer dan één enkele sparappel, soms dat ene eenzame, zielige kegeltje dat ons vertelt dat het het verschil uitmaakt tussen hemel en hel.'

'Ik zie het verband niet helemaal...'

'Je hebt zelf gezegd, Ned, dat een samenzwering je hier heeft gebracht. Dat is hetzelfde als zeggen dat een stapel je hier heeft gebracht. Wat is een samenzwering? Waarom? Hoeveel precies? Met welk doel? Vertel me niet dat het een stapel is geweest, gewoon een stapel, niets meer, niets minder. Vertel me dat het zeventien was, of vier, of vijfhonderd. Zie de zaak zoals hij is in heel zijn essentie, zijn hoedanigheid, zijn bijzonderheid, zijn diepste wezen. Anders zal je nooit het flauwste benul krijgen van wat je is overkomen, ook al blijf je hier nog duizend jaar en spreek je straks duizend talen.'

Het was hartje winter, en het hele eiland glansde als kristal onder de eeuwige wade van het winterdonker. De stoelen waren van de serre verplaatst naar een salon dieper in het gebouw. In een van de nissen zaten Babe en Ned backgammon te spelen aan een formica tafeltje.

De stenen nissen langs de zijkant van de salon waren een van de zichtbare overblijfselen van het oorspronkelijke klooster waar het hospitaal omheen was gebouwd, en de Romaanse structuur van blinde bogen had ooit een van de weinige mogelijkheden geboden voor aanschouwelijk onderwijs in bouwkundige elementen. Alleen de zon en de wolken overdag, de sterren 's nachts en de ronde heuvels die 's zomers door de ramen zichtbaar waren, hadden Ned vergelijkbare kansen geboden om méér dan alleen zijn geestesoog te gebruiken bij het ontvangen van onderricht.

Het backgammon dat ze speelden was een ongebruikelijke variant. Aangezien het hospitaal niet over een bord en schijven beschikte, gebruikten ze vijf papieren dobbelstenen en verder niets. Het bord en de dertig schijven bestonden alleen in hun hoofd. Het excentrieke van hun partijen amuseerde de verpleging. Een paar patiënten echter waren geagiteerd geraakt en hadden het denkbeeldige bord van tafel willen rukken en vertrappen – vermoedelijk, had Ned geopperd, omdat het hun eigen besef van de werkelijkheid en het onzichtbare op zijn kop zette. Hun trots, als krankzinnigen, dat ze konden zien wat anderen niet zagen, werd aangetast wanneer ze niet konden zien wat anderen kennelijk wél waarnamen. Vanwege het effect dat hun spel op anderen had, mochten Babe en Ned in een van de booggewelven zitten, op veilige afstand van het middengedeelte waar de anderen zaten.

Ned en Babe hadden er geen moeite mee zich de positie van de schijven voor te stellen. Ze speelden om honderd pond per punt, en op dat moment stond Babe tweeënveertig miljoen pond bij Ned in het krijt. Ze hoefden zich niet te concentreren op het onthouden van hun stelling en konden een tamelijk ingewikkeld gesprek in een taal naar keuze voeren, zonder dat de een ooit bij de ander het beeld van de bordstelling in gevaar bracht, en zonder onenigheid te krijgen over het aantal schijven dat aan het eind van het spel moest worden uitgebracht. Soms, zoals op deze avond, draaide Ned een platte steen rond de vingers van zijn hand. Babe had hem goochel-trucjes geleerd met munten en kaarten die hij onder het praten graag bleef oefenen.

De afgelopen week had Ned Babe eindelijk eens wat kunnen le-ren over cricket, een spel waar Babe niets van wist.

Babe had het nu over de boeken van C.L.R. James, een historicus en sociaal commentator die hij hogelijk bewonderde.

'Het is jammer dat ik hem nooit meer zal lezen, Thomas,' zei hij met een zucht. 'Ik heb altijd de passages overgeslagen waarin hij ly-risch werd over cricket. Hij associeerde het met het leven in West-Indië, Shakespeare, Hegel en ik weet niet wat nog meer. Ik vond het sentimentele onzin, zo groot was de puriteinse onwetendheid van mijn jeugd.'

'Ik was een goede speler, weet je,' zei Ned. 'Als alles anders was gelopen, had ik misschien wel voor Oxford gespeeld, wie weet zelfs voor een graafschap. Jezus, wat idioot om hier over cricket te zitten praten in het Italiaans. Kunnen we niet omschakelen?'

'Zeker,' zei Babe in het Nederlands. 'Dit is veel toepasselijker, vind je niet? In Holland spelen ze ook wel cricket.'

'Dat zal wel. Mijn vaders held was Prins Ranjitsinji. Ik heb je wel eens over hem verteld, geloof ik. Uit de gouden jaren van het cric-ket. Ze zeiden dat hem een schampslag zien uitvoeren net zoiets was als de Taj Mahal zien bij maanlicht.'

'Ik heb de Taj Mahal eens bij maanlicht gezien,' zei Babe. 'Heel teleurstellend, het...'

'Ik weet het,' zei Ned, een beetje kregel. 'Dat heb je me al eerder verteld. Ik heb vannacht niet kunnen slapen, mijn vader kwam me weer eens opzoeken in mijn dromen.'

'Jouw geest luistert altijd naar het verleden in het hart van deze lange winters,' zei Babe, terwijl hij een dubbel accepteerde van Ned en de dobbelsteen aan diens kant legde. 'Je schoudergewrichten doen pijn en je piekert. De lente laat nu niet zo lang meer op zich wachten. Dan vrolijk je wel op.' Babe floot een wijsje tussen zijn tanden.

'*Die Walküre*,' zei Ned, afwezig. 'Eerste bedrijf, derde scène. *Siehe, der Lenz lacht in den Saal*... kijk, de lente lacht de zaal in.'

'Tien met een griffel. En dit?' Babe floot weer iets.

'Laat maar zitten,' zei Ned, die weer op Engels was overgeschakeld. 'Mijn hoofd staat vanavond niet naar hersengymnastiek. Ik wil het nog steeds wéten, zie je. Ik móet het weten.'

'Wat is er dat je niet weet?'

'Je moet onderhand wel doorhebben, Babe, dat ik niet gek ben. Dit is een privé-krankzinnigengesticht, of, zoals Mallo het liever noemt "een exclusieve, internationale kliniek". Niemand zit hier gratis. Iemand heeft ervoor betaald dat jij en ik hier terecht zijn gekomen. En ze zijn blijven betalen.'

'Echt inlichtingenwerk heeft niets te maken met spionage, Ned. De kunst is om de ambtenaren en ministers die het Geheime Fonds beheren te manipuleren. De wereld volgt de gang van geld nauwlettender dan wat dan ook. Als je je bankrekeningen en je betaalopdrachten kunt wegmoffelen, als je stromen overheidsgeld kunt wegsluizen en witwassen en omleiden, dan, en alleen dan, mag je jezelf met recht een spion noemen.'

'Goed dan, het "hoe" is dus niet zo raadselachtig. Maar in mijn geval is er nog steeds het "waarom". Dat is me nog steeds een raadsel. Toen ik hier net was, dacht ik dat ik was ontvoerd. Maar ontvoerders blijven geen geld ophoesten voor hun slachtoffers. Dus begon ik na een paar jaar te geloven wat Mallo me vertelde, dat ik een fantast was wiens echte leven zo diep was begraven, dat er geen herinneringen meer aan bestonden. Ik weet nu dat het niet zo is, en ik denk dat ik dat altijd heb geweten. Ik weet dat ik hier opzettelijk heen ben gebracht. Maar door wie en waarom? Dat ontgaat me nog steeds. Niemand kan ook maar één moment geloofd hebben dat ik een IRA-collaborateur was, en als ze dat wel dachten, hadden ze me zeker niet hierheen gebracht, naar dezelfde plek waarheen ze mensen als jij deporteren.'

'Zoals je hebt gezien, Ned, zitten hier ook echte gekken. Jij en ik zijn de enige patiënten die zichzelf vleien met de gedachte dat ze politieke gevangenen zijn. Je blijft de mogelijkheid ontkennen, maar heb je er nooit bij stilgestaan dat de lui die ons hier hebben opgeborgen, heel goed wisten wat ze deden? Misschien ben ik hier toegelaten omdat ik echt gek ben. Stapel!'

'Ja,' gaf Ned met een lachje toe, 'natuurlijk heb ik dat overwogen. En natuurlijk ben jij gek, als we onder een gek verstaan iemand die elke geciviliseerde norm betwijfelt en verwerpt. Het solipsistisch koesteren van jezelf en het megalomaan afpantseren van je wil tegen het machtige gezag van instituties, dat zijn klassieke psychopathologieën. Psychopathologieën die de kunstenaar, de revolutionair en de minnaar evengoed in een bevoorrechte positie plaatsen als de krankzinnige. Op die gronden kun je jezelf vrijpleiten van krankzinnigheid.'

'Lieve hemel, Thomas, pleit me er dan ook van vrij dat ik je ooit zo heb leren praten.'

'Ik kies deze redeneertrant om je te provoceren, en dat weet je heel goed. Ik kom telkens terug op hetzelfde probleem. Ik ben op de een of andere manier in conflict geraakt met de Britse geheime dienst, of hoe je die ook noemen wilt. Kun je dat tenminste met me eens zijn?'

Babe knikte zwijgend.

'Weet je nog die keer dat we onder de *picea abies* hebben gezeten en jij me Zeno's paradox over de stapel hebt gedemonstreerd?'

'Ja.'

'Opdat ik helderder naar feiten zou kijken? Het concrete zou leren scheiden van het abstracte, het feitelijke van de waarneming?'

'Ik geloof niet dat ik het precies zo heb geformuleerd, maar goed, ik weet het nog.'

'Goed, elke nacht onderzoek ik de vijf markantste punten in mijn geschiedenis en probeer me ervan te vergewissen dat ik ze helder heb gezien. Ik kom er geen steek verder mee.'

'Zeg me eens wat je bedoelt met die markante punten.'

'Die lijken me duidelijk. Ten eerste: ik heb er argeloos in toegestemd een brief af te leveren die me was gegeven door een koerier van de IRA. Ten tweede: ik ben gearresteerd voor het bezit van drugs die in mijn zak waren gestopt. Ten derde: omdat ik die brief nog steeds bij me droeg, ben ik van het politiebureau meegenomen naar, wat naar ik aanneem, een onderduikadres was van de Britse inlichtingendienst, waar ik ben verhoord. Ten vierde: na het verhoor hebben ze me verteld dat ik naar huis zou worden gebracht. Ten vijfde: ik ben niet naar huis gebracht, maar als een beest mishandeld en hierheen gedeporteerd, waar ik nu nog steeds zit. Ik geloof toch niet dat ik me vergis als ik dat als belangrijke feiten aanmerk?'

'Als jij het zegt.'

'Hoe bedoel je "als jij het zegt"? Ik beuk mijn hoofd al jaren en jaren stuk tegen die muur van feiten.'

'Wat erop zou kunnen wijzen,' zei Babe vriendelijk, 'dat ze je niets verder helpen. Misschien heb je tot nu toe niet de juiste weg bewandeld. De juiste weg zou niet steeds weer stuiten op een onbeweeglijke muur van feiten, maar een patroon van gebeurtenissen moeten ontsluiten. Een patroon dat te ontrafelen moet zijn. Door die feiten één, twee, drie op een rijtje te zetten, suggereer je er een causale, samenhangende betrekking tussen die dat patroon wellicht versluiert.'

'Maar er ís geen patroon! Dat zeg ik nou juist.'

'Je moet jezelf niet afvragen wat jou is overkómen. Je moet je afvragen wat jóu is overkomen.'

'Wat is dat nu weer voor spitsvondigheid van je?'

'Had je vijanden, bijvoorbeeld? Je hebt het nooit over die mogelijkheid gehad.'

'Ik heb nooit één vijand gehad!' zei Ned heftig. 'Ik was de populairste jongen van de school. Ik stond op het punt om 'schoolaanvoerder' te worden. Ik was captain van het cricketteam. Ik was verliefd. Ik zou naar Oxford gaan. Hoe zou iemand me hebben kunnen haten?'

Babe schoot in de lach.

'Wat is daar zo geestig aan?'

'Sorry. Laat me het proberen uit te leggen. Je hebt net een beknopte beschrijving gegeven van iemand die alle reden heeft om zich gelukkig te voelen, maar wat voor antwoord is dat op mijn vraag? Het is de beschrijving van iemand voor wie de klassieke reactie "zou je hem niet?" is uitgevonden.'

'Ik kan je niet volgen.'

'Je wilt me toch niet vertellen dat je zulke clichés nog nooit hebt gehoord? "Wat, hij is goed in sport én goed op school? En hij ziet er ook nog eens goed uit? Vertel me niet dat hij ook nog áárdig is, want dan krijg ik helemáál de pest aan hem." Zo praten echte mensen in de echte wereld, Ned, dat weet je toch ook wel?'

'Maar ik wás aardig...'

'"Aardig" is een stapel-woord. Stapel maar genoeg "aardige" daden op elkaar, en denk je dat je dan een hele stapel aardigs krijgt? Wat was je echt? Wat dééd je? Het zijn je daden die je maken tot wie je bent, niet je eigenschappen.'

'Ik deed niets.'

'Wát deed je dan niet?'

'Bedoel je dat er mensen waren die me haatten?'

'Het hoefde niet per se haat te zijn. Het zou misschien de moeite lonen een aantal van die markante feiten van jou eens afzonderlijk onder de loep te nemen. Laten we het belangrijkste overslaan, je aankomst hier, en ons concentreren op de feiten die daartoe hebben geleid. Laten we aannemen dat dat spul in je zak is gestopt om je in een kwaad daglicht te stellen. Wie zou daar profijt van hebben gehad?'

'Niemand. Hoe zou iemand profijt kunnen hebben van zoiets stoms? Het zou alleen de mensen die van me hielden van streek maken, meer niet.'

'Ja, ja. Misschien was dat het beoogde doel. Maar misschien was er voor iemand een tastbaarder profijt. Schoolaanvoerder, captain van het cricketteam en verliefd op een mooi meisje. Er zijn heel wat heetgebakerde jongens die een moord zouden doen voor één van die drie dingen. Wie zou er bijvoorbeeld schoolaanvoerder zijn geworden als jij was weggestuurd vanwege het bezit van drugs?'

'Hoe kan ik dat nu weten?'

'Je moet toch wel een idee hebben.'

'Tja, Ashley Barson-Garland, waarschijnlijk.'

'Ashley Barson-Garland, vertel mee eens wat over hem. Alles wat je te binnen schiet. Spreek in aantallen, niet in stapels.'

Dus vertelde Ned Babe alles over Ashley en hij besloot zijn beschrijving met '…maar hij mocht me, dat weet ik zeker…' wat zelfs in zijn eigen oren een beetje lam klonk.

'En je denkt niet dat hij vermoedde dat je die vijf bladzijden van zijn allerintiemste gedachten had gelezen?'

'Ik ben vreselijk op mijn qui-vive geweest om dat niet te laten merken. Nee, dat kan hij onmogelijk hebben geweten.'

'O, Ned. Arme Ned. Denk eens terug aan jezelf. Denk eens terug aan die goedlachse, knappe jongen die je was. Hoeveel wist je toen? Hoe goed was je erin om dingen te verbergen? Hoe arglistig was je? Zie je niet dat jij voor zo'n sluw, lichtgeraakt, verbitterd en egocentrisch mannetje als die zogenaamde Barson-Garland een veel opener boek bent geweest dan zijn eigen dagboek? Snobs zien overal vernederingen op hun pad, en bedriegers lezen schuld in elke blik. Zelfs al heeft hij het niet geweten, geloof je dan niet dat hij het heeft kunnen vermoeden?'

Ned kauwde geërgerd op zijn onderlip. 'Oké, maar dan nog, waarom zou hij me haten?'

'Gebruik je voorstellingsvermogen.'

'Ik dacht dat ik alles objectief moest analyseren. Als ik mijn voorstellingsvermogen gebruik, kan ik wel van alles verzinnen, wat schiet ik daarmee op?'

'Je moet voorstellingsvermogen niet verwarren met fantasie. Voorstellingsvermogen is het vermogen jezelf te verplaatsen in de geest van anderen. Het is het nuchterste en helderste vermogen waarover we beschikken. Als je je voorstellingsvermogen gebruikt, kun je inzien dat jij, vanuit Ashley's gezichtspunt, alles was wat hij niet was. Mijn eigen instinct zegt me trouwens dat hij ook verliefd op je is geweest, maar dat zelf niet heeft gezien.'

'O, Babe, in godsnaam!'

'Denk eens terug aan wat je hebt gelezen. Dat verwoed masturberen in die strohoed die hij had bewaard. Ik zal er verder niet over uitweiden, het is gewoon een theorie.'

'Het is allemáál niet meer dan louter theorie.'

'Waarom raak je er dan zo van de kook van?'

'Ik ráák niet van de kook…' Neds knie begon op en neer te wippen, wat hem een hele tijd niet was gebeurd. Hij zweeg. 'Goed, misschien een beetje. Omdat het zo zinloos is. Omdat we er niets mee opschieten.'

'Je raakt er van de kook van omdat het níet zinloos is, omdat het ons dichter bij de waarheid kan brengen. De waarheid waar anderen wel eens heel anders tegenaan kunnen hebben gekeken dan jij dacht. Misschien zagen ze jou als arrogant, bot, onhebbelijk en ijdel, als zo zelfverzekerd, dat zelfs je wellevendheid en charme dolksteken waren in hun arme, verknipte jongenszielen. Maar je bent nu een volwassen man en je zou dat allemaal moeten kunnen zien zonder jezelf te pijnigen.'

'Maar dan nog,' zei Ned geprikkeld, 'je kunt me niet wijs maken dat Ashley Barson-Garland zover zou gaan dat hij moedwillig drugs heeft gekocht om mij van school gestuurd te krijgen. Hij wist helemaal niets van… *Cade!*' Ned liet zijn vuist met een dreun op de tafel neerkomen en plette en passant de papieren dobbelsteen. 'Jezus, *Rufus Cade!*'

'Laat maar zitten,' zei Babe toen Ned de dobbelsteen begon te herstellen. 'Rufus Cade, zei je. Die naam heb je nog nooit genoemd.'

'Hij was niemand. Ik had hem uit het cricketteam gezet… maar dat is bespottelijk. Niemand, echt niemand zou zo wraaklustig en kleinzielig kunnen zijn om… maar hij rookte marihuana, dat weet ik. Voortdurend.'

'Kijk eens aan, hier hebben we opeens twee jongens met een motief, hoe magertjes ook. En een van hen had zelfs de beschikking over wat we het moordwapen zouden kunnen noemen.'

'Weet je,' zei Ned, die maar met een half oor luisterde, 'in mijn hart heb ik altijd het idee gehad dat Rufus me niet mocht. Ik kan het niet goed uitleggen. Er was iets aan de manier waarop zijn ogen altijd van me wegkeken als we met elkaar spraken. Hij was nooit echt grof, maar ik weet nog die keer toen ik de *Orphana* naar Oban moest terugvaren, nadat Paddy was gestorven. Rufus was toen ook aan boord en hij gedroeg zich walgelijk. Ik denk dat hij het niet kon zetten dat ik het commando op me had genomen. Ik snapte er niets van, en ik trok het me aan. Misschien wás ik arrogant. Maar jij vraagt van mij te geloven dat hij en Ashley een soort waanzinnige Iago's zijn geweest die het op Othello's ondergang hadden voorzien. Ik was geen Othello, jezus-nog-aan-toe, ik was een schooljongen.'

'Wat had Othello misdaan? Hij was groot, knap en geslaagd. En hij had Desdemona.'

'Maar Rufus had Portia nog nooit gezíen. Ashley heeft haar op dezelfde dag ontmoet als ik, maar *Ashley*... Ik bedoel, er werd steeds gezegd dat hij misschien wel, nou ja, homofiel was... Niet dat ik daarmee wil zeggen dat ik het met je eens ben dat hij misschien verliefd op me is geweest,' voegde Ned er snel aan toe. 'Hij kan me tenslotte niet zowel gehaat hebben als bemind.'

'Vertel me niet dat je al die teksten van Catullus bent vergeten die ik er ooit bij je in heb proberen te stampen,' zei Babe met een bedroefd gezicht.

'*Odi et amo*, ja ik weet het. En als je me nu gaat vertellen dat Portia me ook haatte, sta ik op en praat ik nooit meer met je. Ik wéét dat het niet waar is. Maar als...' Neds stem stierf weg en hij staarde naar het tafelblad terwijl hij verwoed nadacht.

'Begint er zich soms een gedachte te ontwikkelen?' vroeg Babe na een lange stilte. 'Als er een manier bestond om iemands gedachten aan zijn gezicht af te lezen, zou ik zeggen dat je zwaarwegende gedachten koestert en dat er licht begint te gloren.'

'*Gordon*. Gordon Fendeman.' Ned sprak de naam langzaam uit. 'Portia's neef. Als ik heel hard nadenk... Zoals ze zich gedroegen toen ik ze van het vliegveld ging halen. Ze waren samen op vakantie geweest, en het irriteerde me dat hij zo dicht bij haar stond. Ik was niet echt jaloers, maar ik weet nog dat het me niet beviel. Ik wist me met mijn houding niet goed raad. En Portia vertelde me dat ze mijn laatste ansichtkaart niet had gelezen omdat Gordon die had geruïneerd. Per ongeluk, zei ze, maar misschien ook niet.'

Babe luisterde nauwlettend naar alles wat Ned over Gordon te vertellen had.

'Wacht eens even. Begrijp ik dit allemaal goed?' zei hij. 'Ashley en Gordon zijn samen naar het Lagerhuis gegaan op de dag dat jij terugkwam uit Schotland, en Portia met Gordon uit Italië?'

'Inderdaad, ik kan me nog herinneren dat ik dacht dat het leuk zou zijn voor Gordon om de Moeder aller Parlementen te zien.'

'Mijn hemel, dat heb je hoop ik toch niet zó gezegd?' Babe onderdrukte een glimlach.

'En wat zou daar mis mee zijn geweest?'

'Misschien een tíkkeltje pompeus?'

'Ja, misschien wel...' Ned glimlachte nu ook. 'Maar hoe dan ook, waar het om gaat, is dat ze later, toen Portia en ik nog... nog aan het vrijen waren boven, terug zijn gekomen.' Ned beukte weer met zijn vuist op tafel. 'God nog aan toe, dat moet het zijn! *Dat moet het zijn!*'

'Gordon en Ashley zijn teruggekomen?'

'Ja, maar met *Rufus*. Snap je het niet? Ashley moet al die tijd al een afspraak met hem hebben gehad ergens in een café. Rufus en hij waren dikke maatjes. Rufus was met mij in dezelfde trein uit Schotland teruggekomen. Ashley heeft Gordon meegenomen om Rufus in het café te treffen, en ze zijn alledrie teruggekomen toen ik nog met Portia boven was.'

'Wat zeiden ze?'

'Het was maar even. Ashley zei... Wat zei hij ook weer? Dat hij iets kwam ophalen. Hij riep van onder aan de trap naar boven. "Vermaken jullie je maar, jonggeliefden..." Dat waren zijn letterlijke woorden. En, Babe, moet je horen: *mijn zeiljack hing aan de trapleuning in de gang beneden.* Jezus, ze moeten het daar in die kroeg allemaal hebben zitten beramen. Ze wisten zelfs waar ik heen ging! Ze wisten dat ik met Portia naar Knightsbridge ging om...'

'Hou je kalm, Ned, hou je kalm.'

'Zie je het voor je, hoe ze daar aangeschoten aan een cafétafel zitten te schelden op die klootzak van een Ned Maddstone en hoe ze hem graag van zijn voetstuk zouden zien vallen? Toen hebben ze besloten om mij stuk te maken. Ze hoefden alleen maar een anoniem telefoontje te plegen naar de politie. En ze hebben dat spul ook nog lachend in mijn zak gestopt. "Vermaken jullie je maar, jonggeliefden!" Dat waren de woorden die Ashley naar boven riep, en ik heb Rufus en Gordon erom horen giechelen. Ik weet nog dat ik me geroerd voelde, en trots. Ik dacht dat mijn vrienden als ondeugende schooljongens stonden te giechelen bij het idee wat Portia en ik daar boven uitvoerden, en ik was trots. Maar ze moesten lachen omdat ze wisten dat ik op het punt stond vernietigd te worden. En ik zal je nog iets zeggen. *Ze hebben het allemaal zien gebeuren!*' Neds beide benen wipten nu onbedwingbaar op en neer terwijl de openbaringen elkaar in hoog tempo opvolgden. 'Ik kan me nog haarscherp herinneren dat er gelach kwam uit de deur van het café aan de overkant van de straat toen de politie me de auto in sleurde. Ze hebben me geruïneerd en ze hebben erbij staan *lachen*.'

Ned zag krijtwit, en speeksel vlokte rond zijn mondhoeken zoals bij sommigen van de echte gekken die ze elke dag zagen. Babe leunde voorover en legde een hand op zijn arm.

'Rustig, mijn vriend. Rustig maar. Beheers je. Je hebt misschien de spijker op zijn kop geslagen, maar...'

'Natuurlijk heb ik dat! Zo zit het! Hoe is het godverdomme mogelijk dat ik dat niet eerder heb gezien?'

'Dat wéét je. Ik heb het je gezegd. Je hebt het niet eerder gezien omdat je niet helder hebt gekeken. Blijf dat nu wel doen. Drie schooljongens, die een vierde een smerige streek leveren, daar heb je het over. Gemeen, misschien, ongetwijfeld gemeen, maar je moet jezelf niet...'

'Ze hebben erom *gelachen*, Babe! Ze hebben me staan uitlachen.'

Martins stem kwam tussenbeide. 'Wat is hier eigenlijk aan de hand. Hebben jullie mietjes ruzie of zo?'

Ned had bijna zijn beheersing van het Zweeds verraden door er met een kwaad antwoord tussen te springen, maar Babe was hem voor.

'Niks ruzie, Martin... ben de getallen vergeten. Ben de getallen vergeten,' zei hij, daas voor zich uit mompelend en neerturend op het onzichtbare bord.

'Jullie twee,' zei Martin in het Engels, 'allebei gek. Iedereen hier gek,' zei hij met een armzwaai die de hele zaal omvatte, 'maar jullie twee het gekst. Tijd om naar kamer te gaan. Morgen inspectie. Morgenvroeg scheren. Goed gedragen.'

Ned deed die nacht geen oog dicht. In zijn hoofd tolden drie lachende gezichten rond. Fendeman, Garland en Cade. De namen denderden door zijn hoofd als de wielen van een trein of de hoeven van racepaarden over een renbaan.

Fendeman, Garland en Cade. Fendeman, Garland en Cade. Fendeman, Garland en Cade. Fendeman, Garland en Cade.

Babe lag die nacht ook wakker, en nog vele nachten daarna. Hij had een verandering opgemerkt in Ned die hem zorgen baarde.

'Ik zie je niet graag je motor zo afjakkeren,' zei hij. 'Je kunt nergens naar toe. Je kunt jezelf alleen maar opbranden.'

Ned leek er geen acht op te slaan en trok zich meer en meer terug in het verleden; hij herleefde keer op keer zijn laatste dagen in de echte wereld, hoorde telkens weer elk woord dat tegen hem was gesproken door Fendeman, Garland en Cade, en zag elke blik en elk gebaar van hen weer voor zijn geestesoog opdoemen. Hij had zich een beeld gevormd van zichzelf door hun ogen.

Hij zag vanuit Rufus Cade's standpunt een beeld van Ned de arrogante vlerk, Ned de verwaande kwast, Ned de zorgeloze ijdeltuit. Elke vriendelijke glimlach, elke beleefde, gemompelde verontschuldiging leek hem nu een duidelijke reden voor rancune.

Ned begreep hoe hij in Ashley's ogen het toppunt moest zijn geweest van zelfverzekerdheid, aantrekkelijkheid, bevoorrechte onbereikbaarheid, perfectie en klasse. Zelfs het feit dat hij hem een vakantiebaantje had bezorgd als assistent van zijn vader kon als neerbuigend en beledigend worden opgevat.

Ook Gordon, net aangekomen uit het buitenland, zou als vanzelf Ned Maddstone hebben beschouwd als het toonbeeld van alles wat afstandelijk, Engels, niet-joods en vreemd was. Dat zijn nicht Portia hem niet had zien staan in haar adoratie voor een jongen die zo in alles het tegendeel was van hemzelf, zou Gordon zeker tot haat hebben kunnen drijven.

Alles wat Ned had bezeten en alles wat hij was geweest kon hij interpreteren als weerzinwekkend, lelijk, deprimerend en plat. Alles in en aan hem – de crickettruien met v-hals, de blonde kuif, de cynische lachjes en mooie ogen, de lome gespierdheid, de tere huid en perzikroze blos, de stem, het accent, de manier van doen, de loop – dat alles maakte Ned Maddstone tot een monument dat iedereen met een beetje pit onderuit zou willen halen.

Maar hoe hadden ze gedurfd? Hoe hadden ze het gewaagd over het hoofd te zien dat Ned zich dat allemaal niet bewust was geweest? Hoe hadden ze gewaagd niet te begrijpen dat hij volledig fantasieloos was, vriendelijk en onschuldig? Hoe arrogant hij zich ook mocht hebben opgesteld, Ned zou er in die dagen nooit van zijn uitgegaan dat zijn gevoelens belangrijker waren dan die van anderen. Dat ze zo overtuigd hadden kunnen zijn van de juistheid van hun inschatting van hem was een arrogantie die alles waar hij toe in staat was geweest, verre overtrof. Ze hadden hun woede verborgen, ze hadden gedaan alsof ze hem aardig vonden. Ze hadden koelbloedig een plan beraamd om hem in de ogen van zijn vader en zijn vriendin in diskrediet te brengen, alsof hij geen gevoelsleven had, geen recht van spreken en geen recht op persoonlijk geluk. Dat ze hem hadden kunnen behandelen als een symbool zonder eigen leven of gevoeligheid voor pijn, stempelde hen tot onvoorstelbaar slechte mensen. Het was volkomen, maar dan ook volkomen uitgesloten dat Ned hen ooit zou vergeven.

Fendeman, Garland en Cade. Fendeman, Garland en Cade.

'Ik heb geprobeerd dezelfde manier van denken toe te passen op wat er na mijn arrestatie is gebeurd,' zei hij op een ochtend tegen Babe, die een bedradingsschema zat te tekenen.

'Zullen we ons gewoon concentreren op wat we aan het doen

zijn? Heb je enig idee wat dit is?'

'Een circuit voor een hifi-versterker.'

Babe schudde zijn hoofd. 'Je denkt niet na. Tel de condensatoren.'

'Een elektronische rekenmachine. De thermostaat voor een centrale verwarming. De bediening voor een automatische melkstal. Wat geeft het? Babe, we zijn nu zover gekomen, we moeten verder. Ik heb gelijk met alles wat er is gebeurd tot het moment dat ik op het politiebureau ben beland, dat weet ik. Die drie hadden het erop aangelegd dat ik zou worden gearresteerd. Maar ze wisten niets van die brief. Ik moet weten wat er daarna is gebeurd.'

Babe zuchtte en legde zijn pen neer. 'Een inbraakalarm, en ook nog eens een heel elegant inbraakalarm,' zei hij, terwijl hij het schema in tweeën vouwde. 'Hier, je kunt het later bestuderen. Ik zal je er een andere keer vragen over stellen.'

Ned nam het met een kregel gebaar aan. 'Goed hoor,' zei hij. 'Een andere keer.'

'Vertel het me nog maar eens,' zei Babe. 'Je bent door die man, Oliver Delft, naar een huis op het platteland gebracht. Je zat in de keuken en legde hem uit hoe je aan die envelop was gekomen met die incriminerende codewoorden erin. Je zit nu wéér in die keuken. Stel je dat voor. Zie jezelf daar zitten, Delft tegenover je met een glas wijn, en jij aan de tafel met een pak melk.'

Ned sloot zijn ogen en probeerde zich het gesprek te herinneren.

'...voor het tienuurjournaal ben je weer thuis, in de schoot van je familie, dat beloof ik je... Je hebt geen bezwaar tegen een bandrecorder?... Vertel me eens wat meer over je vriend Leclare... Hij was mijn vriend niet, gewoon de zeilinstructeur van school... We hadden wel meer excursies van school... Nog meer vragen. Eindeloze vragen.'

'Kun je je ze allemaal nog herinneren?'

'Hij vroeg me alles. Alles over die boottocht. Hoe lang we bij de *Giant's Causeway* waren gebleven...' Ned kneep zijn ogen samen. 'Hij maakte een heel ontspannen indruk, bijna verveeld. Het gaat goed, Ned, prima. Nog eventjes... was het een maanloze nacht?...

Mooi zo, Ned, uitstekend. En waar kwam die envelop vandaan?...
Een kantoorboekhandel, denk ik... Nee, nee, waar háálde hij hem
vandaan? Uit zijn zak? Uit een kistje? Wat?... O, uit een kleine zak
op de kaartentafel... Merknaam erop? Adidas, Fila, zoiets?...
Mooi, mooi. We zijn er bijna, jongen. Je vriend Rufus Cade nog
steeds buiten gehoorsafstand? Juist. Die envelop was niet beschreven?... En zo ging het maar door.'

'En hij staat tegenover je.' Babe's stem leek van veraf te komen.
'Hij stelt je al die vragen, de bandrecorder loopt, en jij zegt dat hij
een bijna verveelde indruk maakte?'

'Hij kreeg opeens kramp en daar werd hij wat actiever van,' zei
Ned.

'Kramp?' zei Babe met een frons. 'Wat bedoel je, kramp?'

'Nou ja, hij vloog overeind uit zijn stoel en begon op en neer te
lopen. Ik vroeg of hij zich niet goed voelde, en toen zei hij dat het
gewoon kramp was. Toen ging hij even de kamer uit en kwam terug
met een tas met kleren...'

Babe leunde voorover. 'Wat had je gezegd?' vroeg hij. 'Wat had je
gezegd vlak voordat hij kramp kreeg? Wat waren je letterlijke
woorden?'

'Hij had me naar die envelop gevraagd, aan wie ik hem van Paddy
moest afleveren, alle details...'

'Maar wat had jíj gezegd?'

'Nou, ik had hem verteld wat Paddy me had gevraagd – ik had
hem verteld dat ik die envelop ter hand moest stellen aan een zekere meneer Blackrow, Philip A. Blackrow in... hoe heette die
straat ook weer? Het was een plein, Heron Square, w1. Nummer
dertien, geloof ik – ' Ned brak zijn relaas af. Babe zat hem over de
tafel met een gezicht vol afgrijzen aan te kijken. 'Wat heb je, Babe?
Wat is er aan de hand?'

Babe schudde zijn hoofd en stootte een geluid uit dat het midden
hield tussen een kreun en een lach.

'Mankeer je iets? Wat is er?'

'O, Ned, Ned, Ned.' Babe wiegde heen en weer in zijn stoel.
'Waarom heb je me dat deel nooit eerder verteld? Je hebt alleen

maar de naam Blackrow genoemd. Maar Paddy heeft nooit *Philip* Blackrow gezegd, dat is niet de naam die hij tegenover jou heeft genoemd.'

'Jawel. Ik was er godverdomme toch zelf bij, jij niet! Hij zei: Philip A. Blackrow, Heron Square 13. Ik heb het heel duidelijk verstaan.'

Babe zat nu te schudden van het lachen. 'Philip A. Blackrow! O, arme, stomme ezel, is dat wat je verstond? Snap je het nog niet? Het was niet Philip *A.* nog wat, maar *Philippa. Philippa Blackrow.* Dat was de naam. Philippa Blackrow.'

'Philippa? Maar hoe kun je dat zo zeker weten?' Ned keek Babe verbijsterd aan. 'Ik bedoel, het kán, denk ik, maar – bedoel je dat je haar ként?'

'Er had me eerder een lichtje moeten opgaan,' zei Babe. 'Jij hebt de naam Blackrow genoemd en ik heb het verband niet gelegd. Wat een idioot ben je, Babe.'

'Welk verband? Babe, als je iets weet, moet je het me vertellen.'

'Delft en Blackrow, ik snap niet dat ik zo traag geweest kan zijn. Maar ja, aan de andere kant, wie behalve ik zou zich die namen nog herinneren na een vluchtige blik in een dossier, dertig jaar geleden? O, wat ben jij een ongeluksvogel, Ned Maddstone, wat ben jij een ongeluksvogel!'

'Zeg op, Babe, vertel me alles.'

'Heb je ooit gehoord van Jack Custance?'

Ned schudde zijn hoofd.

'Gefusilleerd als verrader in de Tweede Wereldoorlog. Zo Engels als *muffins,* maar een verstokte Fenian. Hij liet een vrouw na en één kind, een dochter, Philippa. De vrouw is in Canada gestorven, dus liet haar rijke broer, Robert Wheeler, de kleine Philippa overkomen naar Engeland, waar ze in zijn gezin opgroeide als Philippa Wheeler en na verloop van tijd trouwde met een zekere Peter Delft, van wie ze een kind kreeg, waarvan naam, geslacht en geboortedatum niet in het dossier staan. Peter Delft is in september '61 gestorven, als mijn geheugen me niet bedriegt – en dat doet het natuurlijk niet. In april '63 hertrouwde ze met de handelsbankier

Jeremy Blackrow, en toen ik het dossier onder ogen kreeg, had niemand de moeite genomen om het vanaf die datum bij te werken. En zo is Philippa Custance via Philippa Wheeler en Philippa Delft uiteindelijk Philippa Blackrow geworden. Ik had Jack Custance's dossier alleen maar gelezen voor informatie over zijn vroege leven. Ik had de weinig inspirerende opdracht gekregen om een profiel te schrijven van de typische Britse republikeinse sympathisant, alsof een als zodanig te definiëren type ooit heeft bestaan.'

'Philippa Blackrow was Oliver Delfts moeder?' Ned sprak elk woord heel zorgvuldig uit, alsof hij bang was dat de betekenis van wat hij zei anders zou gaan wankelen en in elkaar storten. 'Hij was haar zoon. Hij was de zoon van uitgerekend de persoon aan wie ik van Paddy die brief moest afgeven?'

'Ze hebben niet diep genoeg gegraven,' zei Babe met afkeurend samengeknepen lippen. 'Haar zoon solliciteert bij de inlichtingendienst en ze leggen geen verband tussen Oliver Delft en de dochter van een geëxecuteerde verrader. Tja, hoe kun je zo'n kleinigheid ook verwachten van een inlichtingendienst die in haar eigen gelederen een kolonel van de KGB nog over het hoofd ziet? Maar geen wonder dat Oliver kramp kreeg toen jij zo maar met haar naam voor de dag kwam. Hij moet zich wezenloos zijn geschrokken.'

'Dus hij was ook een verrader?'

'Misschien, maar het hoeft niet per se. Misschien is hij voor de inlichtingendienst gaan werken zonder te weten waar zijn moeders ware loyaliteit lag.'

'Maar in beide gevallen,' zei Ned, 'kon hij me niet vrij laten rondlopen toen ik eenmaal haar naam bleek te kennen.'

'Exact. Als hij ook maar een knip voor zijn neus waard was in zijn werk, moest hij een manier zien te vinden om jou weg te werken en al je sporen uit te wissen. Hoe hij je heeft weggewerkt, weten we. Maar wat die sporen betreft, ik vraag me af...' Babe's stem stierf weg.

Ned trok hem aan zijn mouw. 'Waar zit je aan te denken?'

'Je moet het vanuit Delfts gezichtspunt bekijken,' prevelde Babe, meer tegen zichzelf dan tegen Ned. 'Hij heeft dienst. Hij krijgt bericht dat er een jongen is gearresteerd met een document waarvoor de inlichtingendienst misschien belangstelling heeft. Hij verhoort je, er lijkt niets aan de hand, je blijkt doodonschuldig. Dan ontdekt hij dat zijn eigen moeder erin is gemengd. Wat moet hij doen? Zijn chef zal hem de volgende ochtend bombarderen met vragen. "We lezen op de dagstaat, Oliver, dat je naar een politiebureau bent gestuurd. Wie was die jongen? Wat had hij bij zich?" Wat zou ik doen als ik Delft was?'

'Ik kan je niet volgen,' zei Ned. 'Waar wil je heen?'

'Sst!' Babe legde een vinger tegen zijn lippen. 'Ik zou doen alsof ik je *bespeelde*, dat zou ik doen. "Ik heb hem over de streep getrokken, meneer. Hij zit vol met waardevolle informatie. Maar handen thuis, hij is van mij en ik wil niet dat hij in gevaar komt." Hij moet wel iets kunnen laten zien, natuurlijk. Hij had die band wel, maar daar stond zijn moeders naam op – dus moest hij een andere band hebben. Heeft hij je ook nog iets speciaals laten inspreken op die band, Ned? Na die krampaanval, bedoel ik?'

'Dat weet ik niet meer... ja, *tóch*! Portia's familie! Hij vroeg wie haar vader was. Ik heb hem verteld wat ik wist en toen vroeg hij zijn adres. Hij heeft het me zelfs een keer laten herhalen. Maar waarom? Ik begrijp het nog steeds niet.'

'Ik heb een smerig beroep gehad,' zei Babe. 'Ik zal je vertellen wat Oliver heeft gedaan.'

Die nacht, toen Ned wakker lag, had zich nóg een naam gevoegd bij de drie die door zijn hoofd denderden. Nu was het *Delft*, Fendeman, Garland en Cade.

Delft, Fendeman, Garland en Cade. Delft, Fendeman, Garland en Cade. Hij kraste ze met zijn nagels in de palm van zijn hand. Hij brandde de namen in zijn geheugen. Delft, Fendeman, Garland en Cade. Delft, Fendeman, Garland en Cade.

De lente was op het eiland voor Ned in het verleden altijd het seizoen geweest waarin hij zich het meest opgesloten voelde. Wanneer de lange winter wegsmolt en de dagen lengden, keerden de vogels terug en riepen het bestaan van een buitenwereld terug in het geheugen. Wanneer ze begonnen te nestelen en te zingen voelde Ned de begrenzingen van zijn eigen geest. Geen literatuur, wetenschap of filosofie kon op tegen de pure schoonheid van narcissen en vogelzang, of vermocht de vreselijke hunkering te verzachten die in hem werd gewekt.

Op een middag in het midden van april, een week nadat de serre weer was opengesteld, zat Ned achter het schaakbord op Babe te wachten. Ze speelden de laatste tijd nog maar zelden. Het geneerde Ned dat hij de oude man zo gemakkelijk versloeg en het irriteerde hem dat Babe de motivatie om zich druk te maken wie er won niet meer op leek te kunnen brengen.

Martin kwam binnenlopen, met zijn ogen knipperend tegen het lage zonlicht. Hij kwam met een glimlach op Ned af.

'Jij wacht op Babe?'

'Natuurlijk,' antwoordde Ned.

'Dan kan jij lang wachten. Babe heeft hartaanval gehad vannacht. Babe gaat nu dood in bed.'

Ned sprong overeind en greep Martin bij zijn jas.

'Hé Thomas! Laat los. Wil jij vastgebonden worden in strafcel?'

'Breng me naar hem toe!' gilde Ned. 'Breng me meteen naar hem toe.'

'Ik breng jou naar niemand,' smaalde Martin. 'Wie denk je dat jij bent? Jij commandeert mij niet. Ik commandeer jou.'

Ned liet Martins kraag los en begon die verzoenend glad te strijken. 'Alsjeblieft, Martin,' zei hij. 'Probeer het te begrijpen. Babe is alles voor mij. Hij is mijn vader, mijn broer en mijn enige vriend. We zijn net als… als jij en Henrik.' Ned gebaarde naar een pas aangekomen jonge Zweed die trillend en met zijn armen om zijn knieën geslagen in een kuipstoel aan de andere kant van de zaal zat. 'Jij en Henrik zijn toch ook goede vrienden? Het is met mij en Babe net zo. Dat begrijp je toch wel? Ja, je begrijpt het. Ik weet dat dokter Mallo het ook zou begrijpen. Hij zou willen dat ik nu bij Babe ben, dat weet ik zeker.'

Martin kneep zijn ogen samen. 'Ik breng jou naar Babe, en jij zegt geen slechte dingen over mij tegen dokter Mallo?'

'Nooit, Martin, nooit. Ik zou nooit slechte dingen over jou vertellen tegen dokter Mallo. Jij bent mijn vriend, Martin. Mijn goede vriend.'

Ned liet zich door Martin naar de ziekenhuisvleugel brengen. Hij kwam langs Mallo's kamer en door een gang waar hij nog nooit was geweest.

Babe was de enige patiënt in een zaal met vier bedden. Hij lag op zijn rug met een slang in zijn neus en hij leek gekrompen en oud. Ned knielde naast zijn bed en keek in het gezicht dat hem zo dierbaar was.

'Babe,' fluisterde hij. 'Babe, ik ben het, Thomas.'

'Ik ben terug in half uur. Dan ga jij weg en ziet Babe niet meer.' Hij deed de deur dicht en draaide hem op slot.

Ned zag Babe's ogen heen en weer rollen onder de slappe huid van zijn oogleden.

'Ned?' De naam kwam in een gefluisterde ademtocht over Babe's lippen.

Ned pakte een van Babe's handen in de zijne. 'Ja, ik ben het,' zei hij, terwijl de tranen over zijn wangen stroomden. 'Babe, je mag me niet alleen laten. Dat kun je niet doen. Alsjeblieft… alsjeblieft.' Zijn stem brak en hij snikte diep. 'Babe. O, jezus, Babe! Ik maak mezelf van kant als je dood gaat. Ik zweer het bij God.'

Babe likte met een zwart uitgeslagen tong over zijn droge, gekloofde lippen. 'Ik ga dood, Ned,' zei hij. 'Ze stoppen me straks in de kamer hiernaast in een kist. Ik heb ze horen praten toen ik een uur geleden bijkwam. Ze stoppen me in een kist, verzegelen die en brengen me naar het vasteland, en daar zullen ze mij officieel doodverklaren, in een kist leggen en naar Engeland sturen, waar ze me zullen cremeren.'

'Zo mag je niet praten.' De tranen vielen uit Neds ogen op de lakens.

'We hebben maar een half uur,' fluisterde Babe, 'dus je moet goed naar me luisteren. In '69 was ik maatregelen aan het nemen om uit Engeland weg te komen. Ze hebben me te pakken gekregen voordat ik daarin was geslaagd. Maar ze hebben nooit geraden wat ik had gefikst.'

'Babe, toe, je moet je niet opwinden...'

'Als je niet luistert,' Babe pakte Neds hand en kneep er hard in, 'als je niet luistert, geef ik hier en nu de geest!' siste hij. 'Houd je mond nu even en luister! Ze hebben me aangehouden voordat ik kon ontsnappen. Maar ik had geld te pakken gekregen. Ik kende de rekeningnummers, tientallen. Ik kende ze allemaal uit mijn hoofd. Ik heb gefoezeld en geknoeid en ten slotte alles naar één rekening weten te sluizen. Hier, pak aan, pak aan!'

Babe deed de hand open waarmee hij die van Ned had omkneld. Tussen zijn vingers zat een stukje opgevouwen papier. 'Pak aan. Er ligt geld daar, na dertig jaar misschien meer dan je kunt uitgeven. De Cotter Bank in Genève. Toen ze merkten dat het weg was, zijn ze me hier komen ondervragen. Ik had alle sporen uitgewist, en ze waren razend. "Waar is het? Wat heb je ermee gedaan?" Ik was hier nog pas een maand, maar Mallo had die hele maand elektroshocks door mijn hersens gejaagd en me volgepompt met verdovende middelen. Mijn gewelddadige gedrag had hem geen keuze gelaten. Ik had geweten dat ze zouden komen, snap je, en ik wilde er klaar voor zijn. Toen ze kwamen, was ik een kwijlend, giechelend, grijnzend, slobberend wrak. Je zou trots op me zijn geweest, Ned. Ik was de gekste van de gekken. De puinhoop van een machtig brein. Ze zijn scheldend en tierend weggegaan, ervan overtuigd dat ze de enige man die wist waar al dat geld lag, tot waanzin hadden gebracht. Ik zou heel graag weten hoe ze het aan hun minister hebben uitgelegd. Goed, pak dat stuk papier, lees het, leer het uit je hoofd en vernietig het. De Cotter Bank, Genève. Al dat geld is van jou, wanneer je hier weggaat.'

'Wat moet ik met geld?' Ned huilde nog steeds. 'Ik wil geen geld, ik wil jou. Als jij dood gaat, ga ik ook dood. Je weet dat ik hier nooit weg kom.'

'Je gáát hier weg!' riep Babe met een schrikwekkende energie. 'Je gaat hier weg in een doodskist. Luister. Er ligt een theelepeltje op het kastje naast mijn bed. Pak het!'

Ned huilde om Babe's wartaal, maar pakte het lepeltje.

'Verberg het op je lichaam, nee niet daar, verdomme! Niet in een zak. Stel dat Martin je fouilleert?'

'Waar dan?' Ned keek Babe verwilderd aan.

'In je reet, man! Duw het diep in je reet. Dondert niet als het bloedt.'

'O, Babe…'

'Doe het, of ik zweer bij de almachtige God dat ik je met mijn laatste adem zal vervloeken. Daar! Het kan me niet schelen of je schreeuwt. Het kan me niet schelen of je bloed als een rund, duw het omhoog, verder, verder! Goed, kun je rechtop staan? Kun je zitten? Mooi, mooi, zo zal het wel lukken.'

Babe leunde achterover in de kussens en probeerde rustiger adem te halen. 'Goed dan,' zei hij ten slotte. 'Goed dan, Ned. Je hebt het stuk papier. Kijk ernaar. De Cotter Bank, Genève. Dat heb ik niet durven opschrijven. Kijk op het papier. Je ziet een nummer, een wachtwoordzin, en een antwoordzin. Leer ze uit je hoofd. Herhaal ze… goed zo, nog eens. Nog eens… en nog eens. Slik het papiertje door. Kauwen en slikken. Nogmaals het nummer… de zinnen… het adres.'

'Waarom doe je dit, Babe? Je maakt me bang.'

'Ik ben je het geld schuldig. Backgammon. Je bent een beest van een speler. Nog even, jongen. Denk terug aan vorige winter. De week voor Kerstmis. Die dag dat we het hebben gehad over Philippa Blackrow. Ik had toen een bedradingsschema voor je getekend, weet je nog? Heb je het bewaard, zoals ik je heb gezegd?'

'Het ligt op mijn kamer, denk ik. Bij mijn papieren. Waarom?'

'Het is donderdag. Paul heeft nachtdienst. Je kan goed met Paul opschieten. Houd hem aan de praat, begin over voetbal, wanneer hij je vanavond insluit. Je moet je kop erbij houden om met de tijd uit te komen. Gebruik die lepel om het slot te blokkeren. Je hebt een heleboel te doen. Je zult al je krachten nodig hebben. Ze brengen me met de ochtendboot naar het vasteland. Jezus, wat hoor ik daar?'

Er rammelde een sleutel in het slot, en de deur zwaaide open. Martin wenkte Ned.

'Nu meekomen. Laat Babe alleen, meekomen.'

'Een half uur, had je gezegd!'

'Dokter komt kijken naar Babe.'

Ned legde zijn hoofd op het bed en drukte zijn betraande gezicht tegen Babe's baard.

'Vaarwel, jongen. Je hebt mijn leven al gered. Mijn geest zal eeuwig in de jouwe doorleven. Verricht grote dingen in mijn nagedachtenis en voor mijn nagedachtenis. We hebben van elkaar gehouden. Doe me nu een plezier en hou op met janken. Ga rustig weg en breng deze laatste dag door in herinnering. Herinner je alles. Je neemt mijn liefde en geheugen voor altijd met je mee.'

'Kom nu. Nú!' Martin liep met grote passen naar het bed en trok Ned ruw weg. 'Tegen de muur. Ik fouilleer je. Veel slechte dingen op ziekenzaal.'

Vanuit de deuropening wierp Ned nog één blik de kamer in terwijl Martin hem tegen de muur duwde.

Babe had zijn ogen stijf gesloten. Hij concentreerde zich nu alleen nog op het sneller en sneller laten kloppen van zijn hart, tot het zou barsten in zijn borst.

Een uur na de lunch kwam Martin de serre binnen met het bericht dat Babe was overleden.

Ned, die alleen aan het schaakbord zat, knikte. 'Heeft hij pijn gehad?'

'Geen pijn,' zei Martin zacht en met iets als ontzag in zijn stem. 'Heel vredig. Nog één hartaanval, snel en toen meteen dood. Dokter Mallo zegt niemand kon iets doen,' liet hij er een beetje verontschuldigend op volgen. 'In geen hospitaal in de wereld.'

'Vind je het goed,' vroeg Ned kalm, 'als ik de rest van de dag op mijn kamer blijf? Ik wil nadenken en… bidden.'

'Goed. Kom mee.'

Ze liepen zwijgend naar Neds kamer. Martin wierp een blik om zich heen op de stapels boeken en papieren die tegen de muren leunden. 'Babe, hij heeft jou veel geleerd, ja?'

'Ja, Martin, heel veel.'

'Paar boeken daar in mijn taal, maar jij spreekt het niet.'

'Een beetje, ik kan een beetje lezen, maar spreken niet goed,' antwoordde Ned in gebrekkig Zweeds.

'Ja, accent is slecht. Misschien, met Babe dood, wij betere vrienden,' zei Martin. 'Jij leert mij Engels, ik leer jou Zweeds. Jij leert mij ook muziek en wiskunde.'

'Dat zou leuk zijn,' zei Ned. 'Goed idee.'

'Ik jong van school. Van huis weg waar mijn vader mij slaat. Hoe meer jij mij leren, hoe meer wij vrienden.'

'Oké.'

'Jij hoeft niet aardig zijn tegen mij,' zei Martin, terwijl hij verlegen naar de grond keek. 'Ik begrijp. Soms ik ben slecht. Slechte gevoelens in mijn hart. Jij moet ook bidden voor mij.'

'Natuurlijk.' Ned voelde opnieuw tranen langs zijn wangen lopen, ongewenste deze keer.

'Goed, Thomas,' zei Martin. 'Ik ga nu weg.'

Het kostte Ned ongeveer een half uur om het schema te vinden dat Babe voor hem had getekend, en twee uur voordat hij er zeker van was dat hij het in zijn geheugen had geprent en goed had begrepen.

Pauls dienst begon met het avondeten, en Ned oefende zich alvast voor het beslissende moment door een kort gesprek met Paul aan te knopen terwijl hij op het punt stond de deur dicht te trekken.

'O, trouwens,' zei hij, terwijl hij de kruk beetpakte en de deur aan de binnenkant tegenhield. 'Voordat je afsluit, zou je me een plezier kunnen doen? In ruil voor die keer dat ik jou indertijd de bijnamen heb geleerd van alle Engelse voetbalclubs. Een kleinigheid.'

'Een plezier?' Paul keek onzeker.

'Heb je misschien wat kauwgum voor me?'

Paul grijnsde. 'Misschien vanavond. Ik zal zien.'

'Bedankt. Speelt Trondheim vandaag?'

'Jazeker.'

'Succes dan,' zei Ned opgewekt, terwijl hij zelf de deur dichtduwde. 'Tot straks.'

Om negen uur kwam Paul nog een keer terug met een kop hete chocola en wat pillen.

'Wat moet dat?' Ned schrok. 'Ik gebruik geen medicijnen meer.'

Dokter Mallo is bang dat je van streek bent vanwege Babe,' legde Paul uit. 'Ze zijn niet sterk. Alleen om in te slapen.'

'Goed dan,' zei Ned monter, terwijl hij ze in zijn mond stopte en slikte. 'Heel attent van de goede dokter.'

'En hier heb ik kauwgum voor je.'

Ned pakte het reepje aan en straalde. 'Hollywood, fantastisch. Paul, je bent een held!'

'Goedenacht Thomas, slaap lekker.'

'O ja,' zei Ned terwijl hij Paul opnieuw verhinderde de deur dicht te trekken. 'Hoe heeft Trondheim eigenlijk gespeeld?'

Ned klemde het lepeltje in zijn rechterhand, waarmee hij nonchalant tegen de deur leunde. Hij duwde de deur geleidelijk dicht, tot hij ten slotte nog maar door een kiertje heen tegen Paul sprak, de steel van het lepeltje tegen de lip van het slot gedrukt.

'3 – 1? Een mooie overwinning voor jullie,' zei hij. 'Tot morgen, misschien. Slaap lekker.'

Ned duwde met een laatste zetje de deur dicht. Het lepeltje stak in de ruimte tussen deur en stijl. Toen Pauls voetstappen waren verstorven in de gang trok Ned aan de deur, die meegaf. Het lepeltje blokkeerde de lip van het slot. Ned huilde bijna van opluchting, ging aan zijn tafel zitten, spuwde de slaappillen uit en vouwde nog één keer Babe's schema open.

Toen het volgens zijn berekening tussen half drie en drie uur 's nachts was, liep hij naar zijn deur en trok hem open. Het lepeltje viel kletterend op de grond en Ned, die zichzelf wel voor zijn kop kon slaan, bukte zich en raapte het op.

Er klonk vanuit het gebouw geen enkel geluid toen hij langs de verlaten serre liep, kauwend op zijn Hollywood. Alleen het knakken van de botjes in zijn blote voeten verstoorde de doodse stilte die als een lijkwade over het gebouw hing.

Toen hij bij de deur van Mallo's kantoor was gekomen bleef hij een volle minuut staan luisteren voordat hij naar binnen ging. Eenmaal binnen klikte hij de bureaulamp aan en keek om zich heen, knipperend tegen het felle licht. De gordijnen waren dichtgetrokken, maar er moest licht onder de deur door kieren. Ned wist dat hij geen tijd te verliezen had. Hij liep linea recta naar een houten kastje aan de muur, deed het open en pakte er een sleutel uit. In een opwelling pakte hij er een tweede, kleiner sleuteltje uit en probeerde of dat paste op de kleine, grijze dossierkast tegen de muur ertegenover. Dat was het geval, en Ned doorzocht gehaast het kantoortje tot hij een plastic tas had gevonden, die hij volstopte met gebundelde papieren en dossiers. Hij knoopte de tas van boven stevig dicht, haalde zijn kauwgum uit zijn mond, slikte het sleuteltje door, stak de kauwgum weer in zijn mond, knipte het licht uit en sloop de gang weer op.

Toen hij, nog steeds ritmisch op zijn kauwgum kauwend, in de buurt kwam van de personeelskamer, drukte hij de plastic tas stevig tegen zijn lichaam om het kraken tegen te gaan. Hij hoorde muziek en zag een rechthoek van licht in de gang voor zich. De kamer waarin Paul zijn dienst uitzat, had een raam dat uitkeek op de gang waar Ned doorheen moest. Hij sloop naderbij en had zich juist door zijn knieën laten zakken om onder het raam door over de vloer te kruipen, toen de deur openging en Paul naar buiten kwam. Neds hart vloog naar zijn keel, en zijn hele lichaam verstijfde. De draagtas kraakte, een geluid dat op Ned overkwam als dat van een vrachtwagen die over duizend eierdozen heen rijdt.

Paul stak de gang over en deed de deur recht tegenover de zijne open, zonder één blik in Neds richting. Door de gang klonk het krachtige geluid van een urinestraal die in een toiletpot neerkwam en Ned stond trillend van opluchting op en sloop verder. Toen hij langs de deur van het toilet liep, wierp hij een snelle blik opzij en zag hoe Paul met gespreide benen en met zijn rug naar de gang de druppeltjes van zijn pik schudde, terwijl hij zachtjes de *Ode an die Freude* neuriede. Hij droeg een t-shirt en een spijkerbroek, en de totaal onverwachte aanblik van die doodgewone kleding maakte gevoelens van grote opwinding in Ned los. Ze leken hem te verzekeren dat de buitenwereld bestond en binnen bereik was.

Hij liep de hoek om en leunde met zijn rug tegen de muur. De nacht was koel, maar hij voelde het koude zweet van zijn slapen in zijn hals druipen. Hij hield op met kauwen en luisterde, zijn mond open. Hij hoorde het geluid van een wc die werd doorgetrokken, voetstappen die de gang overstaken en een deur die dichtging. Kauwgumspeeksel droop uit zijn open mond. Hij zoog het naar binnen en begon weer te kauwen.

Op de muur tegenover zich zag hij het knipogende groene lampje van het alarmkastje. Hij sloop er op zijn tenen heen, bestudeerde het van dichtbij en legde er in gedachten Babe's bedradingsschema overheen. Het circuit dat de hospitaalgang bewaakte, stond aangeduid als Zone 4. Ned pakte het sleuteltje dat hij uit Mallo's kantoortje had meegenomen en probeerde dat in het moederslot te steken. Het lukte niet en één afgrijselijk moment vreesde Ned dat hij het verkeerde sleuteltje had ingeslikt. Toen hij het opnieuw probeerde, gleed het er soepel in. Met een zucht van verlichting draaide hij het een halve slag naar rechts. Het groene knipperlicht werd een rood knipperlicht. Zijn adem inhoudend, duwde hij de vierde van een rij knipschakelaars omhoog en draaide het sleuteltje nog een kwartslag naar rechts. Hij hield het even in die stand en draaide het toen twee keer linksom, terug in zijn oorspronkelijke positie. Toen de sleutel onderweg was naar zijn uitgangspositie gaf de hele eenheid een snelle, harde piep die zo doordringend was, dat Ned bijna een kreet van schrik slaakte. Met zijn rug tegen de deur ertegenover wachtte hij, zijn ogen strak gericht op de lampjes van het alarmkastje. Het groene lichtje knipperde weer, maar ernaast was een rood lampje gaan branden dat vier keer achter elkaar knipperde, uitging, en toen nogmaals vier keer knipperde, daarmee aan iedereen die wist hoe het systeem werkte, te kennen gevend dat Zone 4 was uitgeschakeld. Er gingen geen deuren open of dicht in de personeelskamer om de hoek en de muziek die ervandaan kwam, veranderde niet van volume. Alleen in Neds oren had de pieptoon geklonken als het hoorngeschal van de cavalerie uit de hel. Ned liep weer op het kastje af en trok het sleuteltje er zachtjes uit. De lampjes knipperden als tevoren, maar alles bleef rustig. Hij nam een klein stukje kauwgum uit zijn mond, plakte het over het rode knipperlichtje en drukte het stevig aan, zodat er van opzij geen licht uit kierde. Toen deed hij een stap achteruit en bezag zijn werk.

Het baarde hem zorgen dat degene die het alarm 's ochtends buiten werking zou stellen, het stukje kauwgum zou zien. Als hem dat ná het uitschakelen zou opvallen, was er geen man overboord, maar als hij de kauwgum weghaalde terwijl het systeem nog ingeschakeld was, zouden de vier lampjes hem alles vertellen wat hij moest weten, en zou de hel uitbreken. Ned drukte met de achterkant van de sleutel tegen het propje kauwgum, tot hij het zo vlak had gemaakt, dat het samenviel met het oppervlak van het kastje. Bij het zwakke schijnsel van het groene lampje prutste en boetseerde Ned er zo lang aan, tot de kauwgum volgens hem praktisch onzichtbaar was geworden.

Toen hij er eindelijk van overtuigd was dat alles er normaal uitzag, stak hij het sleuteltje in zijn mond en sloop naar de deuren die toegang gaven tot de hospitaalvleugel.

Babe was dood, en hij, Ned, had zich in jaren niet meer zo springlevend gevoeld. Het bloed suisde in zijn oren, zijn hart klopte en bonsde tegen zijn borstkas als de klapperende aandrijfband van een motor, en elke vezel in zijn lichaam vibreerde van kracht en energie. Wat hem nu ook mocht gebeuren, hij wist dat hij nooit spijt zou hebben van de terugkeer van zo'n intense vitaliteit. Als dokter Mallo en alle verplegers uit de volgende deuropening te voorschijn zouden springen, als Rolf hem tegen de muur zou vastpinnen om zijn schouders opnieuw uit de kom te drukken, als hem al zijn privileges, boeken en papieren voor altijd zouden worden ontnomen, als hij voortaan zou moeten leven op een dieet van chloorpromazine en elektroshocks, zou het nog steeds de moeite waard zijn geweest deze korte explosie van levensvreugde te hebben beleefd.

Dokter Mallo en zijn staf kwamen niet te voorschijn uit de volgende deur. Die leidde naar de ruimte naast de zaal waar Babe was gestorven, en de hospitaalvleugel bleef zo stil als de graftombe waartoe hij nu diende. Ned legde zijn hand op de deurkruk en drukte hem naar beneden. Als hij een fout had gemaakt met het alarm, zou hij het nu merken. Hij duwde de deur open. Geen gerinkel van bellen, geen geloei van sirenes. Alles bleef stil. Hij sloot de deur achter zich en tastte naar een lichtschakelaar.

Hij bevond zich in een opslagruimte. Langs de muren liepen planken die volgestouwd waren met medische voorraden. Midden in de ruimte stond een schragentafel, met daarop een houten pakkist van ongeveer twee bij één meter met handvaten van dik touw aan voor- en achterzijde. Ned liep naar de tafel en legde zijn handen op het deksel van de kist.

'Hallo, Babe,' fluisterde hij. 'Tot nu toe gaat alles goed.'

Hij zette zijn draagtas neer en keek om zich heen. Hij knelde het lepeltje nog steeds in zijn linkerhand, maar hij had gehoopt dat hij iets stevigers zou kunnen vinden. Hij zocht de planken af en zag niets dat hij kon gebruiken. Hij had de hoop al bijna opgegeven toen hij onder de tafel een glimp opving van de achterkant van een metallic-blauwe gereedschapskist.

Ned haalde er een stevige beitel uit en begon daarmee het deksel open te wrikken, waarbij hij ervoor oppaste geen van de spijkers krom te buigen. Het kostte hem bijna een kwartier, en toen hij het deksel eindelijk los had en op de grond legde, zweette hij als een otter.

In de kist lag Babe's lijk, door een wit laken bedekt. Ned slikte even, greep het doek beet en rukte het weg. Hij slaakte bijna een kreet van schrik.

Babe glimlachte. Het was de glimlach waarvan Ned in de afgelopen tien jaar was gaan houden. Het was de ondeugende grijns van medeplichtigheid, opwinding en plezier die altijd was voorafgegaan

aan een nieuwe les op een nieuw terrein.

Wacht maar tot je Joyce leert kennen, jochie!
Morgen Faraday en het magnetisme – zul je van opkijken!
Volgende week de slag bij Lepanto, Ned, jongen!
Wagner. Richard Wagner! Gaat nooit meer uit je bloed!
De Marshall-aanval. Geen opening voor lafaards.
Laten we Herr Schopenhauer heil toewensen, goed?
Russische bewegingswerkwoorden, Ned. Word je gek van!

Ned leunde voorover en streelde Babe's baard.

'Daar gaan we,' zei hij.

Ned had zich erop voorbereid dat hij een hele sjouw zou krijgen aan Babe's lichaam, en had er uren over zitten nadenken hoe hij het moest aanleggen om het uit de kist te tillen. Hij had zich voorgesteld dat hij zijn handen onder Babe's oksels zou slaan, en met inspanning van al zijn krachten het lichaam zou ophijsen totdat het in een soort brandweergreep met het gezicht naar beneden over zijn rug hing. Wat Ned niet had voorzien, was de enorme belasting die dit zou vergen van zijn zwakke schouders. Terwijl hij aan Babe's dode gewicht sjorde, voelde hij de kom van de linkerschouder op de inmiddels maar al te bekende manier langs het bot schuren. Hij had minstens zeven of acht jaar geen van beide schouders meer ontwricht, en hoewel hij heel goed wist hoe hij ze weer in de kom moest krijgen, kon hij zich vanavond geen fysieke handicap veroorloven. Hij besloot dat zijn rechterschouder het gewicht zou moeten dragen. Hij ademde een paar keer diep in en begon te trekken.

Ned wankelde met Babe over zijn schouder van de tafel vandaan en zeeg neer op de grond, terwijl het zweet van zijn voorhoofd droop en zijn rechterschouder in brand stond van de pijn. Babe's hoofd sloeg tegen de grond en zijn lichaam rolde op de vloer, waarbij met het geluid van krakend bot de nek brak als een dorre twijg.

Ned kwam wankelend overeind en strekte voorzichtig zijn armen. De rechterschouder gaf een zachte klik, maar bleef in de kom. Diep in- en uitademend, dwong Ned zijn ademhaling tot een regelmatiger tempo, en hij wachtte tot zijn armen en benen niet meer trilden. Hij rekte zich uit, haalde nog één keer diep adem, draaide het licht uit, deed de deur open en spitste zijn oren. Toen hij had geconstateerd dat alleen het bonken van zijn hart de diepe, zwarte stilte van de nacht verstoorde, bukte hij zich en haakte zijn handen onder Babe's oksels.

Hij trok het lijk langzaam de ziekenhuisgang door, tot hij bij het alarmkastje was. Uit de radio om de hoek klonk muziek; Ned herkende Griegs *Åse's dood* en keek als vanzelf naar Babe's gezicht, alsof hij er samen met hem om wilde lachen.

Hij sleepte het lijk de hoek om en draaide het op zijn rug. Toen hurkte hij bij de voeten neer en duwde het lijk voor zich uit over de grond langs de deur van de personeelskamer. Als Paul op dat moment weer naar buiten zou komen om een plas te doen zou hij onvermijdelijk over het lijk struikelen, en dan was alles verloren. Terwijl hij zó diep in elkaar dook als mogelijk was zonder de greep op Babe's voeten te verliezen, duwde Ned verder. Hij was nu pal onder het raam en duwde sneller en sneller, ondertussen het feit vervloekend dat de radio niet iets had geprogrammeerd met meer volume en slagwerk. Als het dan toch een begrafenis moest zijn, waarom dan niet Siegfrieds *Tod*, Verdi's *Dies Irae* of de *Mars naar het schavot*? Griegs gedempte violen jammerden verder terwijl Ned het raam voorbij kroop, opstond en Babe weer vastpakte met de gemakkelijker greep onder de armen, waarmee hij hem achterwaarts over het linoleum naar zijn eigen vleugel kon slepen.

Weer terug op zijn kamer, kostte het Ned nog een schouderverrekkende krachtsinspanning om Babe op bed te tillen. Hij had er niet aan gedacht eerst de dekens terug te slaan, zodat hij het lichaam heen en weer moest rollen voordat hij het beddengoed kon lostrekken en Babe toedekken, zichzelf vervloekend om zijn stommiteit. Hij stelde zich Babe's snijdende commentaar voor op zo'n gebrek aan vooruitziende blik en gezond verstand.

'Sorry,' fluisterde hij. '*Mea culpa. Mea maxima culpa.*'

Ned legde het hoofd op het kussen, trok de lakens op en boog zich over Babe heen om een laatste kus op diens voorhoofd te drukken. 'Vaarwel, mijn beste en dierbaarste vriend. Wat er ook gebeurt, je hebt mij het leven gered.'

Op zijn weg terug naar de opslagruimte hing Ned het sleuteltje van de alarmkast terug in Mallo's kantoortje en plakte de rest van zijn kauwgum onder de grote leren leunstoel van de dokter. Op een dag zou dokter Mallo het daar vinden en zich afvragen hoe het daar terecht was gekomen.

Opnieuw wegduikend onder het raam van de personeelskamer, waaruit nu Rossini's ouverture van *De barbier van Sevilla* triomfantelijk naar buiten schetterde, liep Ned langs het alarmkastje naar de opslagruimte, waarvan hij de deur achter zich sloot alvorens het licht aan te knippen.

Hij kon zich nu niet meer de geringste fout veroorloven en trof al zijn voorbereidingen dan ook met de grootste nauwgezetheid. Hij legde de plastic zak in de kist en liet zijn blik door de ruimte dwalen. Terwijl hij met Babe's lichaam door de gang had lopen zeulen, had hij een inval gekregen en hij zocht nu de planken af tot hij een doos had gevonden met het etiket "Diacetylmorfine EP". Hij scheurde de doos open, stortte de inhoud, tientallen en tientallen plastic zakjes, in de kist, en gooide er voor alle zekerheid een plastic zak met injectienaalden achteraan. Een blik in de kist leerde hem dat er nog een doos bij kon. En nóg een. Ned dacht even na en gooide er toen ook een plastic vuilniszak in, groot genoeg om alle zakjes morfine en de papieren uit dokter Mallo's kantoor in te stouwen.

Ned was aanvankelijk van plan geweest om schroeven uit de scharnieren van de deur te draaien en die tegen de binnenkant van het deksel te bevestigen, met het lepeltje als schroevendraaier, maar hij vond in de gereedschapskist een setje houtschroeven en zelfs een booromslag met een stel boortjes. Wat hij echter niet kon vinden, was touw, zodat hij het laken waar ze Babe in hadden gewikkeld, in repen scheurde en die stevig in elkaar vlocht. Hij hield dit geïmproviseerde touw tegen de binnenkant van het deksel en boorde er gaatjes in, er voor zorgend dat de boor niet door het hout heen schoot. Hij schroefde de strengen stof strak tegen het hout, met juist voldoende speling om er stevig houvast aan te hebben, wat hij uittestte door er uit alle macht aan te trekken, totdat hij er zeker van was dat ze niet zouden scheuren en dat de schroeven het ook zouden houden.

Vervolgens legde Ned het deksel op de kist en wurmde de spijkers in hun oorspronkelijke gaten. Hij trok het deksel aan en zag dat drie van de spijkers niet in hun gaatjes gleden, maar omhoog werden gedrukt. Hij wrikte ze alle drie in een andere stand en probeerde het opnieuw. Toen hij er redelijk zeker van was dat elke spijker in zijn gaatje zou glijden, tilde hij het deksel er nog éénmaal af en legde het dwars over de kist.

Hij liet zijn ogen voor de laatste keer door de opslagruimte gaan en schoof de gereedschapskist terug onder de tafel. Toen inspecteerde hij de planken en de vloer. Afgezien van het deksel dat over de kist lag, zag alles er precies zo uit als toen hij was binnengekomen.

Ned haalde diep adem, knipte het licht uit en schuifelde op de tast voorwaarts door het pikkedonker, tot hij met zijn been tegen de tafel stootte. Hij klauterde erop en ging langzaam rechtop staan tot hij met zijn haar langs het plafond streek. Hij tilde het deksel op en liet zijn vingers erlangs glijden tot ze de strengen katoen vonden. Terwijl hij aan dat handvat het deksel als een Noormannenschild voor zich hield, stapte hij in de kist en leunde achterover op zijn bed van plastic. Hij manoeuvreerde het deksel op zijn plaats en overtuigde zich ervan dat alles in orde was, zolang hij maar aan zijn gevlochten handvat bleef trekken. Vervolgens concentreerde hij zich zo hard op het idee dat hij wakker moest blijven, dat hij vrijwel meteen in slaap viel.

De klap waarmee de deur van de opslagruimte dichtsloeg wekte Ned met een schok. Kiertjes licht priemden door het donker in het inwendige van de kist en aanvankelijk was hij ervan overtuigd dat er te veel tijd was verstreken. Misschien hadden ze besloten het lijk pas met de avondboot mee te geven. Ze hadden Babe al in Neds bed gevonden en waren nu naar hem op jacht. Hij vervloekte zichzelf dat hij in slaap was gevallen. Als hij wakker was gebleven, had hij misschien beseft dat er te veel tijd voorbij was gegaan en op een andere manier kunnen ontsnappen. Babe had hem verzekerd dat het eiland minstens 50 kilometer van het vasteland lag, maar een poging om naar de vrijheid te zwemmen zou beter zijn geweest dan hier op smadelijke wijze te worden gevonden.

Het geluid van vermoeide, slaperige en klagende ochtendstemmen stelde hem gerust. Ned schoof zijn hand onder de lus en trok het deksel zo hard aan als hij kon, en wachtte, terwijl hij amper adem durfde te halen.

De stemmen waren van twee Deens sprekende mannen.

'We nemen hem op onze schouders.'

'Waarom zitten er dan touwen aan?'

'Dat touw snijdt in je handen. Geloof me maar, ik heb dit vaker gedaan. Op de schouders. Jij eerst, één, twee… drie.'

'Ik dacht dat je het over een oude man had… Jezus, wat is hij zwaar.'

'Dat is het hout. Kom op.'

'Au!'

'Wat is er?'

'Ik dacht dat je de spijkers erin zou slaan. Ik heb mijn vinger opengehaald!'

Ned raakte ieder gevoel voor richting kwijt terwijl hij heen en weer stuiterde in de kist. Hij werd tweemaal neergezet omdat er een deur open- en weer dichtgedaan moest worden, en hij was voortdurend bang dat het deksel los zou schieten en hij zou worden ontdekt. Hij bereidde zich voor op de mogelijkheid dat hij zou moeten vechten en rennen.

Eindelijk siepelde koude ochtendlucht door de naden van de kist en hoorde hij het gekrijs van meeuwen, gevolgd door gekreun en gekraak van de schuifdeur van een busje. De kist werd met een botte onverschilligheid op een metalen vloer gekwakt, de deur sloeg dicht en een motor werd gestart.

Ned moest denken aan de helse kwellingen van zijn vorige rit in een busje. Hij zag de lege blikken weer voor zich van de twee mannen die hem bewusteloos hadden getrapt en hij hoorde de banden weer ritmisch over de ribbels in het asfalt bonken. Hij herinnerde zich Gaine, en kon ook die twee bruten nog uittekenen. Wat hij echter niet kon, was het beeld reconstrueren van de Ned die al die helse psychische en fysieke martelingen had doorstaan. Die Ned was even onschuldig, angstig en door de wereld verblind geweest als een pasgeboren puppy. Hij was een stofdeeltje geweest, zonder wil, richting of doel. Die Ned was al bijna twintig jaar dood; alle leven was uit hem geblazen op de dag dat Rolf zijn rechterschouder uit de kom had gedrukt en de laatste restjes hoop en vertrouwen die in hem waren overgebleven in rook had doen opgaan. De Ned die nu onderweg was, was een heel ander wezen, een man met een ijzeren wil, een engel der wrake – een werktuig van God.

Ned ging rechtop staan op de rotsen, keerde zich om en wierp een blik op de veerboot die een halve mijl uit de kust voer. Wanneer ze aanmeerde, zou de bemanning de met een ankerketting verzwaarde houten kist naar de kade dragen, waar hij op een gegeven moment geopend, en het bedrog ontdekt zou worden. Misschien was er zelfs vanaf het eiland al een verzoek om opsporing naar het vasteland gestuurd.

Ned huiverde en trok een grote gele plunjezak van oliegoed van zijn schouders die hij aan boord van de veerboot uit de scheepskist van de kapitein had gestolen. Daarin had hij ook kleding gevonden en een portefeuille met tweeëneenhalfduizend Deense kronen. Hij had geen flauw benul of het een fortuin vertegenwoordigde, of dat het amper genoeg was voor een schraal ontbijt.

Een half uur later liep hij een druk bezet café binnen langs de weg naar Århus. Hij had er niet van opgekeken dat hij zich in Denemarken bleek te bevinden. Babe had hem verteld dat het eiland in het Kattegat lag, ergens tussen de Zweedse kust en Noord-Jutland. Ned beende rechtstreeks op de toonbank af en bestelde een kop koffie en een uitsmijter met bacon. Hij ging zitten en wierp een blik om zich heen. Hij had buiten vijf grote vrachtwagens geparkeerd zien staan en besloot dat de beste strategie was brutaal te zijn en snel te handelen.

'Hallo!' riep hij boven het geluid van de jukebox uit. Iedereen in het café keek op en staarde hem aan. 'Gaat er iemand van jullie naar het zuiden? Ik moet vanavond in Duitsland zijn. Ik ben bereid de brandstof te delen.'

De meeste mannen in Neds gezichtsveld haalden hun schouders op en keken weer naar hun bord. Een of twee schudden spijtig het hoofd, maar niemand reageerde. Verdomme, dacht Ned, wat nu?

Een stem achter hem zei in gebroken Deens: 'Ik moet vanavond in Hamburg zijn. Je kunt met mij meerijden.'

'Fantastisch!' riep Ned in het Duits. 'Je hebt mijn leven gered!'

'O, je bent Duitser,' zei de ander. 'Goddank. Deens is een spraak-gebrek.'

'Ik weet het,' zei Ned met een meelevende glimlach. 'Je krijgt er pijn van in je keel en kramp in je kaken. Mag ik je een kop koffie aanbieden? Vind je het erg om nog even te wachten terwijl ik een snel ontbijt neem?'

'Geen probleem,' zei de man, die aan Neds tafeltje ging zitten en zijn hand uitstak. 'Ik heet Dieter, trouwens.'

'Karl,' zei Ned. 'Aangenaam. Ah, *prachtvoll!*' Hij zond de serveer-ster die hem een bord voorzette een stralende glimlach. 'En een kop koffie voor mijn vriend hier.'

Iemand had een krant op tafel achtergelaten, en Ned zocht er de wisselkoersen in op. Tot zijn opluchting constateerde hij dat hij ruim tweehonderd pond bij zich had. Tenzij de inflatie de laatste twintig jaar waanzinnige vormen had aangenomen, bedacht hij, moest dat voldoende zijn om hem te brengen waar hij wilde zijn.

Ned ging naast Dieter in de cabine zitten, en deze vertelde hem dat hij een vracht papierpulp had opgehaald in Skagen, tachtig ki-lometer ten noorden van het wegrestaurant waarvan ze nu wegre-den en dat even buiten de haven van Ålborg lag. Ned rekende uit dat ze nog zo'n tweehonderdvijftig kilometer naar het zuiden moesten rijden naar de Duitse grens. De veerboot zou op dit mo-ment de haven van Ålborg binnenlopen. Het hing er allemaal van af of dokter Mallo had besloten de politie te waarschuwen. Hij moest inmiddels hebben ontdekt dat er papieren waren verdwenen uit zijn archiefkast, en Ned was ervan overtuigd dat dit hem ervan zou weerhouden de autoriteiten in te schakelen. Misschien zou Mallo Oliver Delft bellen, maar waarschijnlijk zou hij dat niet dur-ven. Als Ned in Mallo's schoenen zou staan, zou hij een overlij-densverklaring vervalsen en proberen te vergeten dat die lastige Engelsman ooit had bestaan.

Dieter was geen veeleisend causeur. Zijn wereld leek te draaien rond zijn vrouw Trude en hun kinderen, van wie overal in de cabine foto's hingen, en voetbal, waarvan Ned weinig verstand had. Het weinige dat hij wist was wat hij van Paul te weten was gekomen over de Zweedse competitie. De verrichtingen van Trondheim interesseerden Dieter geen zier.

'Weinig verkeer,' merkte Ned op een gegeven moment op.

'Zestien april,' zei Dieter. 'Nationale feestdag hier. De verjaardag van de koningin, heb ik gehoord.'

'Ach, natuurlijk.'

Ze stopten buiten Århus om wat te eten, en hier maakte Ned zijn eerste fout. Ze zaten aan een tafel en Ned pakte een klein apparaatje op dat Dieter met zich mee het café in had genomen.

'Wat is dit in hemelsnaam?' vroeg hij, terwijl hij het oppakte en er met verbijstering naar keek.

'Zeg, hou een ander voor de gek,' zei Dieter met een grijns, maar hij kneep zijn ogen samen toen hij zag dat Ned volkomen serieus was. 'Wil je me vertellen dat je niet weet wat dit is?'

Ned besefte dat hij een blunder had begaan en probeerde het weg te lachen. 'Ik bedoel,' zei hij, 'dit model heb ik nooit eerder gezien...'

'Nooit eerder gezien? Kijk eens om je heen, man!'

Ned keek naar de andere tafeltjes en zeg minstens zes identieke apparaten.

'Tja, ik bedoel eigenlijk de kléur...' zei hij in een poging om er het beste van te maken. 'De jouwe is rood, die andere zijn voornamelijk grijs en zwart.'

'Waar heb jij de laatste tien jaar gezeten?' vroeg Dieter. 'Bestaat er nog één plek op aarde waar ze geen mobiele telefoons hebben?'

Telefóóns! Mobiele telefoons. Ned verwenste zichzelf dat hij daar zelf niet op was gekomen. Nu hij beter oplette, zag hij twee mensen erin praten. 'Ik... ik ben ziek geweest,' zei hij. 'Ik heb in een sanatorium gelegen.'

'Dat moet dan eerder een gevangenis geweest zijn.'

'Nee, nee, een sanatorium. Je moet me geloven, Dieter. Ik ben weer helemaal beter, gelukkig, maar ik heb... Nou ja, er zijn een paar dingen langs me heen gegaan.'

Dieter ging Ned voor naar de vrachtwagen, maar tijdens het vervolg van de rit, naar Åbenrå en de Duitse grens, was hij zwijgzamer dan eerder. Ned zat naast hem en dacht koortsachtig na. Hij kwam tot de conclusie dat zijn beste handelwijze een soort beperkte eerlijkheid zou zijn. Het laatste wat hij kon gebruiken, was dat Dieter een politieauto zou aanhouden. Het zou nogal wat moeite kosten om te verklaren hoe hij aan al die morfine in die gele plunjezak kwam.

'Ik zal eerlijk tegen je zijn, Dieter,' zei hij ten slotte. 'Ik ben ontsnapt uit een Deens sanatorium, waar mijn familie me had opgeborgen omdat ik aan drugs verslaafd was, maar ik ben er vanaf. Echt. Helemaal. Ik ga nu naar mijn vriendin in Hannover. Ik heb een puinhoop gemaakt van mijn leven, maar dat gaat nu veranderen. Ik moet alleen maar thuis zien te komen.'

'Hoe lang ben je daar geweest?' vroeg Dieter, strak op de weg turend.

'Bijna een jaar.'

'Bijna een jaar, en je weet niet wat een mobiele telefoon is?'

'Ze hebben me elektroshocks gegeven. Soms vergeet ik dingen. Wat moet ik zeggen? Ik ben geen slecht mens, Dieter, dat kan ik je garanderen.'

'Natuurlijk,' zei Dieter en hij verviel weer in stilzwijgen.

Na een martelende stilte die Ned niet durfde te verbreken met verdere uitleg of rechtvaardiging, nam Dieter weer het woord. Hij sprak langzaam en een beetje gegeneerd. 'Een paar jaar geleden ben ik ook verslaafd geweest. Ik ben gediplomeerd elektrotechnicus. Ik had een goede baan, en veel geld. Ik raakte een beetje te veel gesteld op heroïne en ben mijn baan kwijtgeraakt. Dankzij mijn fantastische vrouw Trude en de genade en liefde van mijn heiland Jezus Christus ben ik nu weer schoon en gezond. Ik zal je naar Hamburg brengen en je meenemen naar mijn kerk. Een kerk is beter dan welk sanatorium dan ook. Alleen de Heer kan mensen als wij helpen.'

'God zegene je,' fluisterde Ned. 'Je bent een echte Barmhartige Samaritaan.'

'Ik neem aan,' ging Dieter verder, enigszins blozend door het compliment, 'dat je geen paspoort hebt?'

'Nee,' zei Ned. 'Dat klopt.'

'Ze vragen er niet altijd naar bij de grens, maar zelfs als ze dat niet doen, zal de douane zeker mijn vrachtbrieven willen controleren. Het is beter als ze je niet zien. Het is nog een kilometer of vijftien. Ik stop bij het volgende tankstation en dan moet jij je verstoppen achter de lading. Ze doorzoeken de vracht nooit.'

'Laat me je wat geld geven voor als je diesel moet tanken.'

Eén angstig moment dacht Ned dat hij iets verkeerds had gezegd. Misschien was diesel inmiddels iets uit de prehistorie en reden vrachtauto's nu op methaan, of waterstof of op God mocht weten wat.

'Geld? Ik wil geen geld van je,' zei Dieter. 'Ik doe dit voor mijn Heiland. Dat is mijn beloning.'

Terwijl ze de vijftien kilometer naar het tankstation aflegden vroeg Ned Dieter, zo terloops mogelijk, naar zijn drugsverslaving en hoeveel geld het hem had gekost.

'Is heroïne zó duur?' vroeg hij verwonderd.

'Ja hoor, maar het is goedkoper als je het rookt,' zei Dieter. 'Maar dat moet jij toch weten? Waar was jij aan verslaafd?'

'Marihuana.'

'Heeft je familie je dáárvoor naar een sanatorium gestuurd? Allemachtig! Mijn moeder rookt elke avond een stickie.'

'Mijn ouders zijn heel ouderwets,' zei Ned, zich pijnlijk bewust van het feit dat hij nog heel wat over de wereld moest leren.

Ze remden af voor een stoplicht in de buitenwijken van Hamburg, en Ned voelde zich behoorlijk schuldig toen hij zijn gele plunjezak greep, het portier opende en uit de cabine sprong.

'Sorry, Dieter,' riep hij omhoog naar de man achter het stuur, 'maar ik denk echt niet dat jouw kerk me kan helpen.'

Dieter schudde treurig zijn hoofd en trok op met een gesis van remmen en twee stoten op zijn claxon. Ned sprong opzij en zwaaide de vrachtwagen na, tot die om een hoek verdween. Hij hoopte dat Dieter althans dat laatste gebaar in zijn zijspiegels had gezien zodat hij zou weten dat zijn hulp op prijs was gesteld.

En dat was zo. Ned had maar een uur aan beide zijden van de grens tussen de balen pulp weggedoken hoeven zitten. De achterdeuren van de vrachtwagen waren niet eens geopend, hoewel er twee keer, ten teken dat ze konden doorrijden, pal naast Ned op de zijkant een klets was gegeven waarvan zijn oren nog nasuisden. Dieter had erom moeten lachen en hem er de hele route door Sleeswijk-Holstein mee geplaagd.

'Dat was de Heer die tegen je sprak, Karl. Neem dat maar van mij aan.'

Ned draaide zich om en keek om zich heen. Het werd al laat, en hij had veel te doen. Bij een kleine *Sparkasse* wisselde hij zijn kronen in voor marken, waarna hij de straat overstak naar het metrostation en naar St. Pauli reed. Hij kon het gevoel niet van zich afschudden dat Babe hem nu observeerde en het heftig oneens was met wat hij ging doen.

In St. Pauli stak hij over naar de Reeperbahn. In Bar Bemmel, tegenover de Lehmitz, dronk hij bij het raam een glas melk terwijl de straat buiten zich opmaakte voor een wilde maalstroom van toeristische vrijdagavondrazernij. De lichten, de kleuren, het lawaai, de muziek, alles was hem volkomen vreemd. Hij zag mannen en vrouwen met sieraden en metalen staafjes door hun neus, oren en wenkbrauwen. Hij zag zwarte mannen met blond geverfd haar en Aziaten met oranje haar. Hij zag mannen hand in hand voorbij lopen. Een vrouw, die langs het raam liep waarachter hij zat, stak haar tong tegen hem uit. Ned had de indruk dat er een metalen knopje in zat. Hij knipperde met zijn ogen en slikte krampachtig.

'O, dappere nieuwe wereld, die zulke wezens herbergt...' prevelde hij voor zich uit en hij schudde zijn hoofd, als een hond die net uit het water komt.

In het U-Bahnstation had hij een kaart gekocht en drie folders met toeristische informatie, die hij twee keer had doorgelezen voordat een serveerster naar hem toe kwam en hem zei dat hij, als hij daar wilde blijven, meer moest verteren dan één glas melk in twee uur.

'Natuurlijk,' zei Ned. 'Brengt u me maar een van die,' en hij wees op een roze ogende cocktail op het tafeltje naast zich.

'Alle cocktails zijn vijf mark,' zei de vrouw.

Ned veronderstelde (sterker nog, had met eigen ogen gezien) dat zijn Deense visserskledij van spijkerbroek, dikke witte trui en met bont gevoerde korte jas geen uitdossing was die onder Hamburgse nachtbrakers erg courant was, en met een begrijpend glimlachje haalde hij een tienmarkbiljet te voorschijn.

'Ik heb de hele dag gevist. Hou de rest maar en neem zelf ook iets.'

De achterdochtige blik maakte meteen plaats voor een blije lach. 'Dank u, meneer.'

'Eh, wat ik wou vragen,' zei hij, toen ze hem zijn cocktail bracht. 'Wat zit er eigenlijk in?'

'*Cranberries*, grapefruit en wodka,' kwam het antwoord. 'Het heet Zeebries.'

'Goeie naam,' zei Ned, voorzichtig nippend. 'Hm... heerlijk.'

'Bent u toerist in Hamburg?' De serveerster wees op de kaart en de folders op Neds tafeltje.

'Inderdaad. Ik wil me eens een beetje amuseren. Is dit een gevaarlijke buurt?'

'De Reeperbahn? O, nee!' Ze lachte om het idee. 'Vroeger, misschien, ja, maar tegenwoordig komen er alleen maar zakenmannen en toeristen.'

'Aha,' zei Ned, 'dus geen drugshandelaars en dergelijke?' Hij zei het heel argeloos, maar sloeg de serveerster nauwlettend gade.

Ze boog zich voorover om zijn tafeltje schoon te vegen en fluisterde hem in zijn oor: 'Zoekt u misschien iets? Hebt u geld?'

'Ik zoek inderdaad iets,' antwoordde Ned. 'Kent u een... eh... betrouwbaar iemand? Ik zou u bijzonder erkentelijk zijn.' Hij keek veelbetekenend in zijn portefeuille en toen weer naar de serveerster.

'Ik zal mijn vriend bellen. Hij kent mensen. Wilt u *uptown* of *downtown*?'

Ned moest even nadenken over haar merkwaardige woordgebruik voordat de betekenis hem duidelijk werd.

'Ah, juist,' zei hij. '*Downtown*, graag.'

'Goed,' zei ze, een beetje verbaasd. 'Ik zal zien wat ik kan doen.'

'Dank je… Eh, ik weet niet hoe je heet.'

'Cosima.'

'Dank je, Cosima. Karl Freytag, om je te dienen.'

Ned zag Cosima achter de bar verdwijnen om op te bellen. Na nog geen halve minuut legde ze de hoorn neer en knikte in zijn richting. Hij knikte terug en dronk haar zwijgend toe met zijn glas. Hij pakte zijn plunjezak en liep naar het herentoilet om zich voor te bereiden.

De man die een half uur later Bar Bemmel binnenkwam, was ouder dan Ned, misschien wel vijftig, wat hem verbaasde. Hij zag er eerder uit als een succesvolle uitgever of directeur van een goed lopend reclamebureau dan als de in een leren jasje gehulde getatoeëerde gangster die Ned had verwacht.

'Günther. Ik begrijp dat u zaken wilt doen,' zei de man, terwijl hij plaatsnam zonder Ned de hand te reiken. 'Hoe kan ik u van dienst zijn, Herr Freytag?'

'Ik wil dat u van me aanpakt wat ik hier onder tafel houd,' zei Ned. 'Het is een injectienaald… Maakt u zich geen zorgen, er zit een dopje op.'

'Luister eens,' zei Günther, die half uit zijn stoel opstond. 'Ik zit in de verkoop, niet in de inkoop.'

'Zoek dan iemand voor me die wil inkopen,' zei Ned. 'Wat ik heb, is vloeibare diamorfine van farmaceutische kwaliteit, de zuiverste heroïne die er bestaat. Genoeg om een heleboel geld voor te vangen.'

Günther ging weer zitten. 'Hoeveel?'

'Ik heb voor een waarde van een half miljoen mark, wat u op zijn minst kunt verdubbelen als u het goed snijdt. Ik vraag vierhonderdduizend in contanten, een geldige creditcard en een contactpersoon via wie ik een paspoort kan kopen.'

Günther keek Ned een seconde of vijf recht in zijn ogen en stak toen zijn hand onder tafel om de spuit aan te pakken.

'Ik wil wat van het spul om te testen.'

Daar had Ned op gerekend. 'Tweeduizend mark borg,' zei hij.

Günther knikte, en Ned schoof een ampul onder de tafel door.

'Ik ga even bellen,' zei Günther. Hij stond op, trok een mobiele telefoon uit zijn zak en begaf zich buiten gehoorsafstand. Ned zag hem een sigaret aansteken, een nummer intoetsen en in de telefoon spreken. Hij verbaasde zich over de technologie en vroeg zich af hoe ver het bereik van zulke apparaatjes was. Ned zat te ver van Günther vandaan om iets van het gesprek op te vangen, maar toen de Duitser weer naar hem toe kwam, leek alles in orde, en hij glimlachte kort en strak.

'Hier is uw tweeduizend,' zei hij, Ned een pakje sigaretten toeschuivend. 'Ik ben over een uur terug. Als alles naar tevredenheid is, gaan we samen naar een adres waar de rest van uw spul ook wordt gecontroleerd. Cosima houdt u in de gaten. Als u er met mijn tweeduizend mark vandoor gaat, voordat ik terugkom, wordt u gevolgd en aangepakt. Heel stevig. Als alles goed gaat, ligt er over twee dagen een paspoort voor u klaar, de creditcard en de contanten krijgt u vanavond. Hebt u dat begrepen en gaat u ermee akkoord?'

'Volkomen.' Ned stak zijn hand uit en glimlachte. 'Een fles champagne staat op u te wachten.'

'*Bis bald*,' zei Günther en hij schudde Ned kort de hand voordat hij wegliep.

'*Tschüss!*' zei Ned.

Vijf minuten nadat Günther was weggegaan, wenkte Ned Cosima.

'Bedankt, Cosima,' zei hij en hij stopte haar een briefje van honderd mark toe. 'Je bent erg vriendelijk geweest.'

Cosima glimlachte en stopte het geld in haar schort. 'Geen dank.'

'Dus Günther is je vriend?'

Daar moest ze om lachen. 'O, nee,' zei ze. 'Mijn vader.'

Ned probeerde geen verbaasd gezicht te trekken. 'Juist. O, wat ik je nog wou vragen, Cosima,' zei hij toen, want er was hem opeens iets ingevallen. 'Wat is volgens jou het beste hotel in Hamburg?'

Ze keek Ned met half geloken ogen aan, als een schilder die een model taxeert. 'Voor u zou ik zeggen *Die Vier Jahreszeiten* aan de

Neuer Jungferstieg. Heel chic. Heel ouderwets. Net als u.'

'Je vleit me. Nog één ding, voordat je me een kop koffie brengt en nog een glas melk.' Van de Zeebries was hij duizelig en licht in het hoofd geworden. 'Is er hier in de buurt over ongeveer een uur nog een fatsoenlijke kledingzaak open? Ik heb ook wat reisgoed nodig.'

'Dit is Hamburg!' zei Cosima. 'Hier sluit nooit iets.'

'Mooi. Misschien kunnen we dan samen gaan winkelen. Nadat ik mijn zaken met je vader heb afgehandeld, natuurlijk.'

Cosima glimlachte stralend. 'Mijn lievelingsbezigheid. Hugo Boss, dacht ik. Iets donkers en elegants.'

De platina American Expresscard die Günther voor Ned had versierd, stond op naam van Paul Kretschmer, en de blonde vrouw in het zwart achter de balie wierp er amper een blik op toen ze hem door een apparaatje haalde dat onder de balie stond, en hem samen met zijn kamersleutel teruggaf. Ned veronderstelde dat het een soort kassa was, maar van een type dat hij nog nooit had gezien.

'O, trouwens,' zei hij. 'Ik moet maandagochtend een vlucht naar Genève hebben.' Hij gaf haar een opgevouwen biljet van honderd mark en zijn charmantste glimlach. 'Zou u dat voor me in orde kunnen maken?'

'Natuurlijk, Herr Kretschmer,' zei ze stralend. 'Met genoegen. Wilt u Swiss Air vliegen of Lufthansa?'

'Weet u wat,' zei Ned. 'Ik laat het aan u over. Eerste klas.'

'Eerste klas?' Ze fronste even. 'Ik weet niet zeker of ze op zo'n korte vlucht eerste klas hebben.'

'Geeft niet,' zei Ned luchtig. 'Als ik maar een goede plaats heb.'

'Natuurlijk, Herr Kretschmer. Kan ik u vanavond nog met iets anders helpen?'

'Het is een lange dag geweest,' antwoordde Ned. 'Alleen een douche en een bed. Geen telefoontjes, graag.'

Hij liep naar de liften en probeerde niet geïmponeerd te raken door de overdaad aan laat-negentiende-eeuws marmer, mahonie en eikenhouten lambrizering die hem omgaf. Geen telefoontjes! Hij glimlachte om zijn eigen brutaliteit.

De receptioniste keek hem na terwijl hij met een krachtige, atletische pas naar de liften liep en wendde zich naar de manager.

'O, mijn God,' zei ze. 'Ik ben verliefd, denk ik.'

'Ik ook,' zei de manager.

Ned bracht de zaterdagochtend door met spelen met de afstandsbediening van de televisie en het lezen van de tijdschriften in zijn kamer. Günther belde hem rond lunchtijd en nodigde hem uit om die avond bij hem te komen dineren; hij woonde vlak bij het hotel om de hoek.

'Het zal me een eer en een genoegen zijn,' antwoordde Ned. 'Ik ga vanmiddag wat boodschappen doen. Zou uw charmante dochter bereid zijn me daarbij te vergezellen? Ik kan u verzekeren dat mijn bedoelingen strikt eerbaar zijn.'

Hij hoorde Günther grinniken aan de andere kant van de lijn. 'Dat zal een vreselijke teleurstelling voor haar zijn,' zei hij. 'Zij had gehoopt dat uw bedoelingen allesbehalve eerbaar waren!'

Geholpen door Cosima kocht Ned een laptop, een printer en een flink aantal boeken over computers en het internet. De tijdschriften in zijn kamer bleken vol te hebben gestaan met artikelen daarover en hij wilde alles begrijpen van een wereld die zo belangrijk leek. Hij had Cosima schuchter gevraagd wat het internet was, en ze had hem een antwoord gegeven dat zijn verwarring alleen maar had vergroot.

De winkel waarin ze de computer kochten had nog het meeste weg van een grot van Aladdin, die vol stond met onbegrijpelijke toverspullen. Ned had geprobeerd zijn verbazing te onderdrukken bij de beelden op het scherm, de uitgeprinte kleurenfoto's, de scanners, de videocamera's, de *global positioning*-apparatuur en de elektronische agenda's die hem werden getoond. Compactdiscs deden hem denken aan een aflevering van *Star Trek* die hij als jongen had gezien, en de mobiele telefoon die hij kocht, eentje die uitklapte wanneer hij wilde bellen, bracht hem het *Starship Enterprise* nog veel sterker in gedachten. Toen hij ontdekte dat die mobieltjes veel meer waren dan alleen walkie-talkie's, en dat hij ermee kon bellen naar elke telefoon, mobiel of niet, in elk land, viel zijn mond letterlijk open, en Cosima en de winkelbediende hadden moeite om niet in lachen uit te barsten. Hij was Rip Van Winkle, die wakker werd uit een slaap van honderd jaar.

In het station tegenover het Alster Hotel liep hij een fotocabine binnen en liet zes pasfoto's maken. Terwijl hij zat te wachten tot de foto's te voorschijn kwamen, prevelde hij: 'God zij dank is niet alles veranderd. Deze apparaten kan ik me tenminste nog herinneren.'

Het kostte de portier van het hotel twee trips om al Neds bagage van de taxi naar zijn suite over te brengen, en hij stond met zo'n blik van komische verbijstering naar de in de zitkamer opgestapelde boodschappen te kijken, dat Cosima op haar tenen ging staan en hem een zoen gaf.

'Waar heb je gezeten, Karl?'

'Je moet me geen Karl noemen,' zei Ned. 'Hier heet ik Paul Kretschmer.'

'Volgens mij kom je van een andere planeet. Uit de hemel, misschien?'

'Uit de hemel?' Ned glimlachte. 'Nee, zo zou ik het niet willen noemen.'

'Waarvandaan dan? Je hebt nog nooit een computer gezien, een mobiel, een cd, een *Palm Pilot*, een videocamera... waar kom je vandaan?'

Ze duwde hem in de richting van de slaapkamer, maar hij zette zich schrap als een muilezel.

'Cosima...'

'Waaruit ik concludeer dat je waarschijnlijk ook nog maagd bent. Niet bang zijn.'

Bang.

Ned besefte opeens dat hij, gezien alles wat hij in de laatste vierentwintig uur had gedaan, en het vreemde universum waarin hij na achttien jaar was opgedoken, eigenlijk wel degelijk bang zou moeten zijn. Hij zou geschrokken moeten zijn van die verbijsterende wereld van infrarood, satellietwaarneming en microgolven, geschrokken van al die apparatuur met zijn knopjes en piepjes. Hij zou ook geschrokken moeten zijn van het feit dat hij in deze wereld moederziel alleen was en geen vrienden had, hij zou geschrokken moeten zijn van Günther en, bovenal, hij zou op zijn benen moeten staan te trillen van de roekeloze nonchalance waarmee hij tot nu toe alles voor elkaar had gekregen. Maar hij wist dat hij iemand was geworden die nooit meer angst zou kennen. In het verleden was hij bang geweest om wat hem was overkomen. Voortaan zou hij nooit meer het passieve slachtoffer worden van de gebeurtenissen. Er zou hem nooit iets *overkomen*. Hij zou andere mensen dingen laten overkomen, en in hem zou er nooit meer plaats zijn voor angst.

'Oké,' zei hij en hij liep achter Cosima aan de slaapkamer in. 'Onderricht me dan maar. Ik ben een snelle leerling.'

De volgende middag bracht Günther een bezoek aan *Die Vier Jahreszeiten* en trok met een triomfkreet een fonkelnieuw Duits paspoort uit zijn binnenzak. Ned pakte het gretig aan, maar nog voordat hij het had opengeslagen om een blik te werpen op zijn foto, had hij opnieuw zijn onwetendheid verraden.

'*Duitsland*? Maar er staan niet op welk van de twee...'

Günther keek zijn dochter stomverbaasd aan. 'Welk van de twee?'

'Er bestaat maar één Duitsland,' zei Cosima. 'Sinds negenentachtig. Vertel me niet dat je dat niet wist?'

'Ach, ja... natuurlijk.' Ned glimlachte moeilijk. 'Ik was het even vergeten.'

'Vergéten?' Günther keek hem ongelovig aan.

'En dat terwijl ik net had bedacht dat je een verdwenen Oost-Berlijner was,' verzuchtte Cosima, 'een net in de maatschappij teruggekeerd slachtoffer van de Stasi. Nu weet ik het helemáál niet meer.'

'Wie ben je?' vroeg Günther. 'Wie ben je in vredesnaam? Je bent Duitser, maar je weet niets van Duitsland.'

'Laten we het erop houden dat ik een tijd weg ben geweest. Is het van belang? We hebben zaken gedaan en elkaar geholpen. Ik ben jullie allebei heel dankbaar voor alles.' Ned pakte een fles champagne uit de koeler. 'Morgenochtend vlieg ik naar Zwitserland, laten we elkaar dus toedrinken en als vrienden uit elkaar gaan.'

'Geef maar hier,' zei Cosima, 'het gaat beter als je de kurk heen en weer draait, zie je wel? Wanneer kom je terug?'

'Mijn plannen zijn nog onzeker. Zeg, Günther, beschik jij in Genève misschien over contacten die nuttig voor me zouden kunnen zijn?'

'Heb je nog meer te verkopen? In dat geval wil ik het met genoegen van je afnemen.'

'Nee, nee, ik heb misschien nóg een paspoort nodig, dat is alles.'

'Dan moet je mijn vriend Nikki hebben,' zei Günther en hij schreef een nummer op een kaartje. 'Het is een Rus, maar er gebeurt in Genève niets zonder zijn goedkeuring.'

'Bedankt.' Ned pakte het kaartje aan van Günther en reikte hem een glas aan. '*Prosit.*'

'*Prosit.*'

Cosima was op de rand van tranen toen ze met haar vader wegging. 'Ik zie je nooit meer terug,' snikte ze, terwijl ze zich aan Neds jasje vastklampte.

'Onzin, je bent een fantastische vriendin voor me geweest, natuurlijk zien we elkaar terug. Ik vergeet mijn vrienden niet. Ik doe nog wel eens een beroep op je.'

'Kom, lieverd,' zei Günther vanuit de deuropening. 'Tot ziens, Karl, Paul, of hoe je ook heet. Als je nog eens tegen zo'n partijtje aanloopt...'

'Je bent de eerste die het hoort,' verzekerde Ned hem.

Hij deed de deur dicht en leunde er met zijn rug tegenaan.

Buiten, op de gang, hoorde hij Günther tegen zijn dochter fluisteren: 'Een geestelijk gestoorde, wat ik je zeg.'

'Pap, hij is de normaalste man die een van ons ooit is tegengekomen, en dat weet je heel goed.'

'Hij kan nog geen fles champagne openmaken.'

'Betekent dat dat je gek bent? Jij kunt nog geen pot augurken openmaken.'

'Wie zou er anders dat soort eersteklas medicijnen te pakken kunnen krijgen?'

Op weg naar de lift bleven ze redetwisten.

Ned keek met een glimlach naar zijn door de kamer verspreide inkopen. Hij had een boel in te pakken.

Ned liep de hal binnen van de *Banque Cotter Cantonaise* en glimlachte naar de duur beparelde vrouwelijke kassier.

'Zou ik de manager kunnen spreken? Het gaat over mijn rekening.'

Het was allemaal leuk en aardig dat Babe nummers en wachtwoorden had opgeschreven, maar hoe legde je het in feite aan om geld op te nemen bij een Zwitserse bank? Ned hield er ernstig rekening mee dat hij nul op het rekest zou krijgen. Het beeld doemde voor hem op van een gladde bankemployé die hem met superieure minachting zou bezien.

'Deze rekening is dertig jaar geleden geopend, meneer. Hij kan niet van u zijn.'

'Ik... het was mijn vaders rekening.'

'We hebben geen instructies van hem. Hebt u papieren, meneer? Een machtiging, of zo?'

Zoals Ned het zich voorstelde, zou de gekrijtstreepte employé op een belletje onder zijn bureau drukken, waarna hij op straat of misschien wel in de gevangenis gegooid zou worden wegens poging tot fraude. Of misschien waren de Britten hem voor geweest, en hadden ze de bank al lang geleden gewaarschuwd.

'Meneer, deze rekening is al jaren geleden opgeheven. Onze veiligheidsfunctionaris zal u nu begeleiden naar het Britse Consulaat.'

Misschien was de hele zaak alleen maar een product van Babe's vruchtbare fantasie geweest.

In werkelijkheid ging het allemaal een stuk soepeler.

De kassier gaf hem een formulier waarop hij het rekeningnummer invulde. Er was geen ruimte voor wachtwoorden. Ze nam het formulier van hem aan, wierp er een blik op en verdween door een deur die met een elektrisch slot achter haar dichtklikte in een kamer achter het loket. Korte tijd later kwam een onberispelijke jongeman, die zo veel weg had van de gekrijtstreepte employé uit Neds verbeelding dat hij erom moest glimlachen, uit de kamer de hal inlopen.

'Hoe maakt u het, meneer?' vroeg hij in het Engels, terwijl hij zijn hand uitstak. 'Pierre Gossard. Wilt u even meekomen?'

Ned werd meegenomen naar een duur ingerichte kantoor met als opvallendste meubels een Louis Quinze-bureau en twee dito stoelen. Gossard ging aan het bureau zitten en wees op een van beide stoelen.

'Even een paar formaliteiten,' zei hij, tikkend op het toetsenbord van een computer die nogal detoneerde op het overdadig geornamenteerde bureau. 'Misschien zou u zo vriendelijk willen zijn om voor mij het eerste deel van de wachtwoordzin op te schrijven?'

Hij schoof Ned een vel papier toe en Ned schreef er de woorden 'Simon zegt' op, waarna hij het vel over het bureau terugschoof naar Gossard, die er een blik op wierp, op zijn computerscherm keek en knikte. Hij schoof het papier terug naar Ned.

'En het tweede deel van de zin?'

'Dit is een overval,' schreef Ned en hij schoof het briefje andermaal terug.

Gossard glimlachte dunnetjes en borg het stuk papier op in metalen kistje.

'Goed, alles lijkt in orde, meneer. Hoe kan ik u van dienst zijn?'

'Ja, eerst zou ik eigenlijk willen weten hoeveel er op mijn rekening staat.'

'Mm-hm....' Gossard tikte nog wat op zijn computer. 'U begrijpt dat ik, aangezien uw rekening is gekoppeld aan de aandelenindexen van de Europese beurzen, u alleen het saldo kan geven, zoals dat was bij het sluiten van de handel op vrijdag jongstleden. Er heeft de afgelopen dertig jaar een substantiële aanwas plaatsgevonden.'

Ned knikte alsof gesprekken over aandelenindexen, beurzen en substantiële aanwassen voor hem dagelijkse kost waren. Gossard schreef een getal op een nieuw velletje en schoof dat Ned toe, die het las.

'Dat zijn Zwitserse francs?' vroeg hij, iets wegslikkend.

'Inderdaad,' zei Gossard.

Ned slikte opnieuw en maakte een snelle hoofdrekensom. Ruwweg tweeëneenhalve francs voor een pond. Allemachtig.

'Nu wat betreft wat ik met mijn rekening wil doen,' zei hij zo natuurlijk mogelijk. 'Daar wil ik graag nog even over nadenken. Kan ik een afspraak met u maken voor vrijdag? Ik neem aan dat u verder niets van mij nodig hebt?'

'Helemaal niets, meneer. Aangezien uw rekening al van zo oude datum is, valt hij niet onder de nieuwe wetgeving ten aanzien van het bankgeheim. Maar hij is anderzijds nog niet zo oud dat hij valt onder de recente jurisprudentie wat betreft schadeloosstelling aan joodse rekeninghouders.'

'Uitstekend,' zei Ned. 'Vrijdagochtend elf uur, schikt u dat?'

'Met genoegen, meneer.'

Ned stond te trillen op zijn benen toen hij zijn suite in *Hôtel d'Angleterre* betrad. Hij ging op het balkon zitten met een kop koffie en keek uit over het meer. In de spuitende fontein iriseerde een regenboog.

Ned staarde naar de regenboog en huilde.

'O, Babe. Waarom ben je niet bij me?'

Hij keek naar het velletje postpapier van het hotel waarop hij een stel cijfers had genoteerd.

'Inderdaad een substantieel bedrag,' prevelde hij voor zich uit, terwijl de tranen op het papier drupten. 'Ook als je bedenkt wat een kop koffie tegenwoordig kost, blijft driehonderdvierentwintig miljoen pond een substantieel bedrag. O, Babe, er bestaat zoiets als rechtvaardigheid. Toch wel.'

IV

Duchtig doordacht

Simon Cotter landde in de herfst van 1999 met zijn privé-vliegtuig in Engeland. Zijn reputatie als financieel avonturier was hem vooruitgegaan.

Er was geen ambitieuze jonge man of vrouw in Europa die niet de aandacht wilde trekken van deze opmerkelijke boekanier. Niemand die zo hoog was gerezen op de dotcom-*hausse* en zo veel geld pompte in jonge, energieke en ambitieuze dromers met bedrijfjes die, eenmaal gelanceerd op de Europese technologiebeurzen, openingskoersen haalden waar de ogen van doorgewinterde handelaren van uit hun kassen puilden. Sommigen zeiden dat de opgeblazen, glanzende ballon van de *e-commerce* spoedig zou knappen, maar vooralsnog zweefde niemand hoger dan Simon Cotter van CotterDotCom. De doemdenkers lieten niet na te zeggen dat de ballon zijn hoge vlucht te danken had aan gebakken lucht en dat de wereld duizelig aan het worden was van hoogteziekte. De gelovigen hielden vol dat de onderneming dreef op een geest van ware vernieuwing en ondernemingslust en dat zij de sceptici ruimschoots zou overleven.

Cotter was nog geen veertig, maar volgens de geruchten bezat hij vijfentwintig miljoen voor elk levensjaar dat hij telde. Een website hield een schatting bij van zijn vermogen, afgezet tegen de koerswisselingen, en deelde op een dag in oktober mee dat hij vier miljoen pond sterling had verdiend in niet meer dan acht uur handelen. De Man van het Millennium was opgestaan en stond, tot grote opwinding van de Britse pers, op het punt zich te gaan vestigen in Engeland, dat volgens sommigen zijn geboorteland was.

Hij was ongetrouwd en moest een magnetische aantrekkingskracht hebben die zowel vrouwen als mannen naar adem deed snakken van bewondering. Cynici stelden dat zelfs een dode zeekomkommer met zo veel geld en macht nog charisma en sex-appeal zou uitstralen. Niet per se, werd daar tegen ingebracht – kijk maar naar Bill Gates. Het is niet alles goud wat er blinkt.

Het feit dat niemand wist waar Simon Cotter met zo'n onbetamelijke snelheid vandaan was gekomen maakte het mysterie alleen maar groter. Het ene moment had de wereld nog nooit van Cotter gehoord, het volgende was hij groter dan Harry Potter. Er werden zelfs gedichten over hem geschreven die profiteerden van dat handige rijm.

Het gerucht wilde dat de man negen talen sprak en onverslaanbaar was aan het backgammonbord. De Fransen geloofden dat hij een Fransman was, maar ook de Duitsers, de Italianen en de Oostenrijkers hielden hem voor een landgenoot. De Zwitsers wezen op zijn hoofdkantoor buiten Genève, nog geen vijf kilometer van de plek waar het World Wide Web zelf was ontstaan, en verklaarden dat Cotter Zwitserser was dan de Zwitserse Garde. Anderen legden hun vinger tegen hun neus en fluisterden geheimzinnig over de Russische maffia, Columbiaanse kartels en andere duistere, gevaarlijke hoeken van de wereld. Genève mocht dan de geboorteplaats zijn van het World Wide Web, zeiden ze, het was ook 's werelds financiële witwasserette. Wie zo veel geld heeft, kan onmogelijk schone handen hebben, zeiden ze. Het kon niet duren, zeiden ze. Het was de laatste opflikkering van de kaarsvlam, zeiden ze.

Verstandiger hoofden deden er het zwijgen toe en verwaardigden zich niet acht te slaan op het geblaat van de kuddedieren. Die praatten naar ze verstand hadden. Kletsen en roddelen was goedkoop en werd steeds goedkoper. Die hele revolutie in de wereld van het telefoonverkeer, met zijn faxen, *pagers*, mobiele en satelliettelefoons, e-mail, intranet en videovergaderingen was toch niets anders dan een goedkope en snellere manier om te kletsen, te roddelen en te ouwehoeren? Als het meer voorstelde, mochten ze het van hen houden, voorlopig. Geef ons tijd om na te denken, zeiden ze. Wij die op het perron blijven staan wachten, komen misschien later aan dan zij die nu in de langsrazende trein springen, maar wij hebben een betere kans op een goede plaats en een rustige reis. Wij bereiken op den duur ook het eindstation, maar dan uitgerust en energiek. Verstandige mensen stappen alleen in als de trein stilstaat.

Cotter gaf zich evenmin bloot. Zijn woordvoerders kondigden regelmatig met veel poeha en bombarie het nieuwste jonge, dynamische bedrijf aan waar CDC geld in pompte, en van tijd tot tijd woonde hij persoonlijk de lancering bij van een nieuwe dotcomonderneming die zijn speciale belangstelling genoot, maar de Robespierre van de Digitale Revolutie gaf zelf geen interviews en vergastte de wereld niet op theorieën om te herkauwen en analyseren. Met zijn donkere haar, zijn baard en de zonnebril die hij nooit afzette, had de pers ook nog andere bijnamen voor hem verzonnen. Cyberjezus, noemden ze hem, en de Hippe Dotcom-Heiland.

Toen hij, geheel tegen zijn gebruikelijke terughoudendheid in, tijdens een bedrijfslancering in Lausanne aan een verslaggever van een financieel dagblad uit Londen onthulde dat hij binnenkort naar huis zou terugkeren, ging er een zucht van blijdschap en trots door heel Engeland. Hij kreeg onmiddellijk kaartjes aangeboden voor de Millenniumnacht in de *Dome*, samen met het lidmaatschap van vier clubs, een ongelimiteerde rekening bij wel tien kleermakers en de gelegenheid om zich op Channel Four te laten interviewen door Chris Evans. Dat laatste aanbod sloeg hij af.

'Ik ben in feite totaal oninteressant,' liet hij de producer per e-mail weten. 'U kunt veel beter iemand anders nemen. Heus, ik zou u alleen maar vervelen.'

Men geloofde hem niet, en de horde verslaggevers die hem op Heathrow opwachtte zou menig popster hebben gevleid.

Onder de Britten die in de weken daarna het commentaar en de analyses van de media volgden, waren er heel wat die onmiddellijk naar de pen grepen om hem brieven te schrijven waarin ze hun ideeën uiteenzetten voor nieuwe, wereldveroverende internetsites of platweg bedelden om geld, een baan of een donatie voor een goed doel.

De reacties van drie verschillende personen zijn echter van bijzonder belang.

Ashley Barson-Garland, Lagerhuislid en topadvocaat, had kort tevoren de merkwaardige Lagerhuisloterij gewonnen die gewone leden het recht geeft op een poging hun eigen wetsvoorstel door het parlement te loodsen. Barson-Garland was altijd een groot pleitbezorger geweest van wetgeving die het accent legde op de betrokkenheid van zijn partij bij het gezin. Hij wist dat elke partij bij de volgende verkiezingen, wanneer die ook zouden plaatsvinden, zou proberen zichzelf op te werpen als de ware kampioen van de Gezinswaarden. Aangezien zijn partij die verkiezingen vrijwel zeker zou verliezen, wist hij dat hij er heel verstandig aan zou doen zichzelf te profileren als de vooraanstaande Tory-woordvoerder voor Gezinszaken. Wanneer het stof van de nederlaag eenmaal neergedwarreld en de huidige partijleider, zoals onafwendbaar leek, vertrokken was, zou de Conservatieve Partij gaan omzien naar iemand als Ashley om hen in 2005 naar de overwinning te voeren, het jaar dat op zijn eigen kalender al lang stond aangekruist als het jaar waarin hij de ambtswoning op Downing Street 10 zou betrekken.

Zijn wetsvoorstel behelsde de tot nu toe strengste wetgeving ten aanzien van het internet. Alle Britse netproviders zouden wettelijk aansprakelijk worden voor alle ongepaste zaken die hun kanalen passeerden. Barson-Garland wilde een het gehele eiland omvattende waterkering oprichten om het Britse gezin te beschermen tegen de 'vloedgolf van vuiligheid' die de 'kwetsbare jeugd' en andere 'risicogroepen in de samenleving' dreigde te overspoelen. (Hij had zijn scrupules ten aanzien van clichés al lang geleden overwonnen. Ze werkten. Om de een of andere idiote reden werkten ze en je zou wel gek zijn om je erboven verheven te voelen.) Onder de bepalingen van zijn Internet Serviceproviders Wet zou er een onafhankelijke instantie in het leven worden geroepen die het recht had naar willekeur alle e-mail te controleren, ongeveer zoals de politie het recht had snelheidcontroles met radar uit te voeren. Iedereen die zich tegen die wetgeving zou verzetten, mocht zichzelf dan wel beschouwen als een verdediger van de vrijheid, maar was, in feite, zoals Barson-Garland zou aantonen, niets anders dan een vijand van Het Gezin. Alleen mensen die iets in hun schild voerden of te verbergen hadden, konden bezwaar hebben tegen de zuivering van *cyberspace*. Normale, fatsoenlijk, gezagsgetrouwe burgers zouden een dergelijke maatregel toejuichen.

Hij verwachtte niet dat zijn wetsvoorstel het zou halen. Door gewone Lagerhuisleden ingediende wetsvoorstellen deden dat zelden, maar het was een manier om een vaderlandslievende vlag te planten op het grondgebied van Het Gezin, en om alvast een strijdpunt voor de volgende verkiezingen aan te scherpen. De Labourregering had al geprobeerd haar zorg voor het gezin te demonstreren door te praten over belastingvoordelen, kinderbijslag en andere constructies waarbij zelfs degenen die er direct baat bij hadden in slaap vielen. Met zijn wetsvoorstel had Barson-Garland een wapen in de strijd geworpen dat New Labour zou dwingen kleur te bekennen. Als ze zo dwaas zouden zijn om zich ertegen te verzetten, zou hij daar veel politieke munt uit kunnen slaan.

De boulevardpers was al op zijn hand. Ashley Barson-Garlands Grote Nationale Waterkering sprak de 'instincten' (zoals ze hypocrisie en vooroordeel beliefden te noemen) aan van de 'overgrote meerderheid' die zich zorgen maakte over 'pseudo-asielzoekers' en 'voortwoekerend' Eurofederalisme. Wat was het internet per saldo anders dan slinkse culturele immigratie van de verderfelijkste soort? Kinderen (*kinderen*, nota bene!) werden uitgeleverd aan homoseksuele propagandisten, antikapitalistische oproerkraaiers, drugshandelaars en pedofielen. Godzijdank was er een man als Ashley Barson-Garland opgestaan om zich hier tegen te verzetten. Zijn wetsvoorstel 'raakte de juiste snaren' en 'zond de juiste signalen uit'.

Op deze avond zat de held van de normale, fatsoenlijke, gezagsgetrouwe burger te kijken naar een BBC-programma over 'Het Dotcom Fenomeen', voornamelijk om te zien hoeveel van wat hij in een interview tegen de producers van het programma had gezegd, eruit was gesneden, verdraaid of domweg weggelaten. Toen er een reportage kwam over Simon Cotter, lachte hij verachtelijk om het begeleidende, in journalistieke sensatiestijl gegoten commentaar, maar hij spitste zijn oren bij het bericht dat Cotter zich in Engeland ging vestigen. Hij opende zijn laptop, toetste zijn wachtwoord in en maakte een aantekening in zijn dagboek:

Net als Winston Churchill merk ik dat ik de woorden 'patriotisme', 'Engeland' of 'thuis' maar hoef te horen of te lezen, of de tranen springen me in de ogen. Ik geloof dat ze dat 'seniele labiliteit' noemen. In mijn geval lijkt het voortijdig te zijn begonnen. Wat een ommekeer... als tiener kreeg ik een stijve bij het louter zien van de woorden 'knaap' of 'jongen'. Op middelbare leeftijd zijn het de woorden 'gezin', 'haard' en 'land' die van de pagina's knallen, en zijn het mijn ogen die reageren. Verschillende symptomen van dezelfde ziekte, ongetwijfeld...
Die Simon Cotter interesseert me. Hij heeft nog geen openlijk standpunt ingenomen. Hij is een kampioen van het vrije ondernemerschap en moet dus wel een Tory zijn, hoe alternatief hij er ook uitziet. Nu de glans er bij New Labour wel een beetje af is zal hij gevangen en gevoederd moeten worden. Hij zal mijn wetsvoorstel waarschijnlijk instinctief als een bedreiging zien. Maar als ik eens een onderhoud met hem aanvraag... en hem wijs maak dat ik zijn inbreng op prijs stel, bereid ben alle betrokken partijen te raadplegen, alle standpunten diepgaand te onderzoeken, alle meningen te beluisteren, alle keuzes af te wegen, alles mee te nemen en niets uit te sluiten, enz. enz., dan zou hij zich misschien zo gevleid voelen, dat hij bereid is tot een vorm van samenwerking. Wat een vangst zou dat zijn...

Ashley klapte zijn laptop dicht en keek weer naar het tv-scherm. Er werd gediscussieerd over zijn wetsvoorstel. Een of ander sluikharig, hufterig miljonairtje in een T-shirt verweet Barson-Garland dat hij een gesteriliseerd intranet wilde scheppen dat Engeland van de rest van de wereld zou isoleren.

'*Cyberspace* is net een gigantische stad,' betoogde het slome eikeltje, met klinkers die Ashley langs zijn trommelvliezen schuurden, en een oplopende zinsmelodie die alles wat hij eruit kraamde als een vraag deed klinken. 'Naast winkelcentra, galeries, musea en bibliotheken heeft het zijn sloppen en rosse buurten. Zeker. Dat geldt voor Amsterdam, New York, Parijs, Berlijn en Londen. Het geldt niet voor Riad in Saoedi-Arabië, of Montgomery in Alabama. Waar willen we liever wonen, in Londen of in Riad? In Amsterdam of in Alabama? Denk daar eens over na, ja? Waar vrijheid is, vind je seks, drugs en rock-'n-roll. Op het internet is het niet anders.'

Ashley snoof van verontwaardiging. 'En waar je seks, drugs en rock-'n-roll vindt,' zei hij, 'vind je ontwortelde gemeenschappen, gespleten gezinnen en moreel braakland, bevuild door zwatelende nullen als jij.'

Die zin beviel hem en hij schreef hem onder zijn laatste dagboekaantekeningen.

Rufus Cade ging zijn flat binnen en plofte neer op een bank.

'Ik word godverdomme te oud voor dit werk,' zei hij tegen zichzelf en hij loosde een zware zucht.

Hij zag zijn antwoordapparaat knipperen en negeerde het. Waarschijnlijk Jo, Jane of Julie om te klagen over geld. Waarom had hij in ieder geval niet één keer in zijn leven kunnen trouwen met een meisje wier naam niet met een J begon? Gewoon om het eens te proberen. Lucy op kantoor, dat was een goeie meid. Goed op kantoor en verdomd goed in bed. Zoë ook. En Dawn. Zíj dreigden hem niet met gerechtelijke bevelen en brieven van advocaten. Ze noemden hem 'Rufie' en plaagden hem met zijn gewicht. In zijn volgende leven zou hij met een boog om elke J heen lopen. Jammerende teven, stuk voor stuk. Schoolgeld, ziekteverzekering, vakantie. Elk kind, ging het woedend door hem heen terwijl hij zijn laatste coke op het glazen blad van de salontafel tikte, élk kind moet tegenwoordig godverdomme een gebitsbehandeling krijgen. De een of andere klootzak in Soho heeft besloten dat beugels *cool* zijn, en er is geen tiener in het hele land zonder een dure, veelkleurige, metalen bedrading op zijn voortanden. Ze konden allemaal de pleuris krijgen.

Hij pakte een krant op. De puistenkop van de laatste computerpubermiljonair grijnsde hem van de voorpagina tegemoet.

'Eikels,' mompelde Rufus, 'hoe flikken ze het in jezusnaam?'

Vorige week had Rufus Michael Jackson, Madonna, Marilyn Monroe en de Prins van Wales naar de lancering gestuurd van al weer een nieuw *e-commerce* bedrijf (*e-tailers* noemden ze zich nu, om je dood te lachen!) in het Business Design Centre. Om de een of andere reden hadden de mensen achter de lancering (Cotter-DotCom, wie anders?) Rufus ook gevraagd om erbij te zijn, wat hem had geïrriteerd en bevreemd. Hij had wel wat beters te doen dan toe te kijken hoe Madonna wijn morste en Michael Jackson zich aan zijn haren liet trekken door dronken journalisten. Waarom wilden ze hem daarbij hebben? Maar hij kon moeilijk met ze in debat gaan. Wie het orkest betaalt, mag het programma samenstellen, nietwaar, en CDC betaalde beter dan wie ook. De meeste mensen dachten dat Rufus' bedrijf al over zijn top heen was (te jaren tachtig, liefje, zo *vieux gâteau*), en dus was dit blijk van vertrouwen van een toponderneming als CDC onbetaalbare reclame voor hem. Rufus zou in zijn blote kont door brandende hoepels zijn gesprongen als ze dat van hem hadden verlangd.

Hij had als een dikke pudding staan kijken naar zijn modellen die rondgingen met drankjes en hapjes. Hij had geluisterd naar een presentatie die hem verveelde en irriteerde, en was dronken geworden. Let wel, hij had gescoord, dus was het niet helemaal een verknoeide ochtend geweest. Nu hij eraan dacht, besefte hij opeens – hij keek op zijn horloge – dat John elk ogenblik kon komen.

Krankzinnig, zoals dat gegaan was. Hij had net een goeie snuif genomen en kwam uit het toilet, toen daar die ouwe dikzak zijn haar had staan kammen in de spiegel.

– Ik heb nog wel meer van dat spul, als je trek hebt.

– Wat voor spul? Het was niet erg waarschijnlijk dat hij van de politie was, maar je wist maar nooit.

– Als je geen interesse hebt, ook goed. Hartstikke zuiver spul, bijna voor niks. Neem maar 's een lijntje.

En die vent geeft me er eentje, zo maar. Ongelooflijk. En jezus, wat een spul! Wauw! Ik ging er compleet van uit mijn dak.

– Hoeveel? vraag ik, terwijl ik met tranende ogen en een hart dat tekeer gaat als een voorhamer de plee weer uit kom.

– Vijftig per gram.

– *Vijftig?* Nou vraag ik je! Vijftien jaar geleden betaalde je zestig. Vijftig. Daar klopt iets niet.

– Maak het even, maat. Wat zit erachter?

– Je moet dertig gram ineens kopen. Ik moet er vanaf.

– Luister, zo veel geld heb ik nu niet bij me.

– Heb je geen kaart?

– Wat? Ik dacht even dat hij een creditcard bedoelde. O, natuurlijk. Ik gaf hem het kaartje van mijn kantoor.

– *Dubbelagent?* Wat is dat nou weer?

– Modellenbureau. Die mensen die binnen lopen te bedienen. Die komen van mijn bureau.

– Dubbelgangers?

– We noemen ze liever *stand-ins*, in onze branche.

– Ja, ja. Dubbelgangers dus. En ik maar denken dat het echt Prins Charles was. Ik heet John. Bel me maar 's.

En weg is hij. Laat me staan met een wikkel van meer dan twee gram die hij niet eens terugvraagt. Ik kan me niet veel meer herinneren van de rest van de dag, kan ik je verzekeren. En de volgende dag dertig gram voor vijfhonderdvijftig pond! Dat was zo op, dertig gram in vijf dagen. Tweeëndertig gram, als je dat niet teruggevorderde voorschot meerekent. Je brandt de kaars aan twee kanten op, Rufus, én in het midden.

De voordeurbel klingelde, en hij stond op van de bank en liep naar de intercom.

'John.'

'Hé, hallo. Kom boven.'

Tegen de tijd dat John boven aan de trap was, gutste hij van het zweet en piepte hij als een kapotte accordeon.

'Jezus,' hijgde hij. 'Heb je nooit van een lift gehoord?'

'Sorry, man.'

De flat was op de tweede verdieping, maar zelfs de vadsige Rufus was, ondanks zijn overgewicht en zijn slechte conditie, meestal nog wel in staat om naar boven te komen zonder te hijgen en te puffen als een stervende walrus.

'Wodkaatje?'

'Nee, ik moet nog rijden.'

Rufus schonk er een voor zichzelf in en keek uit zijn ooghoek toe hoe John een zakje uit zijn jas trok en op de salontafel legde.

'Neem er zelf eentje,' zei Rufus.

'Nee, ik ga er weer vandoor, jongen.'

O, wat een verrukking. De meeste dealers bleven altijd plakken. Nog erger, de meesten bleven thuis en wilden dat jij langskwam. Dat was het aspect aan het verslaafd zijn dat Rufus het meest haatte. De geforceerde kameraadschap. Als je een karbonade wilde, hoefde je alleen maar naar de slager te lopen, nietwaar? Je bestelde er een en liep met dat stomme stuk vlees in een tas de winkel weer uit. Geen gelul, geen gezeik. Geen 'nou, de mazzel, jongen'. Maar ging je naar een dealer toe voor een voorraadje coke, dan moest je voorbereid zijn op urenlang geouwehoer over muziek, sport, politiek, genetisch gemanipuleerde gewassen en de smerige streken van de Wereldbank. Er moest een subtiele sociale dans worden afgewikkeld om te laten zien dat je die jongen niet beschouwde als een bediende of sociaal minderwaardige. Je moest doen alsof die hele transactie iets te maken had met vriendschap en wederzijdse studentikoze onmaatschappelijkheid. Het was een opluchting dat hem bij John die poppenkast bespaard bleef.

Toch, bedacht hij, zou hij hem wel eens een keer een lijntje willen zien nemen. Alleen om te bewijzen dat hij ook gebruikte. Dealers die zelf niet snoven maakten Rufus nerveus en bezorgden hem een schuldgevoel.

'Kan ik je wat vragen?' vroeg John terwijl hij in de deuropening stond, op het punt van vertrek. Hij leek een beetje nerveus.

'Zeker. Vraag maar op.'

'Heb je soms trek om samen met mij iets groters aan te pakken?'

'Iets groters?'

'Het is mijn broer. Hij is een paar weken geleden aan een hartaanval overleden, en...'

'Shit,' zei Rufus. 'Gecondoleerd.' En jij gaat hem gauw achterna, voegde hij er in stilte aan toe. Niet zozeer een genenpool, meer een vetpool.

'Nee, dat is het niet. Een zeikstraal was het. Ik kon 'm niet uitstaan. Maar ja, hij had geen mens buiten mij, en nou heb ik vijf kilo van dat spul bij 'm thuis gevonden, en ik heb geen idee hoe ik ervan af moet komen. Ik vond het in een keukenkastje toen ik zijn etage aan het ontruimen was.'

'John, ik zou het graag doen. Geloof me, ik zou het heel graag doen, maar ik deal niet. Ik zou niet eens weten hoe het moest.'

'Nee, ik wou alleen maar zeggen, ik heb gehoord dat er een stel jongens in Stoke Newington is die misschien wel trek hebben. Turkse jongens. Ik dacht dat je misschien wel mee wou om 't spul aan ze te slijten. Zestig-veertig had ik zo gedacht.'

'Als je die mensen al kent, waarom heb je mij dan nog nodig?'

'Nou, ik wil me niet laten rippen. Jij, jij bent een zakenman, jij praat lekker bekakt en zo, jij bent niet van de straat. Jou zullen ze niet belazeren. Maar mij, mij zouden ze gewoon rippen en in een sloot dumpen, als je begrijpt wat ik bedoel.'

'Zestig-veertig?'

'Lijkt me een goeie deal.'

Rufus maakte een snelle hoofdrekensom. Een kilo is duizend gram. Vijftigduizend pond. Vijf keer vijf is vijfentwintig, dat maakt een kwart miljoen. Veertig procent van een kwart miljoen is… honderdduizend. Honderd ruggen. *Honderd ruggen!*

'Goed, ik doe mee,' zei hij. 'Wat zijn het voor jongens?'

'Nou ja, 't zijn geen padvinders. Drugsdealers, wat wil je. Maar zaken zijn zaken, zeg ik altijd maar. Kan je donderdagavond? Dan bel ik ze op en maak 't voor elkaar. Ik kan je komen ophalen, dan rijden we er samen heen.'

Ze gaven elkaar de hand erop en terwijl John langzaam de trap afliep zeeg Rufus op de bank neer en loosde een lange, diepe zucht. Honderd ruggen. Honderd keiharde ruggen.

Met honderd ruggen kon hij een internationaal agentschap op internet beginnen. *Stand-ins*, gezongen telegrammen, het hele feestgebeuren. Hij kon jongens en meiden van over de hele wereld krijgen, elektronisch gecontracteerd. Zij zouden hem inschrijvingsgeld betalen, en hij zou ze aan het werk zetten. Met die honderd ruggen zou hij een chic zakenplan kunnen opstellen; website, animaties, financiële prognoses – alles. Hij zou ermee naar Cotter-DotCom gaan en ze daar eens wat laten zien. Misschien dat hij Cyberjezus zelf te spreken kreeg.

Rufus stak de hoek van een creditcard in het zakje en dolf de grootste snuif op die hij van zijn leven had gesnoven.

Het ontbijt was bij de Fendemans altijd een verwarde aangelegenheid die zich niets gelegen liet liggen aan wat op grond van leeftijd en geslacht kon worden verwacht. Gordon at niets, maar probeerde elke dag een andere soort koffie of thee uit, Portia deed zich tegoed aan bacon, worstjes en eieren, en Albert, als hij al ontbeet, nam niets meer dan een snee toast.

Dat had zijn redenen. Albert had 's ochtends zelden trek. Alles wat hem uit zijn kamer en bij zijn computers weghield beschouwde hij als tijdverspilling. Hij had één keer een kop koffie gemorst over een USB *hub* en bij een andere gelegenheid had een glas jus d'orange een printer vernield. Portia daarentegen, had een nieuw dieet met veel proteïne ontdekt. Het was een dieet waarmee ze zo weinig koolhydraten binnenkreeg, dat ze elke dag haar urine controleerde met teststaafjes voor suikerziekte om te zien hoeveel ketonen haar lichaam uitscheidde, tot goedmoedig vermaak van haar gezin. Gordon probeerde elke dag een andere thee- en koffiesoort uit omdat thee en koffie zijn vak uitmaakten. Hij spuwde de koffie meestal weer uit omdat hij het zwakke hart van zijn vader had geërfd en de specialist hem het gebruik van cafeïne had ontraden. Java, de kat, at alles wat hem werd voorgezet, met een voorkeur voor sardientjes in tomatensaus, want hij was kieskeurig.

Deze ochtend was Gordon echter in de keuken een vreselijke troep aan het maken, omdat hij had besloten tot een experiment met cacao. Het fijne poeder werd van het ene oppervlak naar het andere en van de ene vingertop naar de andere overgebracht, wat leidde tot paniek.

'Waar is mijn koolhydratenteller?' jammerde Portia.

'Pap, dat spul komt overal op terecht,' klaagde Albert, die de keuken inkwam en Gordon zijn handpalmen voorhield. 'Moet je nou zien. Hoe harder je het wegwrijft, hoe hardnekkiger het overal in gaat zitten. Ik heb cacao op mijn toetsenbord, cacao op mijn scherm, en cacao op mijn muis.'

'Mooie liedtekst,' zei Gordon waarderend. 'Kom op, joh, het is maar poeder. Probeer deze mokkakoffie eens, helemaal niet slecht.'

'Negentien gram per honderd!' zei Portia ontsteld. 'Niet te geloven.'

'Nee, lief,' zei Gordon, die over haar schouder meekeek en mokkakoffie op haar boek morste. 'Die cijfers zijn voor gezoete cacao. Ongezoet is het maar drie gram, zie je wel?'

'Toch zou je wat voorzichtiger kunnen zijn,' zei Portia nijdig, terwijl ze het boek in veiligheid bracht.

'Als je meer dan een honderdste milligram binnen hebt gekregen, zou het mij verbazen,' zei Gordon. 'En, mijn jongen,' richtte hij zich tot Albert, die verwoed zijn handen stond te borstelen aan de gootsteen. 'Hoeveel *hits* gisteren?'

'Een nieuw record. Driehonderdachtentwintig. Uit zeven landen. Niet slecht, hè?'

'Niet slecht,' gaf Gordon toe.

'Als maar de helft, wat zeg ik, een kwart, een bestelling had geplaatst, moet je eens uitrekenen hoeveel dat zou zijn geweest.'

'We gaan geweldig, Albie.'

'Ik krijg voortdurend e-mails of we ook rechtstreeks leveren. Telkens als ik nee moet verkopen, heb ik het gevoel dat we potentiële klanten afschrikken.'

'Rechtstreeks aan de consument verkopen is een nachtmerrie,' zei Gordon. 'We hebben alle supermarkten, laat die het werk maar doen.'

'Jawel, pap, maar je hebt gezien waar ze het neerzetten. De laagste schappen, geen aanbiedingen, geen gerichte reclame, niks, nul komma nul.'

Portia liep de gang in om de kranten en de post te halen. Dit was een discussie die ze kon dromen sinds Gordon Albert in dienst had genomen om een website te maken voor zijn bedrijf. Ze geloofde, met de loyaliteit van een echtgenote en een moeder, dat ze allebei gelijk hadden. Misschien moest Gordon overgaan op *e-commerce*, zoals Albert zei. Maar misschien had Gordon ook gelijk wanneer hij bezwaar maakte tegen de rompslomp en de kosten van het garanderen van waterdichte transacties op het net, en de bijkomende kosten voor reclame, verzending en salaris van de extra mensen die hij in dienst moest nemen om de hele onderneming te runnen.

Café Ethica, vijf jaar geleden opgericht door Gordon met geld uit de erfenis van Portia's moeder Hillary, was een enorm succes geworden. Gordon was de held van studenten, milieuactivisten, antikapitalisten en mensen die zich opwierpen als beschermers van de derde wereld. Ethisch Handeldrijven was de nieuwste rage, en Gordons moed om zijn goedbetaalde baan als makelaar in grondstoffen op te geven en voor zichzelf te beginnen door rechtstreeks te handelen met boeren en coöperaties in 's werelds armste en afhankelijkste landen, waar niemand zich kon veroorloven voor eigen gebruik te verbouwen omdat alle producten meteen te gelde moesten worden gemaakt, hadden hem tot een van Engelands populairste zakenlieden gemaakt. Hij was op de televisie geweest in *Question Time* en *Newsnight*, en velen meenden dat hij, als hij de Britse nationaliteit zou aannemen, in aanmerking zou komen voor een ridderorde. Portia bemoeide zich niet met zijn zaken en bleef haar eigen voren ploegen in de akker van de wetenschap. Alberts aanbod om voor haar ook een website te maken had ze vriendelijk doch beslist afgeslagen. Het wilde er bij haar moeilijk in dat een site over de Siënese temperatechniek van veel nut zou zijn voor haar zelf of haar studenten.

'Pornografie en een brief voor je,' zei ze nu tegen haar zoon, terwijl ze met de post terugkwam. 'Voor ons rekeningen, natuurlijk.'

Pornografie was Portia's benaming voor Alberts geliefkoosde lectuur. Bijna elke dag viel er wel een of ander computer- of internetblad op de deurmat, waarmee hij dan naar zijn slaapkamer verdween om een paar uur later met rode wangen en een wazige blik in zijn ogen weer te voorschijn te komen. Was het maar echte pornografie, verzuchtte ze wel eens bij zichzelf. Seks was iets wat ze tenminste kon begrijpen. De gratis cd-roms die bij de bladen werden geleverd zwierven door het hele huis. Portia, die alles wat artistiek was wel eens wilde proberen om zichzelf eraan te herinneren dat ze niet alleen maar een droge professor en schrijfster van duistere en peperdure boeken was, had er een aantal leuke installaties van gemaakt. Er was een tafel waarvan het blad uitsluitend bestond uit tussen twee lagen perspex geklemde gratis cd-roms van *America On Line*. Het hele huis hing vol met zilverkleurige mobile's en sculpturen. En op haar bureau had ze een aantal op en aan elkaar gelijmde stapels staan, die dienst deden als pennenbak. In de keuken fungeerden ze als onderzetters en placemats.

Albert, die bij het broodrooster stond, hapte even naar adem toen hij zijn brief had opengemaakt.

'Krijg nou wat,' zei hij en hij stak hem zijn vader toe. 'Nee, wacht even. Eerst je handen wassen. Lees jij hem maar eerst, mam.'

Portia pakte de brief aan en hield hem bij het raam achter het aanrecht. Ze was al jong bijziend geworden. Te veel dia's en te veel getuur in te veel documenten in te veel donkere Toscaanse bibliotheken.

De brief was geprint op duur bedrijfspostpapier.

CotterDotCom

Geachte heer Fendeman,

Uw naam is onder onze aandacht gekomen als auteur en webmaster van de website van Café Ethica. Zoals u wellicht weet heeft ons bedrijf zich in de snel expanderende wereld van e-commerce al een bijzondere naam verworven wat betreft uitmuntendheid en innovatie. Niettemin zijn we voortdurend op zoek naar creatieve medewerkers met intelligentie en fantasie om met ons verder te werken aan het opzetten van nieuwe bedrijven in de voorhoede van de digitale revolutie. We geloven dat u een van de mensen zou kunnen zijn die wij nodig hebben.

Als u geïnteresseerd bent in een bezoek aan ons Londense kantoor om met ons te brainstormen over het opstarten en runnen van een nieuwe afdeling Ethisch Handeldrijven, zullen wij u met veel genoegen ontvangen om met u te praten over een werknemerspakket

dat volgens ons de beste aandelenopties, ziekteverzekering, pensioe-
nopbouw en bonusvoorzieningen behelst die in onze branche wor-
den geboden.

Uw discretie in dezen zal op prijs worden gesteld.

Hoogachtend,

Simon Cotter

Gordon pakte de brief aan van Portia.

'Dat moet een misplaatste grap zijn,' zei hij. 'Ik bedoel, het spijt
me verschrikkelijk voor je, Albie, maar volgens mij houdt iemand je
voor de gek.'

'Dat zullen we dan nog wel eens zien,' zei Albert die zijn vader de
brief uit diens zeepsophanden trok en naar de telefoon liep.

'Maar lieverd,' riep Portia, 'en Oxford dan?'

Albert was te druk bezig met het intoetsen van het nummer om
aandacht te besteden aan die vraag.

Ze stonden naar hem te kijken terwijl hij nerveus in de hoorn
sprak. Op een gegeven moment ging hij rechtop staan, en Portia
zag dat hij rood aanliep.

'Drie uur?' zei hij. 'Natuurlijk. Geen probleem. Drie uur. Ik ben
er. Natuurlijk. Absoluut.'

Hij hing op met een verdwaasde, extatische blik in zijn ogen.

'En?'

'Ik heb met hem gesproken! Ik heb met hemzelf gesproken!'

'Ga je erheen?'

'Wat dacht je dan?' Albert schonk zijn moeder een blik van verbijsterd ongeloof. 'Natuurlijk ga ik erheen! Je hebt het zelf gehoord.
Drie uur vanmiddag. Op zijn kantoor.'

'Maar je zegt hem toch wel dat je in oktober naar Oxford gaat? Je
moet hem duidelijk maken dat je de eerste drie jaar niet eens kunt
dénken aan een dienstverband op langere termijn.'

'Oxford kan de pot op. Ik heb net gesproken met Simon Cotter, mam. Simon Cotter.'

'En wie is hij dan wel helemaal? Moeder Theresa en Albert Schweitzer inéén? Je opleiding komt op de eerste plaats.'

'Dit wordt mijn opleiding.'

'Heeft hij enig idee hoe oud je bent?'

'Mam, er werken mensen bij CDC die hun verstandskiezen nog niet hebben. Er werken jongens voor Cotter die miljonair zijn terwijl hun testikels nog niet zijn ingedaald, en meisjes die nog niet eens toe zijn aan hun eerste bh!'

'Nou, dat klinkt positief, moet ik zeggen.'

'Je weet best wat ik bedoel. Ik zou daar bij lange na niet de jongste werknemer zijn.'

'Gordon, zeg jij eens wat.'

Gordon had de brief weer teruggenomen. Portia voelde iets van haar man uitgaan wat haar verontrustte. Was het ergernis? Toch geen *jaloezie*? Tot haar schrik besefte ze, toen de mogelijkheid haar eenmaal was ingevallen, dat er geen twijfel over bestond. Het wás jaloezie. Iets aan de manier waarop hij langs zijn lippen likte en de snelheid waarmee zijn ogen over de regels vlogen, alsof hij nog steeds op zoek was naar een bewijs dat het een grap was, zei haar dat hij, zonder enige twijfel, jaloers was op zijn eigen zoon. Hij was kwaad, rancuneus, nijdig. Niemand anders dan Portia zou het hebben gemerkt, maar ze werd onpasselijk bij de aanblik.

'Goed,' zei Gordon, op de bezonken toon van een verstandige en objectieve man van de wereld. 'Als je naar hem toe gaat en hem spreekt, zorg je er dan voor dat je je op niets vastlegt – *niets* – voordat je het eerst met ons hebt besproken. Als er een contract komt, zullen de bedrijfsadvocaten het eerst bekijken voordat je ook maar aan tekenen dénkt. Die lui kunnen buitengewoon overtuigend zijn, buitengewoon redelijk, maar niettemin...'

'Natuurlijk, pap, natuurlijk. Jezus!' Albert zond zijn beide ouders een flitsende glimlach en smeerde hem naar zijn kamer, een stuk toast tussen zijn tanden.

Oliver Delft had een hekel aan politici. De antipathie van de meeste mensen jegens politici stoelt op wat zij zien als hypocrisie, gemarchandeer en volkse vulgariteit. Delft haatte ze op tegengestelde gronden. Het waren hun traag malende morele rechtschapenheid en hun bezetenheid van 'verantwoordelijkheid' die hem gek maakten. Verantwoordelijkheid in twee betekenissen. Hun kleinzielige gefixeerdheid op controle, financiële openheid en voorschriften stuitte hem evenzeer tegen de borst als hun eeuwige zenuwachtige blikken over de schouder in de richting van Ethische Lagerhuiscommissies, 'beleidsrichtlijnen' en researchjournalisten. Als er iets gedaan moest worden, dan zonder gewetensbezwaren en scrupules. Dat gezeur en gemier over morele toelaatbaarheid was, naar Olivers opinie, vrijwel altijd de moreel slechtste keuze. Hij had ze gewaarschuwd ten aanzien van Kosovo, Tsjetsjenië, Nigeria, Oost-Timor, Zimbabwe en Myanmar – hij kon wel tien kleine, lokale kankergezwellen noemen die baat hadden kunnen vinden bij de snelle, genadige ingreep van een militaire operatie, maar die zich in plaats daarvan hadden uitgezaaid in de naam van 'ethische buitenlandse politiek' of 'constructieve bemoeienis' – de politici hadden niet geluisterd en er de rekening voor gepresenteerd gekregen.

Het grote geheim van de geheime dienst was dat hij winst maakte. Die eenvoudige en verbluffende waarheid had Delfts afdeling behoed voor nog meer ministeriële inmenging dan hij al te verduren had. Geheimen leverden geld op, en Engeland (zeker nu er geen ideologische factoren meer waren die alles vertroebelden en intellectuelen en fanatici tot martelaren en verraders stempelden) behield een gezond betalingsoverschot tegenover de rest van de wereld wanneer het aankwam op de handel in duistere praktijken. Zo lang die getallen aan de rechterkant van het kasboek bleven, kon Delft erop vertrouwen dat hij van zijn ministers een vrijere hand kreeg dan wie ook van zijn voorgangers sinds de Tweede Wereldoorlog. Niettemin was elke inmenging er één te veel als het op

Oliver aankwam. Het is een treurig stemmend feit dat aandeelhouders in een bedrijf dat dikke winst maakt meer op de penning zijn dan aandeelhouders in een bedrijf dat quitte draait of zelfs een beetje verlies lijdt. Delft had in de loop der jaren voldoende weten weg te sluizen voor een meer dan royaal pensioen, maar er was altijd ruimte voor meer. Voor het moment echter stond zijn onkreukbaarheid buiten kijf. Elke pony voor zijn dochters en elke armband voor zijn vrouw was gekocht van zijn magere salaris en slinkende erfenis. Dat hij zijn voorzieningen had getroffen voor een beter leven in de toekomst zou niemand kunnen bevroeden. Hij had zich ingedekt. Tot het evenwel zover was bleef zijn leven voor het oog van de buitenwereld zijn trage en slepende gang gaan. Vandaag, bijvoorbeeld, was een vergaderdag.

Hij doorstond de tweewekelijkse bijeenkomst van de Hulpmiddelen Allocatie Module-Commissie met zijn gebruikelijke vertoon van geduld. De HAM was de briljante inval geweest van een tweeëntwintigjarig wonderkind van het ministerie van Financiën, en Olivers heimelijke minachting voor de door dat soort mafkezen bedachte, modieuze boekhoudsystemen kende geen grenzen. Een ouderwetse boekhouding met een ganzenveer en op foliopapier was betrouwbaarder en minder fraudegevoelig. De HAM maakte echter gebruik van de laatste 'inputmiddelen' en 'nominale boekhoudingstechnieken' om het financiële gedrag van de afdeling te modelleren en (wat belangrijker was) het had zijn eigen logo, departementale kleurcodering en *screensaver*. Dit maakte het tot het lievelingsspeeltje van ministers, en volkomen kritiekbestendig.

In een zwak moment had Oliver ermee ingestemd te lunchen met Ashley Barson-Garland om te praten over dat vermaledijde wetsvoorstel van hem. Ze troffen elkaar in Mark's Club in Mayfair. De smaakvolle ambiance en de discrete vakkundigheid van het personeel ('Goedemiddag, Sir Oliver.' Hoe wisten ze verdorie zijn naam? Zulke mensen kon hij zelf gebruiken) brachten hem in een beter humeur en toen hij het menu in zich had opgenomen was hij vastbesloten er wat van te maken, ondanks het vooruitzicht van een politicus als tafelgenoot.

Ashley verscheen twee minuten te laat aan de bar boven en deed er meer dan vijf minuten over om zich te verontschuldigen, op een manier die, naar Oliver zich rillend van afschuw realiseerde, bedoeld was om een charmante bescheidenheid uit te stralen.

Oliver vond het een geruststellende gedachte dat hij in feite zes of zeven jaar ouder was dan die kalende, pafferige en onaantrekkelijke wauwelaar naast hem. Olivers geheime ondeugd was ijdelheid. Hij had een belangstelling voor huidverzorging en mannelijke cosmetica waarvan alleen zijn vrouw op de hoogte was en geen collega of ondergeschikte ook maar een flauw vermoeden had. Pretenties, ambitie en slechte zeep hadden zich onuitwisbaar in Ashley's gezicht gekerfd, zag Oliver, ongeveer zoals gin en de tropenzon zich in de gloriedagen van het Britse Rijk in de gelaatstrekken plachten te griffen. Een therapie van vochtinbrengende middelen, *scrub creams* en celherstellende nachtmaskers zou de algemene conditie van de huid redelijk ten goede komen, maar er viel weinig te doen aan de plooien van de onderkin en het matte waas over de ogen. Misschien zijn dat de waarschuwingstekenen van de natuur, bedacht hij.

'Ik zie dat ze je al een menu gebracht hebben,' zei Barson-Garland toen hij eindelijk aan het eind was gekomen van zijn zeurverhaal over hoe hij met een taxi van Westminster naar Charles Street was gekomen. 'Nu de wijn. Zullen we op de Bourgondische toer gaan? Wat vind je? Ze hebben hier een fantastische Corton Charlemagne om mee te beginnen, en ik weet toevallig dat ze sinds kort ook een La Tache hebben, die we onmogelijk kunnen overslaan.'

Oliver wist heel goed dat de enige La Tache op de kaart meer dan vierhonderd pond per fles kostte. Hij vermoedde dat Barson-Garland wist dat Oliver het wist. Hmm, dacht hij in stilte. Je wilt dus indruk op me maken? Je wilt me paaien? Jij met je Harrowdas en Christ Church-manchetknopen? Grote God, welke vent draagt er in hemelsnaam manchetknopen van zijn college?

Ze daalden van de bar af naar de eetzaal. Barson-Garland had een hard gekookt ei besteld met Belugakaviaar en terwijl hij praatte at hij ervan met stuitend precieuze tafelmanieren.

'Laat ik je eerst en vooral verzekeren dat ik hier niet ben om je steun te verwerven voor mijn wetsvoorstel,' zei hij. 'Dat zou hoogst ongepast zijn. Hoogst ongepast. Maar, zoals je wellicht weet, blijft er een zekere mate van verwarring bestaan over de implicaties van mijn voorstellen, zowel in het Lagerhuis als daarbuiten. Er zijn mensen die twijfelen aan de technische, juridische en praktische haalbaarheid van mijn wetsvoorstel. Het hangt, zoals je weet, af van het in het leven roepen van een nieuwe instantie, zoiets als Amerika's Nationale Veiligheidsdienst. Onze eigen *Government Communications Headquarters* zijn niet helemaal wat we zoeken. Ik neem aan dat je dat met me eens bent.'

Oliver maakte een beweging met zijn hoofd die desnoods voor een knik kon doorgaan.

'Mooi. De instantie die mij voor ogen staat, zou aanzienlijke, zelfs ontzagwekkende bevoegdheden hebben. We beschikken al over satellieten die het oppervlak van de aarde aftasten, maar ik wil naar een elektronisch vermogen waarmee we, als het ware, ónder de oppervlakte kunnen kijken. We hebben de macrokosmos al, laten we nu de microkosmos in bezit nemen. Er zijn mensen die vrezen dat ik het, zoals de *Guardian* het nog pas vanochtend noemde, niet al te nauw neem met de burgerlijke vrijheid.'

Oliver volstond met alweer een nietszeggende hoofdbeweging. Het misselijkmakende visioen doemde voor hem op van Barson-Garland die voor zijn moeder een plakboek aan het aanleggen was van de stukken die in de pers over hem verschenen.

'Het komt mij voor,' ging Ashley verder, terwijl hij haast onmerkbaar zijn mondhoeken depte met zijn servet, 'dat ik behoefte heb aan een betrouwbaar persoon, iemand van gebleken onkreukbaarheid en een expert op het gebied van de staatsveiligheid, die bereid is zo'n instantie van de grond af op te bouwen. Als het in de juiste kringen bekend zou zijn dat een man van de reputatie van Sir Oliver Delft bereid zou zijn die taak op zich te nemen...' Barson-Garland nipte van zijn wijn en liet de zin in de lucht hangen.

'Ik heb niets gehoord,' zei Oliver, 'dat me de overtuiging geeft dat je wetsvoorstel erdoor komt.'

'Natuurlijk niet. Het haalt het nooit. Dat is axiomatisch. We nemen het voor kennisgeving aan en gaan over tot de orde van de dag. Maar de kwestie is op de agenda gezet. Daar gaat het om. De mogelijkheid dat de overheid zo'n macht zal kunnen uitoefenen, is naar voren gebracht. De geest is dan als het ware uit de fles. Vervelende details als een openbare discussie zijn dan, eh, van de baan.'

'Het spijt me je erop te moeten attenderen, B-G, maar je zit niet in de regering, maar in de oppositie.'

'O, dat…' Ashley woof dat bezwaar achteloos van tafel. 'Terwijl een week in de politiek heel lang kan duren, zijn tien jaren maar een ademtocht. De IJzeren Dame lijkt toch nu al een verre droom? En Baasje Blair zal ook in een oogwenk in het niets van de geschiedenis oplossen. Je zult toch met me eens zijn dat het in het belang van jouw dienst is er een meer strategische visie, een langetermijnvisie op na te houden. Ik stel voor dat jij en ik een informele relatie ontwikkelen. Bezie het als een wissel op de toekomst. Ik twijfel er niet aan dat jij al eerder hinderlijk ambitieuze politici als ik te vriend hebt moeten houden. Zie je? Ik heb in elk geval de deugd van zelfkennis.'

'Als ik bij mijn superieuren zou laten doorschemeren dat ik positief sta tegenover het idee van een instantie zoals jou die voor ogen staat, hoe zou jij daar bij gebaat kunnen zijn?'

'Het lánd zou er bij gebaat zijn,' zei Ashley. 'Dat mag moralistisch klinken, maar ik geloof nu eenmaal dat het zo is. Het zou mijn positie en geloofwaardigheid ook versterken. De oppositie biedt weinig mogelijkheden om iets meer te doen dan praten. De populariteit van mijn wetsvoorstel bij sommige journalisten en een behoorlijk deel van het grote publiek is mooi meegenomen, maar ik moet tegenover mijn partij zien waar te maken dat ik de duistere en glibberige wegen die mensen zoals jij bewandelen, kan betreden zonder op mijn bek te vallen. Snap je?'

'Mm,' zei Oliver. 'Ik geloof het wel.' Barson-Garland deed hem denken aan die giftige padden uit sprookjes, met edelstenen in hun kop. Weerzinwekkend en gevaarlijk, zeker, maar de belofte van grote rijkdom in zich dragend, als je ze goed aanpakte.

'Er is niets onethisch aan de opvatting dat de ene dienst de andere waard is,' zei Ashley, alsof hij zijn gedachten had gelezen. 'Integendeel zelfs, zou ik zeggen.'

'Weet je nog waar we elkaar voor het eerst zijn tegengekomen?' vroeg Oliver.

Ashley leek een beetje van zijn stuk gebracht door die vraag. 'Tja, eens even denken,' zei hij, terwijl hij de steel van zijn wijnglas ronddraaide en zijn varkensoogjes omhoog schroefde. 'Ik beroem me graag op een redelijk geheugen. Volgens mij was het op de kerstborrel van de *Telegraph* in Brook's Club. December negentiennegenentachtig.'

'Nee, nee,' zei Oliver. 'Het was jaren eerder. Je was nog een schooljongen.'

Een schrikbeeld doemde voor Ashley op van clandestiene contacten in openbare toiletten in Manchester, lang geleden. 'O ja?' zei hij met een jammerlijk mislukt glimlachje. 'Ik geloof dat ik je niet helemaal volg. Waar en wanneer kan dat dan geweest zijn?'

De donkere blos die Ashley's gezicht bedekte en de blik van angst die opeens in zijn ogen was verschenen, waren Oliver niet ontgaan. 'Catherine Street,' zei hij, zijn tafelgenoot nauwkeurig observerend. 'Je werkte toen voor Charles Maddstone. Privé-secretaris, persoonlijk assistent, zoiets.'

'Allemachtig,' zei Ashley. 'Dat je dat nog weet!'

De onmiddellijke opluchting die Ashley's aanvankelijke uitdrukking van paniek had verjaagd, was Oliver evenmin ontgaan, en hij wenste, niet voor de eerste keer, dat hij de macht had van J. Edgar Hoover om dieper te graven in het leven van zijn politieke bazen. In Barson-Garlands jeugd leek een duister geheim te schuilen. Oliver vroeg zich af of de man soms afkomstig was uit een milieu waarvoor hij zich schaamde. Die pompeuze, aristocratische spreektrant en die peperdure krijtstreeppakken van Savile Row waren duidelijk opgelegd pandoer. Natuurlijk, met een vrije en ongebreidelde pers was het amper nodig je toevlucht te nemen tot de inlichtingendienst. Hoe hoger Barson-Garlands carrière hem voerde, des te meer zouden de media zelf boven tafel brengen.

'Tot mijn spijt kan ik me onze ontmoeting niet meer herinneren,' zei Ashley. 'Sir Charles had natuurlijk bijzonder veel politieke contacten, en ik was toen nog heel nog jong en onervaren... wacht eens even!' Ashley keek Oliver met grote ogen aan, terwijl de herinnering kwam bovendrijven. 'Nu weet ik het weer. Jij bent Smith! Lieve help! Smith noemde je jezelf. Smith. Hoe jong ik ook was, ik heb geen moment geloofd dat je echt zo heette, zelfs toen niet. Ik heb toch gelijk, nietwaar? Jij was Smith.'

Delft neeg zijn hoofd. 'Inderdaad.'

'Tjonge,' zei Ashley. 'Wat een merkwaardig toeval. En wat een ellendige geschiedenis was dat. Ik geloof dat ik er nooit meer aan heb gedacht, de afgelopen – wat zal het zijn, inmiddels? – vijftien jaar. Langer misschien. Was er niets...' hij dempte zijn stem. 'Je kunt me zeker niets vertellen over *l'affaire Maddstone* dat nooit bekend is geworden, neem ik aan?'

Oliver haalde zijn schouders op. 'Als je het mij vraagt, gaan ze op een goede dag dreggen in een rivier en halen ze een ontvleesde schedel op.'

Ashley knikte wijs. 'Arme Ned.'

Het hoofdgerecht werd geserveerd en de *sommelier* vatte post naast Ashley om hem de La Tache te laten proeven.

'De advocatuur is een winstgevend métier, schijnt het,' merkte Oliver droog op. 'Deze arme ambtenaar bedankt je voor zo'n benevelende kennismaking met het leven van de hogere klassen.'

Ashley glimlachte. 'Het mocht wat,' zei hij. 'Als het op geld uitgeven aankomt, ben ik een kleine jongen. Mijn wijnhandelaar liet zich laatst ontvallen dat Simon Cotter hem onlangs *carte blanche* heeft gegeven om de fraaiste wijnkelder van Europa aan te leggen. Hij heeft er al meer dan een miljoen in gestoken.'

'Nou, nou,' prevelde Oliver.

'En dat is nog niet het verbazingwekkendste. Men heeft die Cotter nog nooit iets anders dan melk zien drinken.'

'Melk?'

'Melk,' zei Ashley. 'Ik ga trouwens morgen op audiëntie bij hem. Als hij míj melk voorzet, ga ik gillen en doe ik alsof ik een toeval krijg.'

'Heeft hij dan een advocaat nodig?'

'Nee, nee. Ik wil hem gewoon eens polsen. Zijn politieke voorkeur is in nevelen gehuld. Dat geldt trouwens,' ging Ashley met een betekenisvolle blik verder, 'naar het schijnt voor zijn hele leven.'

'Daar kan ik je helaas niet helpen,' zei Oliver, Ashley's blik terecht interpreterend als vissen naar informatie. 'We hebben zelfs zijn geboortedatum niet in onze dossiers.'

'Ah, jullie hebben hem dus wel nagetrokken?'

'Natuurlijk hebben we dat gedaan. We weten even veel over hem als jij. Maar als ik iets tegenkom, natuurlijk…'

Ashley mocht zich van Oliver voor zijn part verbeelden dat de inlichtingendienst tot zijn beschikking stond. Het was tenslotte heel goed mogelijk dat de Conservatieven gek genoeg zouden zijn om hem op een goede dag als leider te kiezen. Er zou natuurlijk wat geld moeten worden besteed aan imagoverbetering. Om nog maar te zwijgen van een dermatologische behandeling. Maar was Barson-Garland niet gescheiden? Dat zou dan roet in het eten gooien. Kampioenen van het Gezin dienden gelukkig getrouwd te zijn. Nee, ze waren alleen maar uit elkaar gegaan, herinnerde Oliver zich nu, en de pers had het nog niet opgepakt. Zijn vrouw was de dochter van een graaf, als hij zich niet vergiste. Niet bepaald het volkse trekje dat de Conservatieven tegenwoordig zo nastreefden, maar aan de andere kant moest je het snobisme van het Engelse kiezersvolk nooit onderschatten. Ze gaven de voorkeur aan Tony Blairs particuliere school en Oxford-air boven het geforceerde imago van de-man-van-het-volk-uit-Yorkshire dat Hague uitstraalde. En wat die arme John Major betrof…

Nee, de eb en vloed van de geschiedenis hadden vreemder wrakhout op de stoep van Downing Street gedeponeerd dan Barson-Garland, en zouden dat zeker weer doen. Als hij erin slaagde Simon Cotter een paar van zijn miljoenen af te troggelen om in de partijkas te storten, zou Ashley's carrière niet meer te stuiten zijn.

Oliver schonk zijn gastheer zijn innemendste en vertrouwelijkste glimlach. 'Een exquise lunch, Ashley. Ik kan me niet herinneren wanneer ik voor het laatst zo voortreffelijk heb gegeten. Dat moesten we eens vaker doen.'

'Misschien – wat hebben we vandaag?' Ashley keek op zijn horloge. 'Donderdag. Misschien kunnen we hier elke eerste donderdag van de maand afspreken.'

'Een uitstekend idee.'

'Zal ik je voordragen voor het lidmaatschap?'

Oliver stak zijn armen bezwerend op. 'Te hoog gegrepen voor mij,' zei hij. 'Veel te hoog gegrepen.'

Ze namen afscheid van elkaar, elk doorgloeid van een warm gevoel van voldoening en goede wijn.

Het thema van *Mission Impossible* galmde door de cel van Jim en Micky Draper. Het werd gedempt door Micky's kussen, maar was luid en aanhoudend genoeg om de broers af te leiden die naar *The Shawshank Redemption* zaten te kijken, iets waarbij ze in het geheel niet gestoord wensten te worden.

'Laat ze de klere krijgen,' zei Jim. 'Niemand belt op zondagmiddag. Laat maar gaan.'

De melodie bleef nog een volle minuut doorspelen en zweeg toen.

Tim Robbins en zijn medegevangenen zaten biertjes te drinken op het dak van de Shawshank Gevangenis.

'Mazzelkonten,' zei Jim. 'Ik zou ook wel een pint lusten.'

'Ik zou wel eens een beetje van die zon willen,' zei Micky.

Mission Impossible begon opnieuw.

'Welke hufter kan dat zijn?'

'Ik kijk wel even wie het is.' Micky liep naar zijn brits en schoof het kussen opzij. 'Nummerweergave onderdrukt. Zal ik aannemen?'

Jim zette de film stil, en Micky drukte een toets in op de mobiel.

'Spreek ik met meneer Draper?'

'Micky Draper. Met wie spreek ik?'

'Goedemiddag, Micky,' zei een onbekende stem. 'Sorry dat ik je stoor tijdens je zondagmiddagfilm. Tim Robbins ontsnapt, en de gevangenisdirecteur pleegt zelfmoord. Morgan Freeman wordt eindelijk op borgtocht vrijgelaten en reist naar Mexico, waar Robins inmiddels ook zit. Leuke film. Ik dacht dat ik je de afloop maar even zou vertellen, want ik vrees dat je de rest niet zult kunnen zien.'

'Wie ben jij, godverdomme?'

'Iemand die het goed met je meent en je belt om je te laten weten dat vanaf dit moment jou en je broer alle voorrechten moeten worden ontnomen.'

'Wat?'

'Jij en Jimmy genieten absurde voorrechten en protectie. Niet erg eerlijk, vind je ook niet?'

'Wie is het?' vroeg Jim die zijn hoofd afwendde van het scherm.

'De een of andere gek met een aardappel in zijn keel,' zei Micky. 'Zegt dat we onze voorrechten kwijt raken.'

'O nee,' zei de stem. 'Geen gek. Als je bedenkt dat ik al die moeite doe om jullie van te voren te waarschuwen, vind ik dat wat ondankbaar. De bewaarders kunnen elk moment komen. Ze nemen jullie televisie mee, jullie broodrooster, jullie radio, jullie meubels – zelfs het mobieltje waarover we dit gezellige praatje houden. Ik vrees dat jullie je weer helemaal van onderaf aan uit de stront zullen moeten werken.'

'Wie is het?' vroeg Jim weer.

'De een of andere lolbroek die ons bang wil maken. Heeft Snow je soms opgejut?'

'Het spijt me dat ik je moet zeggen dat ik niet de eer heb meneer Snow te kennen. Ik doe dit geheel op eigen initiatief. Ga maar bij je brits staan, Micky. Ze zijn al onderweg. Ik heb het akelige idee dat ze in een slechte bui zijn en dat hun handen vandaag een beetje los zitten. Jimmy en jij zijn de laatste tijd behoorlijk vadsig en week geworden, dus ik hoop dat jullie het kunnen hebben. Goedemiddag!'

Micky liet de telefoon op zijn brits vallen.

'Wat was dat nou allemaal?'

'Een zeiksnor,' zei Micky. 'Wil een geintje met ons uithalen. Als ik erachter kom wie hem –' Micky draaide zich naar de celdeur, gealarmeerd door het geluid van met metaal beslagen hakken die door de gang op hun cel afkwamen. 'Nee,' zei hij. 'Het zal toch niet waar wezen?'

'Wat?' vroeg zijn broer, uit het veld geslagen.

Een stem riep hun namen af op een toon die ze in jaren niet meer hadden gehoord, en de celdeur zwaaide open.

'Draper, J., Draper, M. Naast jullie brits. *Inspectie!*'

Vijf cipiers kwamen de cel in, gevolgd door de hoofdbewaker, Martin Cardiff.

'Zo, zo. Wat hebben we hier? Een Babylonische orgie, zo te zien. Een godvergeten Babylonische orgie. Nog nooit van mijn leven zo'n decadentie gezien. Nog nooit van mijn leven.' Dat was niet helemaal waar, want hoofdbewaker Cardiff vond niets leuker dan 's ochtends met de twee broers een kop koffie te drinken en een snee toast te eten in hun cel. 'Moet je zien, jongens. Een bank, boeken, tijdschriften, een koffiezetapparaat. Zelfs een koelkastje. Buitengewoon knus.'

'Wat is er godverdomme aan de hand, Martin?'

Cardiff kneep zijn ogen samen. 'Martin? *Martin?* O jee, o jee. Waar is de beleefdheid gebleven? Waar is het respect gebleven?'

Cardiff knikte naar een gevangenisbewaarder die een stap naar voren deed en Jim zo hard in zijn maag stompte dat die happend naar adem op de grond viel. 'Het is *meneer Cardiff* voor jou, dikke zak. Dikke, *weerzinwekkende* zak,' voegde hij er vol walging aan toe, terwijl Jim over zijn eigen lichaam braakte.

Micky deed een stap in Cardiffs richting. 'Waarom doe je dat? Waarom doe je dat, godverdomme?'

Deze keer liet Cardiff het niet aan een van zijn ondergeschikten over. Hij gaf Micky een enorme vuistslag tegen de zijkant van zijn nek. Het ijzeren geraamte van de brits rinkelde toen Micky er met zijn hoofd tegenaan dreunde.

'De bel voor de tweede ronde!' zei Cardiff. 'Tijd voor een beetje vrij worstelen, jongens.'

De bewakers kwamen lachend op de broers af en gingen aan het werk.

Een uur later lagen Micky en Jim naakt op de vloer van hun kale cel. De cipiers hadden alles meegenomen, zelfs de britsen en matrassen. Voordat ze de deur achter zich sloten, hadden ze met een brandslang het bloed en het braaksel uit de cel gespoten.

Vijf jaar lang hadden Jim en Micky Draper de gevangenis geregeerd. Niets had er bewogen, niets had er gewerkt en niets was er verhandeld zonder hun toestemming. Die gang van zaken had, zoals gebruikelijk, de volle instemming van de gevangenisdirecteur en zijn personeel, die de Drapers op de gebruikelijke manier hadden beloond door hun een mate van comfort en zelfstandigheid toe te staan die normale gedetineerden was ontzegd. Nu was hun dat allemaal ontnomen, ineens en zonder enige reden. De mannen in de aangrenzende cellen hadden hun jammerkreten om genade uiteraard gehoord, en hun lot zou al in de hele gevangenis bekend zijn. Macht berust op kracht en de schijn van onkwetsbaarheid. Heel wat gevangenen hadden gegronde redenen om de Drapers te haten, en nu hun alle steun en protectie was ontvallen, zou hun leven een regelrechte hel worden.

Jim hief zijn hoofd op. De posters waren van de muur gehaald en het enige wat er nog op zat, waren vegen bloed en plakkertjes. Zijn broer lag op de grond naast hem.

'Micky?' vroeg hij, en pijn vlijmde naar alle kanten door zijn lichaam heen. 'Aan de telefoon. Welke schoft was dat?'

Maar Micky was bewusteloos.

Jims hoofd viel weer terug op de grond en hij probeerde na te denken. Over een jaar zouden ze vrij zijn, maar het zouden twaalf maanden van pijn en angst worden. Van nu af aan verkeerden ze in de hel. Jimmy troostte zich met één gedachte. De Drapers hadden één voordeel boven andere mensen, een voordeel dat hen hun hele rusteloze en gewelddadige leven had geholpen en gesterkt. Ze hadden elkaar.

'Volgens mij moeten ze zo snel mogelijk uit elkaar worden geplaatst,' zei Simon Cotter.

'Verschillende cellen, bedoelt u?'

'Verschillende vleugels. Is dat mogelijk?'

'Zal gebeuren, meneer.'

Cotter legde een hand over de telefoon en haalde verontschuldigend zijn schouders op tegen de jongen die juist zijn kamer was binnengekomen. 'Ik kom zo bij je,' zei hij. 'Even dit klusje afhandelen.'

Albert, die dit opvatte als een aanmaning om de kamer te verlaten, draaide zich om naar de deur.

'Nee, nee. Blijf hier. Ga zitten.'

'Pardon, meneer?'

'Nee, ik heb het niet tegen jou, Cardiff.'

'Bent u niet vrij om te praten, meneer?'

'Nee, nee, geen probleem. Hoe maken onze vrienden het vanochtend?'

'Nou, meneer, Micky is anderhalve dag buiten westen geweest, maar is nu weer bij kennis. Ze zullen een maand vloeibaar voedsel tot zich moeten nemen.'

'Zo, dat is inderdaad goed nieuws. Mooi werk.'

'Eh...'

'Spreek vrij uit, Cardiff.'

'Ik denk dat u mij per ongeluk te veel hebt betaald, meneer.'

'Wat buitengewoon eerlijk van u. Nee, het was geen overbetaling, meneer Cardiff. Waardering voor een goed uitgevoerde opdracht. Uw e-mail was een genot om te lezen, stilistisch heel amusant. Dat had u niet hoeven doen. U zou eens een schrijverscarrière moeten overwegen, weet u dat?'

'Meent u dat nou? Dank u zeer, meneer. Dat is heel vriendelijk van u.'

'Tot genoegen, meneer Cardiff.' Cotter legde de telefoon neer en glimlachte over het bureau heen. Hij merkte geamuseerd op dat de jongen heel geconcentreerd naar de vloerbedekking had staan staren, alsof hij door niet naar de telefoon te kijken wilde doen voorkomen dat hij niet had geluisterd. Heel onlogisch, maar menselijk, en ontroerend beleefd. 'Het spijt me. Wat prettig om kennis met je te maken. Ik ben Simon Cotter.'

Albert stond op om hem over het bureau heen een hand te geven.

'Nee, nee, ik loop wel om. We hebben het hier niet zo op bureaus. Het zijn tafels om computers en telefoons op te zetten, niet om overheen te praten.'

Ze gaven elkaar een hand, en Simon troonde Albert mee naar de hoek van de kamer.

'Goed.' Simon ging zitten en gebaarde dat Albert op de bank tegenover hem moest plaatsnemen. 'Ik heb je in mijn brief gezegd hoeveel bewondering ik heb voor het werk dat je voor het bedrijf van je vader hebt gedaan. Heel knap. "Voor een amateur" had ik er bijna aan toegevoegd, maar in deze branche zijn we allemaal amateurs, en wat jij hebt gedaan is volgens mij heel knap, naar alle maatstaven gemeten.'

'"Amateur" is Frans voor "liefhebber", per slot van rekening,' zei Albert verlegen. 'En het was echt liefdewerk.'

'Bravo! Wat ik in mijn brief niet heb geschreven, was dat ik Café Ethica een van de grootste prestaties van de afgelopen jaren vind. Je vader moet een bijzondere man zijn.'

Alberts gezicht klaarde op. 'Dat is hij ook! Echt! Hij heeft in de City in goederenmakelaardij gezeten, de termijnhandel voor thee en koffie, maar hij is één keer naar Afrika geweest en toen heeft hij gezien hoe de mensen daar leven en dat heeft zijn hele kijk op handeldrijven veranderd. Hij zegt nu dat het niet gaat om de handel met koffie op termijn, maar om de mensheid op termijn.'

'De mensheid op termijn... heel mooi. De mensheid op termijn. Hoe staat hij eigenlijk tegenover de mogelijkheid dat jij voor ons komt werken?'

'Tja, omdat die website nogal een succes is, denkt hij volgens mij dat ik na de universiteit, eh, nou ja...' Albert maakte zijn zin niet af en keek Cotter aan, die begrijpend knikte.

'Dat jij voor hem zou gaan werken? Als de spin in het Web, zeg maar.'

Albert knikte. 'En mijn moeder...'

Simon streek met zijn hand over zijn knie en drukte erop om het onwillekeurige wippen van zijn been tegen te gaan. 'Je moeder,' zei hij luchtig. 'Dat is de beroemde professor Fendeman, nietwaar? Ik heb haar boeken gelezen.'

'Ze is bang dat ik niet afstudeer.'

'Dat spreekt vanzelf. Dat zou iedere moeder zijn. Je gaat dus naar Oxford – wat bescheiden van je om die naam niet te laten vallen, overigens – volgend jaar oktober, toch? Welk college?'

'St. Mark's.'

'Waarom juist dat?'

'Mijn moeder zei altijd dat dat het beste is.'

'Hm... St. Marks, is dat niet dat college met het beroemde Maddstone Quad?'

'Ik geloof het wel, ja.'

'Heel bijzonder, naar ik me meen te herinneren.'

'Mijn moeder heeft altijd gewild dat ik daarheen ging. Ze vindt het maar niks als ik de kans op een degelijke opleiding laat schieten.'

'Ik vind dat ze volkomen gelijk heeft,' zei Cotter. 'Ik ben het helemaal met haar eens.'

De blik van teleurstelling op Alberts gezicht was zielig om te zien. 'O...'

'Maar,' ging Cotter verder, 'ik vind het geen goed idee om jou te laten lopen. Het duurt nog een maand of tien voordat het oktober is. Waarom zouden we niet een compromis sluiten? Kom nú voor ons werken, en als jullie over tien maanden nog steeds vinden dat het toch Oxford moet worden, kun je daar altijd nog heen gaan. Wij zijn er nog steeds als je afzwaait met alle titels en kwalificaties die daarbij horen. Bovendien kun je in de vakanties voor ons blijven werken, en als je het hier zo goed doet als ik verwacht, zouden we je een soort contract kunnen aanbieden, een beurs, als je het liever zo noemt. Het geval wil dat we overwegen Oxford een leerstoel Informatietechnologie aan te bieden, dus ik denk niet dat de universiteit ons veel in de weg zal leggen. Net als alle oude, eerbiedwaardige instellingen in Engeland zal Oxford op zijn rug gaan liggen en zich in de meest kruiperige bochten wringen zodra de geur van geld in de lucht hangt. Hoe klinkt je dat in de oren?'

'Het klinkt... het klinkt...' Albert zocht machteloos naar het juiste woord. 'Het klinkt waanzinnig.'

'Ik zal mijn juridische afdeling opdracht geven om een contract op te stellen. Ik doe dingen graag snel, als je het niet erg vindt. Laten we zeggen dat ik vanavond om een uur of vijf een voorlopig contract bij je thuis laat bezorgen. Je ouders zullen het natuurlijk aan een advocaat willen laten zien. Denk je dat je vrijdag een beslissing kunt hebben genomen? Neem maar contact met mij op, zodra je alles duchtig doordacht hebt.'

Albert wierp een blik op de muur achter Cotter, waarop het motto 'Duchtig doordacht' werd geprojecteerd.

'Ah, je hebt hem dus gezien. Mijn lijfspreuk. Je zult hem overal vinden. Op onze *screensavers* en ons bureaublad.'

Cotter stond op uit zijn fauteuil en Albert sprong meteen overeind.

'Meneer Cotter, ik weet niet wat ik moet zeggen.'

'Ik heet Simon, Albert. We zijn hier heel informeel. Geen pakken, geen achternamen.' Cotter sloeg een arm om Alberts schouder en liep met hem naar de deur. 'En een gelukkig toeval wil dat we hier alleen maar koffie en thee van Café Ethica schenken. Nu zul je me moeten verontschuldigen. Het gaat heel druk worden. Ik ben bezig een krant te kopen. Je hebt er geen idee van wat daar allemaal bij komt kijken.'

'O? Ik doe het elke dag,' zei Albert, verbaasd over zijn eigen durf. 'Je geeft de winkelier gewoon zijn geld en... *voilà!*'

'Ha!' Simon gaf hem een speelse por in zijn ribben. 'Nog gevoel voor humor ook!' Precies zijn moeder, dacht hij bij zichzelf. Bijna niet te geloven. 'Was het maar zo simpel,' zei hij hardop. 'Ik zou haast medelijden krijgen met de Murdochs van deze wereld. Het is niets spectaculairs, gewoon de LEP, maar niettemin, alle regelgeving eromheen...'

'De LEP?'

'*London Evening Press*. Dateert nog van voordat jij was geboren. Maar het wordt eens tijd dat de *Standard* concurrentie krijgt, vind je ook niet? Wie weet laten we je er een column in schrijven. Hoe dan ook, ik verheug me erop vóór vrijdag iets van je te horen.'

Terwijl hij Waterloo Bridge overliep op weg naar het restaurant waar Gordon en Portia op hem zaten te wachten, wierp Albert een blik achterom naar de grote glazen toren waar hij zojuist uit was gekomen. Hij was geen bijgelovige of godsdienstige jongen, maar hij vroeg zich onwillekeurig af welke macht of godheid hem had gezegend met zo'n ontzagwekkend geluk. Als bij alle zeventienjarigen was zijn schuldgevoel sterker dan zijn trots, en over het algemeen verwachtte hij van het lot eerder straf dan beloning. Viereenhalf jaar eerder, bij zijn bar mitswa, had hij scabreuze en godslasterlijke gedachten gehad tijdens de plechtigheid. Wekenlang had hij daarna in angst geleefd voor Gods wraak. Die was niet gekomen. God had zijn toorn geuit door hem goede vrienden, een uitstekende gezondheid en aardige ouders te schenken. En als klap op de vuurpijl stond hij nu op het punt een gunsteling te worden aan het Hof van Koning Cotter.

Hij stormde met twee treden tegelijk het bordes van Christopher's op. Portia en Gordon, die zenuwachtig mineraalwater zaten te nippen aan hun tafeltje, hadden hem niet zien binnenkomen. Hij hield een passerende ober aan en grijnsde breed.

'Wilt u aan dat tafeltje daar een fles champagne brengen? De beste.'

'Natuurlijk, meneer.' De ober boog en haastte zich weg.

'Lieverd!' Portia wenkte hem naar zich toe. 'Hoe is het gegaan?'

'Wauw! Waar moet ik beginnen?'

Albert, die zich idioot volwassen voelde, ging aan het tafeltje zitten en vertelde hun van Simon Cotters plannen.

'Het kan niet beter, toch?' zei hij. 'Is dat fantastisch of niet?'

Een ober kwam aan met een fles Cristal in een koeler.

Gordon, die fronsend naar zijn bestek had zitten staren alsof hij zocht naar een zwak punt in Alberts opgewonden relaas, keek op naar de ober. 'Wat is dat? Ik heb geen champagne besteld.'

'Eh, dat heb ik gedaan, pap. Ik betaal hem je snel terug, dat beloof ik.'

Portia gaf een kneepje in haar zoons hand. 'Gelijk heb je,' zei ze met een gespannen blik op Gordon. 'Dit moet beslist gevierd worden, vind je ook niet, schat?'

De smekende toon in zijn moeders stem was Albert niet ontgaan, en hij leunde over de tafel heen om zelf ook een positieve duit in het zakje te doen.

'Pap, ik weet dat het allemaal heel snel gaat, maar het is toch fantastisch? Ik bedoel, ik heb toch niets te verliezen?'

Gordon glimlachte opeens en legde een hand op Alberts schouder. 'Natuurlijk is het fantastisch, Albie. Mijn jaren in de City hebben me alleen een beetje voorzichtig gemaakt, dat is alles. Ik ben ervan overtuigd dat het allemaal goed in elkaar zit. Ik ben trots op je. Echt waar.'

'Hij zei…' Albert bloosde even. 'Hij zei dat hij jou een bijzondere man vindt, pap.'

'O ja? Zei hij dat? Nou, hij is zelf een bijzondere man.'

'Weet je dat hij op het ogenblik een krant aan het kopen is? De *London Evening Press.*'

'Weet je het zeker? Ik heb er niets over gelezen in het economiekatern.'

'Absoluut. Hij zei dat er een heleboel bij komt kijken, maar dat het tijd werd dat de *Standard* eens wat concurrentie kreeg. Hij wil Oxford ook een leerstoel schenken.'

'Laten we het daar nu allemaal even niet over hebben,' zei Portia. 'Vertel eens wat voor man het is. Heeft hij die zonnebril ook afgezet? Denk je dat hij joods is? Op de foto's ziet hij er waanzinnig donker en knap uit. Denk je dat hij zijn haar verft?'

'In godsnaam, mam…' Gordon en Albert vingen elkaars blik op en lachten, mannelijk solidair.

'Nou ja, die dingen zijn belangrijk,' zei Portia verdedigend. 'Ze zeggen een heleboel over iemand.'

'Hij heeft in ieder geval al je boeken gelezen. Dat zei hij. Wat zegt dát over hem?'

Vader en zoon schoten opnieuw in de lach om Portia's nerveuze reactie.

'Laten we drinken op dit toonbeeld van goede smaak en mensenkennis,' zei Gordon, zijn glas heffend.

'Op Simon Cotter,' toastten ze in koor.

Rufus Cade zat in zijn flat en keek met een liefdevolle blik naar het geld dat voor hem lag opgestapeld. Hij had het twee keer geteld en overwoog om het nog een derde keer te tellen. Het is een heel werk om honderdduizend pond in gebruikte biljetten van twintig uit te tellen, maar als het geld van jou is, en geheel buiten het bereik van de roofzuchtige klauwen van de fiscus en ex-echtgenotes, is het een heel aangename tijdspassering.

Rufus legde een lijntje op de kleine ruimte die nog vrij was op zijn salontafel. Eindelijk, eindelijk hadden de zaken dan eens een gunstige wending genomen. Deze avond zou de laatste zijn dat hij iets gebruikte. Al die biljetten van twintig pond zouden goed besteed worden. Hij zou zijn bedrijf omgooien, en ergens op het platteland gaan wonen met een vrouw wier naam niet met een J begon. Schone lucht, gezonde lichaamsbeweging en een goed dieet zouden hem van het vadsige, zwetende, roodogige varken dat hij was, veranderen in iemand van wie hij echt kon houden. Hij besefte nu, terwijl hij naar al dat geld keek, dat hij zijn hele ellendige leven lang zichzelf niet eens aardig had gevonden. Hij zou meer aan anderen gaan denken. Was dat niet 'de minder bewandelde weg'? Het ware pad naar eigenliefde is schuchtere stapjes naar anderen toe maken.

Weer eens vroeg, met een heldere, nuchtere kop naar kantoor gaan, dat zou op zich al iets zijn. Onthouding zou een speciale kick met zich meebrengen, een onovertroffen euforie, niet gevolgd door een verschrikkelijke kater. Zijn vrolijkheid en goede humeur zouden spreekwoordelijk worden. Dit weekend zou hij beginnen met de grote schoonmaak. Zo meteen zou hij eerst zijn borrelglaasjes en zijn zilveren rietje weggooien. Misschien dat hij zelfs wel even bij zijn ouders langsging. Hij zag de scène voor zich. Hij stelde zich de blijdschap van zijn moeder voor op het moment dat ze hem zag, met een bos bloemen onder zijn arm en een plagerig grapje op zijn lippen, en hij glimlachte breder dan hij in jaren had gedaan. Hij was zo kwaad nog niet. Hij had een droge humor en een kalme kameraadschap die voldoende waren gebleken om van drie meisjes zijn vrouw te maken, en van talloze andere zijn vriendin.

De intercom zoemde aan de wand achter hem, en zijn hart begon heftig te kloppen toen de ruwe buitenwereld zo wreed inbrak in zijn gedachten. Hij stond op van de bank en hoorde tot zijn verbazing zijn stem trillen toen hij de hoorn opnam.

'Wie is daar?'

Een stem die hij niet herkende, klonk met een overdreven intonatie uit boven het verkeersgedruis op straat. 'Ik ben een vriend van John. Ik moet u dringend spreken.'

Rufus draaide zich om en wierp een blik op zijn op tafel opgehoopte geld. 'Het komt me op het ogenblik niet zo goed uit,' zei hij. 'Ik... ik verwacht bezoek.'

'Het duurt maar vijf minuten. Het gaat om uw eigen veiligheid.'

'Goed dan... Tweede verdieping.'

Rufus drukte de buitendeur open en snelde naar de keuken om een vuilniszak te pakken. Hij propte het geld erin en wierp de zak in een hoek achter een leunstoel. Toen er aan zijn deur werd geklopt, gutste het zweet langs zijn gezicht en was hij buiten adem.

Hij wiste zijn voorhoofd af met zijn mouw en deed de voordeur open. Voor hem stond een grote, krachtig gebouwde man van onbestemde leeftijd, met een verontschuldigende glimlach en ogen die schuil gingen achter een spiegelende zonnebril.

'Het spijt me dat ik u zo laat nog stoor.'

'Nee, nee... kom binnen. Ik was alleen maar... nou ja.'

De man liep naar binnen en bleef midden in de woonkamer staan. Rufus keek hem met grote, ongelovige ogen aan.

'Wacht eens even... ken ik u niet?'

'Cotter is de naam. Simon Cotter.'

Rufus was al een beetje duizelig van de inspanning die het hem had gekost om zijn geld te verstoppen, maar de verschijning van iemand als Simon Cotter bracht hem helemaal in verwarring. Het enige wat hij kon bedenken, was dat er op de dag van die lancering in Islington een of ander probleem was gerezen rond die dubbelgangers. Maar waarom zou Cotter zelf hem dan thuis komen opzoeken? Op vrijdagavond nog wel. 'Ik begrijp het niet helemaal,' zei hij. 'U zei dat u een vriend was van John.'

'Dat klopt,' zei Cotter. 'Ik kom u waarschuwen.'

'Waarschuwen?'

'De gebroeders Suleiman zijn een beetje boos.'

Rufus knipperde met zijn ogen. 'Pardon? De gebroeders Suleiman? Ik geloof niet dat ik die ken.'

'U hebt ze een partij cocaïne verkocht voor een heleboel geld. Alleen zat er maar een paar gram echte coke bij. De rest was krijtpoeder, helaas. Ze zijn er helemáál niet blij mee. Je krijgt bijna niets voor krijtpoeder, als je het weer wilt verkopen. Bijna niets. Ik ben bang dat ze hun geld terug willen. Best mogelijk dat ze er ook een paar van uw ledematen bij willen. Om eerlijk te zijn, het zijn niet zulke aardige mensen.'

Rufus had er moeite mee zijn blik op één punt te richten. Het zweet prikte in zijn ogen. 'Ik heb geen flauw idee waar u het over heeft,' zei hij met een stem die tot zijn ontzetting veel te veel beefde en veel te hoog klonk om ook maar enige overtuigingskracht in zich te hebben.

'O nee?' Cotters wenkbrauwen schoten omhoog. 'Dan verspil ik niet alleen mijn tijd, maar ook de jouwe. Ik dacht dat je wel zou willen weten wat er aan de hand is.'

'Natuurlijk wil ik weten wat er aan de hand is, maar…'

'Je hebt iemand een kat in de zak verkocht en de koper komt nu verhaal halen. Daar komt het simpel gezegd op neer.'

'Maar het spul kwam van John! John heeft het zaakje opgezet. Ik ben alleen maar met hem meegegaan als…'

'Ah, maar John is nogal sluw geweest. Ik weet namelijk toevallig dat hij ze heeft verteld dat híj juist al die tijd voor jóú werkte. Voor de Suleimans is John onbelangrijk. Een boodschappenjongen, meer niet.'

'Maar dat is een leugen!' Rufus greep Cotter bij de revers van zijn jasje. 'U moet ze dat vertellen. U moet ze zeggen dat ik te goeder trouw ben geweest. Ze zullen naar u luisteren. Volkomen te goeder trouw.'

'Ik?' Met het gemak van een man die een vlieg van zijn jasje veegt, pakte Cotter Rufus' polsen beet en trok zijn handen weg. 'Waarom zou ík ook maar het minste doen om jou te helpen?'

'U weet wat er is gebeurd! U kunt het rechtzetten.'

Cotter keek op zijn horloge. 'Ze zullen hier over uiterlijk vijf minuten zijn. Ik heb de voordeur opengelaten. Jammer dat je niet erg in conditie bent, zo te zien. Ik geloof dat ze graag met machetes werken.'

Rufus danste bijna van doodsangst en verbijstering. 'U kunt het niet menen. We zijn hier in Engeland.'

Cotter keek hem geamuseerd aan. 'Inderdaad,' zei hij. 'We zijn hier in Engeland. En jij bent Engelsman. Veeg je gezicht af, hou op met dat gesnotter en laat je niet kennen, dat is mijn advies. Misschien laten ze je in leven. Je weet maar nooit. Maar als ze je zo zien snotteren, zweten, kwijlen en jammeren, komt het slechtste in hen boven, neem dat maar van mij aan. Geloof me. Ik heb verstand van rotzakken.'

Rufus schoof achteruit naar de hoek waar hij het geld had neergegooid, bezeten van het wanhopige idee om de vuilniszak weg te graaien en zich ermee uit de voeten te maken.

'O, heb je het daar weggestopt?' Cotter wierp een blik achter de stoel. 'Nou, ze hoeven er in ieder geval niet lang naar te zoeken. Dat zou in je voordeel kunnen werken.'

'Heb medelijden, in godsnaam!' riep Rufus.

'Medelijden?' Cotters stem klonk snijdend. 'Hoor ik het woord "medelijden" uit jouw mond?'

'U kunt het geld meenemen. Alles.'

'Mijn beste Cade, ik heb al meer geld dan ik ooit kan uitgeven. Lees je soms geen kranten?'

'Laat me dan gaan. Bescherm me. Betaal ze, ik doe alles, alles wat u zegt.'

'Alles? Meen je dat?'

'Ik beloof het.' Iets in Cotters stem gaf Rufus een sprankje hoop.

'Zegt u maar wat ik moet doen.'

'Heel goed. Ga zitten.'

Rufus gehoorzaamde meteen. Zweet en slijm droop van zijn kin op de bank. Het was jaren geleden dat Cotter voor het laatst een volwassen man zo hevig had zien beven. Zijn gezicht, zijn handen, zijn voeten – alles aan hem bewoog.

'Wat moet ik doen? Zegt u het maar. Ik zal het doen.'

'Ik wil dat je een tijdmachine voor me bouwt.'

'Wát?'

'Ik wil dat je een tijdmachine voor me bouwt en twintig jaar terug gaat in het verleden.'

'Ik – ik begrijp het niet.'

'O nee? Toch is het heel eenvoudig,' zei Cotter. 'En het is het enige wat je kan redden. Het enige wat ik van je verlang is dat je teruggaat naar de dag waarop jij, Ashley Barson-Garland en Gordon Fendeman besloten om mijn leven kapot te maken. Kom, spoel de band maar terug. Herroep je beslissing.'

Rufus keek hem met verdwaasde ogen aan. Hij was aan het hallucineren. Juist op de dag dat hij had besloten de cocaïne op te geven, had dat vervloekte spul hem de een of andere krankzinnige, psychotische nachtmerrie bezorgd.

'Weet je het niet meer?' ging Cotter door, terwijl hij zijn zonnebril afzette en hem strak aankeek. 'Weet je niet meer dat jullie marihuana in de zak van mijn zeiljack hebben gestopt? Weet je niet meer dat jullie in de deuropening van een café in Knightsbridge hebben staan lachen toen ik werd afgevoerd? Ga terug en maak het allemaal ongedaan. Doe dat voor mij, en ik betaal de gebroeders Suleiman af, en bovendien zorg ik ervoor dat je de rest van je armzalige, weerzinwekkende leven in luxe en ledigheid kunt doorbrengen.'

'*Ned*? Ned Maddstone?' Rufus sprong op van de bank. 'Jezus, je bént het. Ik kan het godverdomme niet geloven.'

'Maar eigenlijk geloof ik niet dat het ongedaan gemaakt kan worden, hè, of wel? Ik weet een beetje van fysica en een beetje van technologie. Iets zegt me dat het uitvinden van een tijdmachine jouw krachten ver te boven gaat.'

'Jezus, man, waar heb je gezeten? Wat is er met je gebeurd?'

'Raak me niet aan.' Cotter deed een stap achteruit toen Rufus opnieuw wanhopig aan zijn revers klauwde. 'Hoe durf je het in je hoofd te halen om mij aan te raken?'

'Dit is toch een grap, hè? Je probeert me bang te maken. Dit is jouw idee van wraak. Mij schijtbenauwd maken. Godverdomme nog aan toe...'

'Dat schijtbenauwd, daar kom je nog wel achter,' zei Cotter. 'Je zult merken dat het meer is dan zo maar een uitdrukking. Je zult ook ontdekken dat er nog iets erger is dan angst. Dat heet doodsangst.'

'Je maakt een grapje.' Rufus lachte bijna om de blik op Cotters gezicht. 'Ik bedoel, kom op zeg, we waren schóóljongens. We wisten niet wat we deden. Bovendien ben je ontvoerd, het heeft in alle kranten gestaan. Daar hadden wij niets mee te maken. Jezus, Ned...'

'Mijn vader is gestorven. Mijn vader. Hij heeft zich nog een half jaar aan het leven vastgeklampt zonder dat hij kon praten of bewegen. Hij is door een hel van angst en schuldgevoelens heen gegaan omdat hij ervan overtuigd was dat zijn enige zoon was ontvoerd en vermoord vanwege hem en zijn werk. Een eerzame, fatsoenlijke man die alles wat hij had voor zijn vaderland heeft gegeven. Een man die qua karakter en goedheid onvergelijkbaar ver boven jou stond. Hij is gestorven om wat jij en je vrienden mij hebben geflikt.'

Rufus keek in paniek om zich heen toen hij beneden in de straat een auto met piepende remmen tot stilstand hoorde komen. Cotter liep naar de deur en zette zijn zonnebril weer op.

'Ik wil dat je aan me denkt wanneer ze je onder handen gaan nemen. Ik wil dat je denkt aan een bange en verbijsterde schooljongen wie alles is ontnomen vanwege jouw wrok en jaloezie.'

Rufus was achter de stoel gekropen en stond nu midden in de kamer met de zak met geld tegen zich aangedrukt.

'Ze weten waar de brandtrap zit,' zei Cotter. 'Die houden ze vast onder schot.'

'NED!' schreeuwde Rufus.

Cotter trok de deur open en liep de gang op.

'MADDSTONE!'

Cotter sprintte de trap op naar de volgende verdieping en keek over de leuning naar beneden terwijl drie mannen naar de tweede verdieping stormden. Hij zag de zilveren flits van metaal toen een van hen een glimmend mes van de ene hand naar de andere overbracht. Binnen in de flat hoorde hij Rufus nog steeds onophoudelijk zijn naam gillen.

De deur werd dichtgeslagen, en het gegil hield op.

Vijf minuten later kwamen de drie mannen weer naar buiten. Eén van hen droeg een zwarte vuilniszak. Ze liepen zwijgend naar beneden.

Simon wachtte tot hij het geluid hoorde van een auto die wegreed, voordat hij de trap afsloop en de flat binnenging.

Rufus lag op de grond in een steeds groter wordende plas bloed die al de randen van de vloerbedekking had bereikt. Op de salontafel, drie meter van hem vandaan, waren zijn benen neergelegd, keurig naast elkaar, als twee zojuist door de bloemist bezorgde ruikers.

'Nee maar,' zei Simon. 'Kun je alweer niet op je benen staan, Rufus?'

Rufus keek naar hem op. 'Smeerlap,' siste hij. 'Sadistische smeerlap.'

Simon keek op hem neer en schudde zijn hoofd. 'Jasses!' zei hij vol afschuw. 'Ik had gelijk, hè? Nu weet je wat het betekent om schijtbenauwd te zijn. Ik heb te doen met degene die je straks vindt. Eens kijken, je werkster komt op maandag, geloof ik. Misschien moest ik haar dit maar besparen en de politie bellen. Een anonieme tip, misschien... daar ben jij goed in, hè? Ze zeggen dat het heel plezierig is om dood te bloeden. Ik voorspel je dat je weinig pijn zult hebben. Shock kan genadige gevolgen hebben. Niet dat ik dat een erg bruikbaar woord vind, genadig.'

Toen hij wegging, riep Rufus hem na. Zijn stem klonk schor en terwijl gedurende het volgende uur het leven langzaam uit hem vlood probeerde hij zich te troosten met de gedachte dat Simon elk woord moest hebben gehoord.

'Ik heb je meteen doorgehad, klootzak van een Maddstone!' had hij hem nageroepen. 'Je bent altijd een arrogante hufter geweest. Ik heb je van het begin af aan doorzien! Smeerlap, sadist, vuile, godvergeten smeerlap. Je hebt het verdiend. Wat je ook hebt meegemaakt, je hebt het allemaal verdiend.'

Simon trok de deur achter zich dicht, en wachtte tot hij hem in het slot hoorde vallen. Rufus' woorden waren er niet in geslaagd het gebonk in zijn oren te overstemmen. Hij liep langzaam naar beneden, de koude buitenlucht in.

Bevend van opgetogenheid keek Ned omhoog naar de nachthemel. De sterren knipoogden hem toe.

'Vier!' fluisterde hij, en hij knipoogde terug.

'De Barson-Garland Pagina' ontwikkelde zich tot iets als een *succès d'estime*. Ashley had zich gespiegeld aan de columnisten van het concurrerende avondblad, en hij had ontdekt dat hij een gave bezat voor in polemische stijl vervatte slaapverwekkende clichés die precies waren toegesneden op het afgestompte brein van de gemiddelde forens die als geen ander geneigd was polysyllabische misantropie te verwarren met intelligentie. Londens honger naar gevatte kritiek op alles wat 'politiek correct' was leek onverzadigbaar, en Ashley was maar al te graag bereid haar op haar wenken te bedienen. Hij beschikte bij uitstek over het journalistieke talent om alle bestaande vooroordelen van de gewone man te verwoorden in een stijl die zichzelf etaleerde als 'non-conformistisch', 'gedurfd' en 'onconventioneel'. Evenmin had de heldhaftige ondergang van zijn wetsvoorstel negatieve gevolgen gehad voor zijn groeiende reputatie als iemand die zich durfde uit te spreken voor 'Gezond Verstand', 'Fatsoen', 'Normen en Waarden', de diepere gevoelens van de 'Zwijgende Meerderheid' en zijn geliefde 'Instincten van het Britse Volk'. Binnen de Partij werd er steeds meer gefluisterd. Barson-Garland bereikte als eenvoudig Lagerhuislid meer voor de Conservatieven dan de leiders op de eerste rij. Zijn naam was door de voornaamste politieke correspondent van de BBC openlijk genoemd als iemand met wie in de strijd om het toekomstig leiderschap rekening moest worden gehouden. De zaken gingen voor de wind.

Simon Cotter had hem niet kunnen steunen met zijn wetsvoorstel, maar zijn medeleven onder woorden gebracht in een gezwollen stijl die weinig voor die van Ashley onderdeed:

'Ik twijfel er niet aan of overheidsbemoeienis met het netverkeer is op den duur onvermijdelijk,' had hij toegegeven. 'Door de eisen op het gebied van financiële controle, publieke moraal en systematische virusbescherming zal er op een gegeven moment niet aan te ontkomen zijn. Ik kan me er publiekelijk echter niet voor uitspreken. Je begrijpt natuurlijk dat ik me om commerciële redenen aan de zijde van de verdedigers van de vrijheid van meningsuiting moet scharen. Wanneer de tijd echter daar is veronderstel ik dat jij een rol zult spelen in de tenuitvoerlegging, en ik wil je verzekeren dat je dan kunt rekenen op de volle medewerking van ons hier bij CDC. Zou ik het, voor het zover is, over iets anders met je kunnen hebben? Zoals je weet, hebben we onlangs de *London Evening Press* overgenomen. Mijn hoofdredacteur is op zoek naar een goede columnist. Spreekt het idee jou misschien aan?'

Het idee – en de (naar Ashley's smaak) elegante manier waarop Cotter het had verwoord – had hem bijzonder aangesproken, en Barson-Garlands ster was gaan rijzen. Op basis van zijn kersverse succes als Volkstribuun voor het Gezonde Verstand was hij recentelijk gaan deelnemen aan een serie live uitgezonden televisiedebatten. Gewapend met een microfoon en een batterij aan experts, slachtoffers en sceptici beende hij als een grootinquisiteur door de studio om morele en ethische kwesties tot op het bot uit te diepen: Een Grote Blanke Oprah, een intellectuele Jerry Springer, de Zedenmeester van het Nieuwe Millennium.

De eerste aflevering, 'Het Falen van het Feminisme', was bijzonder goed verlopen, en nu hij was bezig aan de voorbereiding van de volgende. Zijn producer had hem op het hart gedrukt dat het, bij televisie, een vuistregel was dat je je zwaarste geschut in stelling moest brengen in de tweede aflevering van een serie.

'Als de eerste goed is geweest,' had ze gezegd, 'moet de tweede beter zijn. De kijkers die de eerste aflevering hebben gemist, hebben erover gehoord van hun vrienden of recensies gelezen in de krant. Ze zullen voor nummer twee massaal voor de buis gaan zitten, dus laten we er een klapper van maken.'

Aflevering Twee zou 'De Vloek van het Net' gaan heten, en een klapper zou het zeker worden. Ouders wier kinderen krankzinnige telefoonrekeningen hadden opgebouwd of via een *chatroom* in contact waren gekomen met seksueel verknipte figuren, musici wier royalties in gevaar kwamen – ze waren allemaal opgetrommeld en stonden klaar voor de aanval op de verdedigers van het net, makers van software die massale inbreuk op muzikaal auteursrecht in de hand werkte, serviceproviders die weigerden weerzinwekkende nieuwsgroepen te controleren, creditcardbedrijven, on-line medische diensten, het hele internet-establishment. Een van de researchmedewerkers aan het programma had een bom in elkaar geknutseld met behulp van informatie die hij van het net had geplukt, een ander had drugs gekocht en weer een ander – en dat zou zeker een van de meest sensationele onthullingen uit de televisiehistorie worden – had zich een half jaar lang uitgegeven voor een twaalfjarige en zou *live* in de uitzending kennismaken met nog een zogenaamd minderjarige, die, zo hadden de programmamakers met behulp van een taalkundige vastgesteld, in werkelijkheid een volwassene was. Een verborgen camera zou de hele scène vastleggen, en de politie stond gereed om een arrestatie te verrichten.

Op de dag van de uitzending leek alleen Ashley het hoofd koel te houden. Een groep ouders die in de studiocantine zat te eten ontdekte dat een tafel verder een man zat met een laptop waarop weerzinwekkende foto's te zien waren van lijken en verminkte ledematen. De ouders waren gaan gillen en hadden de producers beschuldigd van ongevoeligheid, stupiditeit en weloverwogen, schaamteloze manipulatie. De opwinding kon in de kiem worden gesmoord toen bleek dat de aanstootgevende laptop toebehoorde aan een verslaggever die materiaal aan het verzamelen was over landmijnen in Angola voor een geheel ander programma. De verslaggever in kwestie, die zich aan de toonbank in de rij voor het avondeten had geschaard, kreeg een ernstige uitbrander omdat hij zijn laptop onbeheerd op zijn tafel had laten staan. De vader van het kind dat de laptop had geopend, werd het nemen van juridische stappen ontraden, en de gemoederen bedaarden enigszins.

Toen Ashley aan zijn inleiding begon, was de spanning in de studio voelbaar.

'*Cyberspace*, de uiterste grens…' begon hij vanaf zijn positie in het midden van de studio. 'We hebben nieuwe werelden en nieuwe beschavingen verkend. We hebben ons onvervaard begeven op terreinen die nog door geen mens zijn betreden, en wat is onze beloning geweest? Een explosie van geweld en misdaad, goklust, pornografie, exploitatie, videospelletjes en ontucht – een mooi, ouderwets woord voor een slecht, ouderwets kwaad. Geen wetgeving beschermt een kind van zeven tegen de corruptie van zijn onschuld. We horen dat daar niets aan te doen is. Bestaat er niet zoiets als een politieke wil? Zijn we al slachtoffers van het apparaat? Of is het misschien zo dat de mensheid, zoals altijd, het nog steeds in zich heeft om "Nee!" te zeggen? Is het te laat om te besluiten om gewoon weg te lopen?

Tegenover de anarchie en verwording die is te vinden in de vunzigste hoeken van het net, staat één instelling: oeroud, wijs, nobel, maar kennelijk machteloos tegenover 's mensen hang naar technologie. Die instelling noemen we Het Gezin. Hoe nietig oogt het, geposteerd tegenover de kolossale gevestigde belangen en onverzadigbare hebzucht van e-commerce en de grote elektronische toekomst. Kan de zwakke fluisterstem van Het Gezin uitstijgen boven zo veel wapengekletter? Kan Het Britse Gezin zich echt verzetten tegen... de Vloek van het Net?'

Muziek. Applaus. Titels. Een collage van opnamen van Ashley Barson-Garland, kaal, onaantrekkelijk, lelijk zelfs, maar op de een of andere manier groots in zijn onopvallendheid. Hij staat op, hij glijdt, hij danst, hij zweeft langs de rijen bewonderende studiogasten. Spontane ruzies en verzoeningen onder tranen. Het gezicht van Barson-Garland zweeft boven alles uit. Het slotbeeld: hij geeft een samenvatting, recht in de camera blikkend, zijn ogen strak in de jouwe, terwijl hij de draden van het debat van deze week samenvlecht. Einde muziek. Einde titels. Einde applaus.

Een dubbelzijdig breedbeeldtelevisiescherm hing hoog in het atrium van CotterDotCom. Het atriumcafé was, als gewoonlijk, druk bezet. Om acht uur 's avonds zijn de meeste kantoorgebouwen het eenzame domein van beveiligingspersoneel, schoonmakers en een handjevol carrièrejagers. Simon Cotter had daarentegen gemerkt dat hij zijn mensen er 's avonds vaak aan moest herinneren dat ze een huis en een eigen leven hadden. Die avond was hij zelf ook in het atrium en lachte hartelijk mee met de anderen om Barson-Garlands inleiding.

'O jee,' zei hij over zijn zonnebril heen kijkend naar de beginti-
tels. 'Volgens mij kunnen ze bij internet hun borst nat maken, jongens.'

'Hij praat alsof iedereen die iets met het net te maken heeft van
een andere planeet komt,' zei Albert Fendeman, die toevallig aan
hetzelfde tafeltje zat. 'Ik bedoel, wij hebben toch ook allemaal een
gezin. Beseft hij dat niet?'

'Ik kan me anders moeilijk voorstellen dat híj een gezin heeft,'
liet een meisje zich ontvallen dat naast hun tafeltje stond en met
een blik vol afkeer omhoogkeek naar het scherm.

'Toevallig,' zei Albert schaapachtig, 'is hij een oude bekende van
mijn ouders.'

'O ja?' vroeg Simon geïnteresseerd. 'Dan moeten we op onze
woorden passen.'

'Jezus, nee, ik heb hem nooit kunnen uitstaan. Hij sprak altijd als
een schoolmeester tegen mij, zelfs toen ik nog jong was.'

'En nu ben je stokoud, natuurlijk,' zei het meisje, een van de beste
programmeurs van het land, en zelf amper twintig.

'Sst!' siste iemand van een aangrenzend tafeltje. 'Daar heb je Brad
Messiter.'

Barson-Garland stond tegenover een gast die iedereen bij Cotter
kende. Brad Messiter had de snelst groeiende gratis internet-servi-
ceprovider van het land opgericht, en Ashley maakte zich op om
hem levend te roosteren.

'U maakt reclame tijdens tv-programma's voor kinderen en in
kindertijdschriften. Uw gratis cd-roms liggen op de toonbank van
snoepwinkels, met tekenfilmfiguren en voetbalsterren op de verpakking. En toch biedt uw dienst geen filters aan, en geeft u de ouders geen controlemiddelen in handen...'

'Iedere ouder kan een honderd procent functionerend poort-
wachterspakket kopen...' begon de onfortuinlijke Messiter, maar
Ashley ging genadeloos door.

'U komt straks nog aan het woord. Laten we eerst eens op een
rijtje zetten wat u doet. U biedt een volledig internetpakket aan,
met inbegrip van onbeperkte toegang tot nieuwsgroepen van het

weerzinwekkendste soort. We zijn allemaal vertrouwd met commerciële websites, waarvan vele, inderdaad, worden bewaakt door de een of andere creditcardbeveiliging. Maar nieuwsgroepen bieden foto's en films aan iedereen aan. *Iedereen.* Laat me eens een paar groepen opnoemen die een kind op uw service kan tegenkomen zonder méér tot zijn beschikking te hebben dan een computer en zijn eigen kinderlijke nieuwsgierigheid. Alt.binary.bestialiteit, alt.binary.lolita, alt.binary.voorhuiden… en ik heb hier letterlijk nog honderden andere die te grotesk, te bizar en te gruwelijk zijn om voor de televisie op te noemen. Dit is het soort weerzinwekkende koopwaar waarmee u multimiljonair bent geworden, waar of niet, meneer Messiter?'

'De post verwerkt op dit moment duizenden tijdschriften en foto's…'

'Waar of niet, meneer Messiter?'

'…duizenden tijdschriften en foto's worden op dit moment verstuurd door de Koninklijke Posterijen, technisch het bezit van de Koningin, tijdschriften en foto's die u even aanstootgevend zou vinden en die…'

'Waar of niet, meneer Messiter?'

'Waar of niet?' herhaalde de zaal als uit één mond. 'Waar of niet?'

'Waar, ja zeker, maar zoals ik zeg…'

'Waar!' Ashley rukte de microfoon weg en liep naar de camera. 'Volgens meneer Messiters verknipte logica heeft Hare Majesteit de Koningin dus op de een of andere manier belangstelling voor pornografie, wat ons voldoende zegt over meneer Messiter zelf, denk ik. We komen straks nog bij hem terug, maar eerst wil ik samen met u op stap gaan met verslaggever Jamie Ross. Jamie heeft het afgelopen half jaar, in de gedaante van de twaalfjarige Lucy, een romantische relatie onderhouden met de dertienjarige Tom. Onschuldig, aardig, niets op tegen. Een vriendschap op papier, zeg maar. Tom heeft nu voorgesteld om elkaar te ontmoeten. Onze linguïstische experts hebben de e-mails en boodschappen van Tom aan Lucy geanalyseerd en vastgesteld dat ze zijn opgesteld door een volwassene. Jamie.'

Het Cotter Atrium keek met onderdrukt gelach toe hoe een serieuze verslaggever op de hoek van Argyll en Marlborough Street met gedempte stem in een microfoon stond te praten. Een klein meisje stond zenuwachtig naast hem.

'Ik ga straks Wisenheimer's binnen, een hamburgerzaak die heel geliefd is bij de jeugd, een meter of vijftig naast het beroemde Oxford Circus, voor een afspraak met "Tom". Hij verwacht een klein meisje, dus heb ik mijn dochtertje Zoë meegenomen. In mijn handtas heb ik een verborgen camera en een bandrecorder. De politie staat gereed om een arrestatie te verrichten als "Tom", zoals we sterk vermoeden, een volwassene blijkt te zijn, die zich voor een kind uitgeeft. Daar gaan we.'

Op het scherm verscheen een korrelig, maar redelijk beeld. Verslaggever Jamie Ross ging het restaurant binnen, nam plaats aan een tafeltje en richtte zijn groothoektas op de deur. Zijn dochtertje Zoë kwam een paar tellen later binnen en ging aan een ander tafeltje zitten.

'Tot zover niets aan de hand,' fluisterde Jamie in zijn microfoon. 'Voornamelijk jongelui hier, toeristen zo te zien, en een paar volwassenen aan verschillende tafeltjes. De ideale plek misschien voor zo'n soort afspraak. Hé, wat hebben we daar?'

Een zenuwachtig joch van een jaar of twaalf, dertien was het restaurant binnengekomen, had één blik op Zoë geworpen en een andere op het tafeltje waaraan Jamie met zijn camera zat, en was toen aan een leeg tafeltje gaan zitten.

'Tja, misschien hebben onze experts zich vergist.' De teleurstelling was duidelijk hoorbaar in Jamie's stem.

'Experts? Vergist?' De mensen die in het Cotter Atrium verzameld waren vermaakten zich geweldig. 'Nee toch?'

'Misschien moet ik hem eens vragen wat hij hier doet…' Jamie pakte zijn tas op en liep naar het jongetje toe. 'Hallo,' zei hij en hij zette zijn tas op het tafeltje tussen hen in. 'Heet jij toevallig Tom?'

Het joch gaf geen antwoord, maar stond op en wees naar de verslaggever.

Meteen sprongen er van verschillende tafeltjes een stuk of zes mannen en vrouwen op en omsingelden de verblufte Jamie.

'U staat onder arrest,' zei een van hen, terwijl hij hem in de boeien sloeg, 'op verdenking van het zich onder valse voorwendselen voordoen als minderjarige tegenover een...'

'Wacht even, ik ben Jamie Ross van de BBC...'

'U hoeft niets tot uw verdediging aan te voeren, maar ik moet u waarschuwen dat uw zwijgen in dat geval...'

Het beeld viel even weg, waarna de studio weer op het scherm verscheen, met een nogal geagiteerde Barson-Garland.

'Eh, ja,' zei hij. 'Het lijkt erop dat... ik bedoel...'

In het Atrium sloegen Albert en de programmeerster elkaar op de schouders, terwijl de tranen hun over de wangen liepen van het lachen.

'Sst!' maande Cotter. 'Laten we de rest niet missen.'

'Het lijkt erop dat dit een geval was van twee zielen, één gedachte,' ging Ashley verder, puttend uit zijn laatste reserves slagvaardigheid, 'twee harten, eh, die enkel voor elkander kloppen.'

'Wat?' brulde Albert, kronkelend van plezier. 'Is hij helemaal mesjokke geworden?'

'Robert Browning,' zei Simon. 'Als de geest het begeeft wordt er automatisch overgeschakeld op literaire citaten.'

'Niettemin valt hier een les uit te trekken. De wereld van de *chatroom* roept blijkbaar voldoende ouderlijke bezorgdheid op om ons tot nadenken te stemmen. We brengen u natuurlijk zo spoedig mogelijk het nieuws van Jamie's vrijlating.'

'Wie zorgt er voor Zoë?'

'Tja, ik vermoed...' Ashley keek het publiek in om de vragensteller te identificeren. 'Ik denk...'

'Iemand heeft een meisje van twaalf zomaar alleen gelaten in een hamburgertent in West End. Ik zie het op die monitor daar. Ze zit daar helemaal in haar eentje.'

'Jamie zal de politie natuurlijk meteen vertellen...'

'Noemt u dat verantwoordelijkheidsbesef?'

'Ah, meneer Messiter. U bent het.'

'Zeker ben ik het. Koekje van eigen deeg, hè?'

'Meneer Messiter lijkt zich opeens het lot van weerloze kinderen zeer aan te trekken, dames en heren.' Ashley had zich weer hersteld. 'Niettemin blijft zijn onderneming de poorten naar de pornografie voor iedereen openstellen, zonder daar de verantwoordelijkheid voor te aanvaarden. Hij weet zelfs de ouders nog de schuld te geven. Het ligt aan hen. Als ze nu maar dure en ingewikkelde software kochten om te zorgen dat hun kinderen er geen toegang toe kunnen krijgen, dan zou er niets aan de hand zijn.'

'Het is niet duur, het is gratis verkrijgbaar op...'

'Goed, dames en heren, mag ik dan nu aan u voorstellen... een expert op het gebied van internetbeveiliging... Van CotterDot-Com... Cosima Kretschmer!'

Het Atrium viel stil en alle ogen keerden zich van het scherm naar Simon. Hij haalde even zijn schouders op. 'Jullie zijn allemaal vrij,' zei hij. 'Als Cosima voor de televisie wil pronken met haar expertise, wat kan ik daar dan tegen doen?'

Alle hoofden draaiden zich weer naar het scherm. Het gerucht ging dat Cosima, die door Simon van het kantoor in Genève naar Londen was gehaald, méér was dan alleen maar het hoofd van de divisie veiligheidsresearch. Simon en zij waren kort geleden samen gefotografeerd bij het verlaten van het Ivy Restaurant. Het leek twijfelachtig dat ze voor Ashley Barson-Garland als getuige zou optreden zonder Simons uitdrukkelijke instemming. Albert fronste zijn voorhoofd toen hij haar de microfoon zag pakken. Hij kon niet geloven dat zijn mentor, zijn held, zijn god, steun zou verlenen aan iets, wat dan ook, wat de onaantastbaarheid en onafhankelijkheid van het net kon bedreigen.

Simon zat met een blik van neutrale welwillendheid naar het scherm te kijken.

'*Fräulein* Kretschmer, ik denk dat alleen mensen die de laatste twee jaar vakantie hebben gehouden op Mars, nog nooit hebben gehoord van CotterDotCom. U houdt zich bezig met internetbewaking, is dat juist?'

'Dat is volkomen juist.'

'Ik geloof dat serviceproviders kunnen kiezen of ze alle, dan wel alleen maar enkele, nieuwsgroepen op hun newsservers beschikbaar stellen, is dat juist?'

'Zeker.'

'Dus Messiters bedrijf, de grootste gratis provider van het Verenigd Koninkrijk, is niet verplícht om het hele scala aan nieuwsgroepen aan te bieden. Hij zou die met illegale kinderpornografie erop bijvoorbeeld kunnen filteren?'

'Inderdaad.'

'Nu heb ik, zoals u misschien weet, een wetsvoorstel ingediend voor toezicht op dergelijke obscene transacties, en van de zogeheten "internetgemeenschap" te horen gekregen dat zoiets "onuitvoerbaar" zou zijn. Hebben ze daar gelijk in?'

'Helemaal niet. Je kunt wel *proxy servers* en *firewalls* gebruiken maar meestal kun je degenen die onwettige dingen uploaden en downloaden wel achterhalen.'

'Dat ís dus mogelijk? Vindt u dat de regering stappen moet ondernemen om dat soort verkeer te volgen?'

'Nee, dat vind ik niet.'

Ashley knipperde even met zijn ogen. 'Neem me niet kwalijk, *Fräulein* Kretschmer...'

'Zegt u toch Cosima.'

'Maar u hebt me eerder verteld dat u wél in een dergelijke controle geloofd.'

'Is dat zo?'

'Dat weet u heel goed.'

'Het ligt ingewikkeld. Burgerlijke vrijheden zijn een zwaarwegende kwestie. Ik ben de laatste tijd dieper over het onderwerp gaan nadenken.'

'Burgerlijke vrijheden? En hoe staat het dan met het recht van een gezin om vrij van angst en besmetting te leven? Telt dat niet?'

Een spontaan applaus overstemde het eerste deel van Cosima's antwoord.

'Goed,' zei ze. 'Stel dat ik bij mijn onderzoek stuit op iemand die het internet regelmatig heeft gebruikt voor zijn eigen seksuele gerief? Illegale pornografie heeft gedownload, enzovoort? Heb ik dan het recht om zo iemand aan de schandpaal te nagelen?'

'Natuurlijk. Als zijn harde schijf illegaal materiaal bevat, is dat hetzelfde als het in bezit hebben van pornografische foto's. Dat weten we allemaal.'

'Ja, maar deze persoon is sluw. Hij bekijkt de beelden op het scherm, maar hij slaat ze niet op. Hij wist alles, ook zijn harde schijf, zodra hij... zichzelf heeft bevredigd, begrijpt u wat ik bedoel?'

Ashley's stem overstemde het gegiechel dat van achter in de zaal opsteeg. 'Dat is allemaal hypothetisch gespeculeer en heeft naar mijn smaak niets te maken met waar het in deze discussie om gaat,' zei hij. 'We richten ons in deze uitzending tot...'

'Het is nu juist de kern van de discussie.' Brad Messiter maakte zich van achter in het publiek ook zonder microfoon gemakkelijk verstaanbaar. 'Vertel ons eens wat meer over dit hypothetische geval, Cosima...'

'Eerlijk gezegd,' zei Cosima, die, anders dan Messiter, een microfoontje aan de revers van haar jasje droeg, 'is het geen hypothetisch geval. Ik heb het over ú, meneer Barson-Garland. *Over u!* U hebt bij elkaar zo'n zestien uur per week ingelogd op sites die zijn gewijd aan foto's van tienerjongens.'

Een geschokte zucht weerklonk door de studio, en Ashley, die krijtwit was geworden, draaide zich met een ruk naar Cosima om. 'Ik moet u waarschuwen dat ik tevens advocaat ben,' snauwde hij haar toe. 'Voor het uiten van ongegronde beschuldigingen kunt u vervolgd worden. U kunt geen schijn van een bewijs hebben voor zo'n schandalige...'

'Zeker wel,' zei Cosima en ze wees op een tas. 'Ik heb uw internetbezoek maanden gevolgd en u zien inloggen op *webcam-sites*, nieuwsgroepen en jongeren-*chatrooms*.'

'Ik heb... ik heb...' Er begonnen zweetdruppeltjes te verschijnen op Ashley's voorhoofd. 'Ik heb natuurlijk alle domeinen van het internet bezocht in de loop van mijn campagne. Het zou toch absurd zijn als ik een wetgeving tegen pornografie zou zijn gaan entameren zonder er eerst zelf kennis van te hebben genomen?'

'Maar waarom dan uitsluitend tienerjongens? Waarom alleen maar sites met namen als "De Ballentent", "Jongens Onder Elkaar"en "Wie Het Eerst Komt Het Eerst Paalt?" - waarom alleen maar die?'

Ashley had het gevoel dat hij verdronk in een oceaan van gelach.

'Iedereen die een beetje gezond verstand heeft,' siste hij in zijn microfoon, 'zal begrijpen dat ik de dupe ben geworden van een heel sluw complot om mijn naam te bezoedelen en de landelijke campagne die ik voer ten behoeve van het gezin in diskrediet te brengen. U kunt deze weerzinwekkende aantijgingen onmogelijk bewijzen. U hebt alleen maar dát deel van mijn internetbezoek opgenomen dat in uw kraam te pas komt, en opzettelijk de duizenden andere bezoeken genegeerd die ik al dan niet legitiem in het kader van mijn onderzoek aan het net heb gebracht. Deze vileine en stuitende laster bewijst hoe ver het internet-establishment bereid is te gaan in zijn...'

'Ik heb ook geconstateerd,' ging Cosima onverbiddelijk verder, 'dat u altijd uw werkstation en uw cache-geheugen wist. Bij u thuis zal geen spoor van bewijs te vinden zijn.'

'Natuurlijk niet!' krijste Ashley. 'Er is bij mij thuis geen bewijs te vinden, omdat alles wat u hebt gezegd een bijeengeraapt zootje leugens, suggesties en halve waarheden is. Ik weet niet of uw werkgever weet waar u zich mee hebt beziggehouden –'

'Mijn werkgever is ook de uwe. Vergeet niet dat u een column schrijft voor zijn krant –'

'Dat doet niet ter zake! Als ik merk dat u in uw werktijd voor Cotter in mijn privé-leven hebt zitten snuffelen, zullen de gevolgen voor u onvoorstelbaar zijn. Laat me u dat verzekeren, *Fräulein!*'

In het Atrium waren een stuk of twintig monden opengezakt en keken evenveel mensen hun ogen uit naar het gigantische beeldscherm. Een tafereel, veronderstelde Simon, dat zich in verschillende aantallen en configuraties door het hele land zou afspelen. Albert wierp nog een tersluikse blik op het gezicht van zijn held, maar kon niets lezen achter de spiegelende brillenglazen. Een milde verbazing sprak uit één licht opgetrokken wenkbrauw, meer niet.

Alberts vader en moeder hadden als kinderen gekeken naar de landing op de maan, Gordon in New York en Portia in Parijs. Albert zelf bewaarde vage herinneringen aan O.J.'s witte Bronco die door de media in helikopters werd gevolgd op zijn tocht over de snelwegen rond Los Angeles, maar dít... dit was een herinnering aan de hand waarvan zíjn generatie zichzelf voor altijd zou dateren. Waar was jij toen Cosima Kretschmer live op de televisie gehakt maakte van Ashley Barson-Garland? Voor de televisie, malloot, zouden de slimmeriken antwoorden, en jij?

Cosima Kretschmer leek de enige in de studio die haar kalmte bewaarde. De regisseur zat bovenin heftig te telefoneren met de zendermanager die een advocaat aan de lijn had. 'Doorgaan,' zei de zendermanager. 'Het is Barson-Garlands beslissing. Hij kan ons moeilijk een proces aandoen wegens smaad in zijn eigen programma.'

'Ik beweer,' zei Cosima, 'dat u consequent obscene en merendeels illegale foto's van jongens op uw computer hebt gedownload. U hebt gemasturbeerd bij die foto's en ze vervolgens gewist.'

Sommige ouders legden hun handen over de oren van hun kinderen, die zich in allerlei bochten wrongen om zich ervan te bevrijden.

'U hebt uzelf zojuist een ontzagwekkend proces op de hals gehaald,' gilde Ashley, die zijn vinger in haar richting priemde en stond te beven van woede.

'Dat is uw goed recht. Ik beschik over video-opnamen waarop u daarmee bezig bent. *Ja!* ' benadrukte Cosima, terwijl er een plotselinge stilte neerdaalde over de studio en aller ogen zich gespannen op Ashley richtten. 'Ik heb uren videotape waarop u voor het scherm in de studeerkamer van uw eigen huis in Londen zit te masturberen.'

'Zulke opnamen zouden door elke rechtbank niet-ontvankelijk worden verklaard,' zei Ashley, die een met elke seconde in gewicht toenemende steen op zijn maag voelde drukken, 'gesteld dan altijd dat ze bestáán, natuurlijk. Wat niet zo is. U werkt zich steeds verder in de nesten, jongedame.'

'Maar we hebben het niet over elke rechtbank. We hebben het over déze rechtbank,' ging Cosima meedogenloos door. 'Uw eigen rechtbank. U kunt er toch geen bezwaar tegen hebben dat ik mijn bewijsmateriaal hier laat zien?' Ze trok twee cassettes uit haar tas. '"Er zijn geen maatregelen die ten behoeve van het gezin, ten behoeve van het fatsoen, niet mogen worden genomen." Uw eigen woorden. Waar of niet, meneer Barson-Garland?'

Ashley stond aan de grond genageld in het midden van de studio. Brad Messiter dirigeerde een koor dat 'Waar of niet? Waar of niet?' loeide. De stemmen smolten samen in zijn hoofd en zwollen aan. Zijn mond ging open en dicht, maar zijn ogen volgden de videocassettes die Cosima boven haar hoofd hield en lieten die geen seconde los.

'Ik heb uw dagboek ook uitgeprint, meneer Barson-Garland.' Cosima stak haar vrije hand in haar tas en trok er bundels papier uit. 'Heel boeiende lectuur!'

Ashley krijste nu van woede en sprong op haar af. Op het laatste moment zwenkte hij echter van haar vandaan en rende de studio uit, zijn microfoon van zich af smijtend. Hij wrong zich blindelings langs veiligheidsmensen die te verbijsterd en verward waren om te weten wat ze moesten doen. Hij stormde door een aantal gangen heen de foyer binnen, zonder een oog te slaan op het groepje BBC-werknemers dat aan in de muur verzonken schermen gekluisterd zat. Hij duwde de glazen deuren open en rende als een gek over het hoefijzervormige voorplein Wood Lane op. Hij hoorde opgewonden stemmen achter zich, maar stormde door de beveiligde toegangspoort heen de straat op. Er stond een rij taxi's te wachten en hij stortte zich op de eerste, klauwend aan het portier.

'Rustig aan, vriend. Rustig.' De chauffeur schakelde de automatische vergrendeling uit en Ashley wierp zich op de achterbank.

'St. James!'

'Hé, ik ken u. U bent die Barson-Garland.'

'Doet er niet toe.' Ashley's ademhaling kwam er in diepe snikken uit. 'Duke Street, zo snel als u kunt.'

'Komt voor elkaar. Zonde dat dat wetsvoorstel van u het niet heeft gehaald. 't Wordt onderhand wel eens tijd dat die gestoorden worden aangepakt. Ik heb zelf kinderen.'

Ashley tastte in zijn zak en kon wel huilen van opluchting toen zijn vingers zich sloten om zijn leren Smythson sleutelhouder. De vorige week had hij zijn sleutels in zijn kleedkamer laten liggen en had hij om twaalf uur 's nachts naar het studiocomplex terug ge- moeten om ze op te halen. Toentertijd had hij zichzelf vervloekt, maar als dat niet was gebeurd, had hij vandaag nooit besloten ze bij zich te houden. Toen hij een blik door het achterraampje van de taxi wierp, zag hij hoe aan de zijkant van de studio een menigte mensen naar buiten kwam uit de uitgang voor het publiek.

'Ik heb die Gary Glitter nog 's bij me in de wagen gehad,' zei de chauffeur.

Zoals Ashley al had gevreesd, had zich in Mason's Yard al een kleine menigte verzameld. Een met de hand opgehouden tv-lamp was op zijn voordeur gericht en zwenkte naar de taxi toen die van- uit Duke Street het straatje inreed.

'Nou, nou, u heeft heel wat fans, zo te zien,' zei de chauffeur, zijn ogen afschermend. 'Gaan ze u tot partijleider kiezen?'

Ashley stak een biljet van twintig pond door de ruit heen en deed het portier open, sleutels in de aanslag. 'Laat maar zitten.'

'Hartstikke bedankt, meneer. Op mijn stem kunt u rekenen!'

'Meneer Barson-Garland! Meneer Barson-Garland!'

'Geen commentaar, geen commentaar. Geen commentaar. Geen enkel commentaar.'

Hij wrong zich met gebogen hoofd door de dicht opeengepakte menigte heen, zijn hand met de sleutel erin naar de voordeur uitge- strekt.

'Is er iets waar van al die beschuldigingen?'

'Geen commentaar, zeg ik toch. Ik heb geen enkel commentaar.' Hij sloeg de deur voor hun neus dicht en vergrendelde hem. Zodra hij alleen was, begonnen de tranen te vloeien.

Boven in zijn studeerkamer ging de telefoon over. Hij trok de stekker eruit en bleef midden in het vertrek staan, terwijl de tranen over zijn wangen stroomden. Hij was omgeven door de symbolen van zijn succes. Het door Romney geschilderde portret van een zekere Sir William Barson, die hij voor een van zijn voorvaderen had laten doorgaan, staarde op hem neer, met één hand in de zij. Zijn eerste drukken van Gibbon, Carlyle en Burke glommen op de boekenplanken. En op het bureau stond zijn computer.

Het was een leugen. Eén grote leugen. Ze hadden hem erin laten lopen. Om de een of andere boosaardige, verschrikkelijke reden hadden ze hem zover gekregen, dat hij zichzelf bloot had gegeven. Videocamera's in zijn studeerkamer! Het was ondenkbaar. Wie zou zoiets doen? Ondenkbaar. Maar ja, ze moesten iets hebben geweten. Ze hadden nooit kunnen raden dat het zijn gewoonte was om...

Hij startte zijn computer op en toetste het eerste wachtwoord in. Zijn dagboekaantekeningen waren ook beschermd met een wachtwoord, beveiliging binnen beveiliging. Niemand zou erdoorheen hebben kunnen komen. Hij klikte zijn laatste aantekeningen aan, die van gisteren, toen de wereld nog aan zijn voeten lag. Het systeem vergde een tweede wachtwoord, wat hij gaf. De dagboekpagina's laadden zichzelf en hij begon te lezen.

Treurig nieuws over die goeie ouwe Rufus Cade. Naar het schijnt een 'afrekening in het milieu', zoals ze dat tegenwoordig noemen. Zal wel onvermijdelijk zijn geweest. Al toen hij nog op school zat, was het duidelijk dat onze Rufus voorbestemd was voor een leven van verslaving en verval. Zoals de Amerikanen dat noemen 'een addictief-compulsieve persoonlijkheid' of zo'n soort kreet. Ik heb hem niet meer gezien sinds hij me een jaar of vijf geleden opbelde met een gênant verzoek om geld om te 'investeren' in een amateuristisch plan voor het opzetten van een modellenbureau. Ik zal naar zijn begrafenis gaan, denk ik, en bidden voor het zijn zielenheil. De Genade zal hem niet worden ontzegd.

Een bevredigende bespreking van de eerste aflevering in de *Telegraph* vanochtend. Het schijnt dat ik een 'geboren presentator ben die natuurlijkheid paart aan een keiharde weigering om me te laten afleiden van de grote morele vraagstukken'. Pas maar op, David Starkey!

Bevredigend! Zou hij dat woord ooit nog durven gebruiken? Of een woord dat erop leek? Ashley veegde zijn tranen weg en liet de pagina's over zijn scherm rollen tot hij iets zag dat hem een hartstilstand bezorgde.

Rood!

Onmogelijk, maar waar.

De laatste alinea van zijn laatste dagboekaantekeningen stond in *rood*. Ashley speelde nooit met gekleurde tekst. De alinea stond ook in een ander lettertype. Een lettertype dat hij nooit gebruikte.

Zijn ogen durfden zich amper naar de onderkant van het scherm te laten zakken. Als hij de alinea las, zou hij zeker weten dat het geen fout was, niet het gevolg van een serie onachtzame muisklikken van zijn kant. Hij wilde het niet weten. Maar hij moest doorlezen.

Hypocrite, lecteur, mon semblable, mon frère! Niet voor de eerste keer lees ik in je dagboek, Ashley Garland. Je bent nog niet veel gevorderd, of wel? Van masturberen in strohoeden van schooljongens tot masturberen bij foto's van schooljongens. Wat ben je toch een zielig misbaksel van een man. Een en al pretenties, snobisme, onverdraagzaamheid, bluf, schijnheiligheid en vertoon. Met jouw hersens had je zo ver kunnen komen, Ashley Garland. Met zo'n koud, verstopt hart echter, was je altijd al voorbestemd voor schandaal, verderf en vernedering. Ik vraag me af hoe ze je in de gevangenis zullen behandelen. Bedrieger, smeerlap, overgehaalde hypocriet die je bent. Mijn wraak op jou is volledig. Moge je voor altijd rotten in de brandende smerigheid van je eigen ontbinding.

De rode letters dansten voor Ashley's ogen. Hij drukte zijn handen tegen zijn slapen en duwde ze naar binnen, alsof hij zijn hersens tot nadenken wilde dwingen. Tranen drupten op het toetsenbord.

Dit was waanzin. Primitieve waanzin van een aard die onverklaarbaar was. Hij had vijanden. Hij werd niet door iedereen aardig gevonden, dat wist hij. Dat had hij altijd geweten. Maar zo'n krankzinnige haat?

Het knipperen van het icoon van een map op zijn scherm trok zijn aandacht. De map droeg de titel 'Yummie!' en Ashley wist dat hij hem nog nooit had gezien. Hij klikte de map aan, die meer dan tweeduizend documenten bleek te bevatten, allemaal met een foto- of filmformat. Hij klikte er lukraak één aan, en zijn scherm vulde zich met een videobeeld van zo'n scherpte en zo'n onvoorstelbàre, genadeloze fysieke gedetailleerdheid, dat zijn adem in zijn keel stokte. De deelnemers waren allemaal minderjarige jongens.

Er werd aan de deur gebeld.

Ashley sloot meteen het document en sleurde de hele map naar de prullenbak op zijn scherm.

Er werd weer aangebeld.

Ashley leegde de prullenbak. Er verscheen een venster op het scherm.

Wissen niet mogelijk zonder wachtwoord

Ashley toetste zijn wachtwoord in en probeerde het opnieuw.

Wachtwoord niet correct

Ashley probeerde zijn tweede wachtwoord.

Wachtwoord niet correct. Systeem wordt afgesloten...

Ashley keek verbijsterd naar het scherm dat met een ruisend geluid en het geknetter van statische elektriciteit op zwart ging.

Er werd voor de derde keer aangebeld.

Een knipperend blauw licht streek over de muur achter de computer. Ashley stond op, liep naar het raam en keek door de gordijnen naar beneden. Een batterij flitslichten verblindde hem bijna, en hij deed een stap achteruit.

'Sodemieter op, allemaal,' snikte hij en hij beefde over zijn hele lichaam. 'Sodemieter op, allemaal.'

Opeens doemde het beeld voor hem op van zijn moeder en zuster in Manchester. Ze zouden naar het programma hebben zitten kijken. Misschien met de buren erbij. Er stond beneden in de tuin een televisiecamera op zijn raam gericht. Ja, ze zouden op dit moment zitten kijken, krijtwit en beschaamd, hun hand tegen hun mond geslagen. De buren zouden zich uit de voeten hebben gemaakt en thuis als de weerlicht voor hun televisie zijn gaan zitten. Iedere advocaat die hem kende, iedereen in de Conservatieve Partij zou nu voor de buis zitten. Zijn vrouw zat ook te kijken, en haar vader zou zeggen: 'Ik heb het je altijd al gezegd, die Ashley van jou is niet een van ons. Dat had ik van het begin af aan al door.' Oliver Delft zou ook hebben gekeken en Ashley's naam meteen hebben geschrapt van zijn lijstje bruikbare contacten. Het nieuws zou de Carlton Club inmiddels ook hebben bereikt en ze zouden daar nu allemaal in de televisiekamer zijn samengedromd om te kijken. Iedereen zou zien hoe hij zo meteen werd meegenomen en iedereen zou naar zijn proces kijken.

Nee, dat zouden ze niet. Niemand zou naar hem kijken. Niemand.

Er werd opnieuw aangebeld, en een verwrongen stem, versterkt door een microfoon, schalde van beneden op straat omhoog. 'Meneer Barson-Garland. Dit is Hoofdinspecteur Wallace. Laat u ons alstublieft binnen. Alle camera's en journalisten worden verwijderd, daar hebt u mijn woord op.'

Ashley strompelde de keuken in. Zijn Sabatiermessen glansden verleidelijk. De weinige vrienden die Ashley had, wisten dat hij een uitstekende kok was. Zijn messen waren even perfect als al het andere aan hem. Hij trok er een uit het houten blok en liep er, huilend als een kind, mee terug naar zijn studeerkamer.

Zijn hele leven lang, besefte hij, had hij zich gevoeld als een antilope die door een leeuw wordt opgejaagd. Hij had de warme, weerzinwekkende adem van het noodlot in zijn nek gevoeld, maar hij had er telkens weer een sprintje uit kunnen persen, telkens weer een energieke, vindingrijke, flitsende zigzagbeweging kunnen maken om aan het beest te ontkomen. Nu werd hij er dan eindelijk door besprongen en bij zijn nekvel heen en weer geschud, en het kon hem niets schelen. Ze konden allemaal opsodemieteren! Het was zijn schuld niet. Hij had er nooit voor gekozen om lelijk te zijn, kaal te zijn, om 'niet een van ons' te zijn, zich aangetrokken tc voelen tot jongens, sociaal onhandig te zijn, te worden vernederd door de arrogante nonchalance en ijdelheid van De Anderen. Van De Anderen met hun goudblonde kuiven en charmante manieren! Ze konden allemaal opsodemieteren!

Hij duwde het mes in zijn keel en draaide het rond en rond en rond.

Op hetzelfde moment hoorde hij hoe beneden de deur werd ingeslagen en zag hij door de stralen bloed die uit zijn hals spoten dat zijn computer zichzelf weer had ingeschakeld. Hij verbeeldde zich, en het moest verbeelding zijn geweest, dat hij de volgende woorden in fel rode letters als *ticker-tape* van links naar rechts over zijn scherm zag kruipen:

Ned Maddstone stuurt je naar de hel

Zijn hersens hadden nog de tijd om zich af te vragen waarom de naam Ned Maddstone in het delirium van zijn laatste ogenblikken op deze ellendige aarde in hemelsnaam in hem opkwam. Misschien was het toepasselijk. Ned was het archetype geweest van Hen. Het toonbeeld van nonchalante arrogantie en zelfverzekerdheid.

Ashley stierf met een vloek op zijn lippen aan het adres van Ned Maddstone.

Simon Cotter sloot de deur van zijn kantoor af en daalde met drie treden tegelijk de trap af, terwijl hij zich op zijn dij sloeg.

'Drie!' fluisterde hij.

Albert en de anderen zaten nog voor de televisie. Ze draaiden zich verwachtingsvol om toen Simon op hen af kwam lopen.

'Ik heb hem niet aan de telefoon kunnen krijgen,' zei hij. 'Hij zal de stekker er wel uit getrokken hebben. O, kijk, de BBC vindt het ethisch niet meer verantwoord, hebben jullie *Sky News* al geprobeerd?'

Albert pakte de afstandsbediening, en ze staarden allemaal naar het scherm waarop live-beelden te zien waren van een brancard die in allerijl door de geforceerde voordeur van Barson-Garlands woning naar een ambulance werd gedragen.

Simon nam zich voor om meteen de hoofdredacteur van de LEP te bellen. Er moest nog voor veel worden gezorgd: een necrologie, een nieuwe Stem van de Rede – zo veel van die kleine dingetjes.

Oliver Delft mat zijn polsslag terwijl hij *sur place* aan het hardlopen was. Achtennegentig, niet slecht. Hij ademde een paar keer uit en liet zijn blik over het plein dwalen, terwijl hij zijn ademhaling langzaam tot bedaren liet komen. Hij wilde niet dat zijn vrouw hem ook maar een beetje buiten adem zou zien, zodat hij als regel buiten bleef staan totdat hij het huis weer kon betreden met het voorkomen van een man die alleen maar even heen en weer naar de brievenbus is gelopen.

Licht lekte vanuit het oosten de hemel in. Door de bomen zag hij dat een of twee van de Balkanambassades hun lichten hadden ontstoken. Een paar keer in het verleden had hij zijn staf versteld doen staan met een waarschuwing voor een op handen zijnde crisis, uitsluitend op basis van zijn observatie van ambassaderamen, een ironie die hem in dit zogenaamd digitale tijdperk amuseerde.

Opeens fronste Oliver zijn voorhoofd. Er stond een auto naast de zijne geparkeerd. Een zilverkleurige Lexus zonder diplomatiek kenteken. Hij zag het brede silhouet van een enorm dikke chauffeur achter het stuur. Oliver nam het nummer in zich op en tastte naar zijn huissleutel.

Het eerste signaal dat hem waarschuwde dat er iets ongewoons aan de hand was in huis, was het gelach van de kinderen. Olivers kroost was nooit vrolijk aan de ontbijttafel. Ze hingen lusteloos over hun cornflakes, staarden ontevreden naar de verpakking of zaten te jengelen dat de radio uit moest en de televisie aan. Het tweede teken van ongewone toestanden was de geur van bacon in de gang. Oliver volgde een strikt vetarm dieet, en Julia was haar hele leven al vegetariër. De kinderen, al was de jongste nu dertien, waren nog steeds verslaafd aan Coco Pops en Frosties.

Oliver hoorde een mannenstem toen hij naar de keuken liep. O hemel, verzuchtte hij in stilte, oom Jimmy!

Julia's broer Jimmy was erg in trek bij de kinderen, maar, als zo vaak bij mensen die erg populair zijn bij kinderen, vonden volwassenen hem een ramp. De tijd kon kloppen, besefte Oliver met een blik op zijn horloge. Oom Jimmy kwam wel vaker 's ochtends vroeg 'aanwippen', als hij weer eens uit Amerika terugkwam en het nog een paar uur duurde voordat de zakenwereld ontwaakte. Zijn komst loste in ieder geval het raadsel op van de Lexus met chauffeur buiten. Oliver zette een blij verrast gezicht en duwde de keukendeur open.

Als men hem had gevraagd een lijst op te stellen van duizend mensen die hij ooit nog eens aan zijn keukentafel goocheltrucs verwachtte te zien demonstreren aan zijn vrouw en kinderen, zou dotcom-miljardair Simon Cotter daar beslist niet op zijn voorgekomen.

'Daar ben je dan eindelijk, schat!' zei zijn vrouw.

Cotter keek op en glimlachte. 'Goedemorgen, Sir Oliver. U zult me moeten excuseren dat ik u zomaar op uw dak ben komen vallen. En ook nog zo vroeg. Ik was op weg naar het vliegveld en heb de kans aangegrepen om te zien of u misschien thuis was. Hardgelopen?'

Oliver, die zich opeens pijnlijk bewust was van zijn trainingspak en haarband, en zich daardoor om wat voor reden dan ook opgelaten voelde, knikte.

'Wat een onverwacht genoegen u hier te zien, meneer Cotter. Als u me toestaat, ga ik me boven even snel omkleden…'

'Kom op, Simon, waar is het?'

India, de jongste, had Simons hand gepakt, voelde in zijn mouw en trok aan zijn baard.

'Tja… Waar wíl je dat het zit? Onder de suikerpot, misschien? In de broodrooster? In de krant?'

'Onder de suikerpot.'

'Goed. Kijk maar.'

'Krijg nou wat!'

Het verbaasde Oliver dat Rupert, terug uit Oxford en onverdraaglijk blasé de laatste tijd, net zulke grote ogen opzette en even opgewonden reageerde als de anderen.

'Nóg een, Simon! Nóg een!'

Toen Oliver weer beneden kwam, waren ze bezig met een spelletje gedachtelezen. Zelfs Olivers moeder, die een beetje terzijde zat in haar rolstoel, scheen zich te amuseren, als de hoeveelheid kwijl die uit haar mondhoeken droop als een betrouwbare graadmeter kon worden beschouwd.

Julia, de kinderen en Maria hadden allemaal iets op een stuk papier getekend en zich rond Cotter geschaard, die theatraal een vinger tegen beide slapen legde en met een diepe frons omlaag tuurde.

'De grote Cottini moet denken. Hij moet dénken... aiai... *no deme la lata!*' mompelde hij voor zich uit, en Oliver hoorde Maria tot zijn verbazing proesten van het lachen. Ze zei iets in het Spaans en Cotter gaf haar in vloeiend Spaans antwoord.

'Goede geest mij gehelpt,' verkondigde hij, na de giechelende kinderen met hun verhitte gezichten één voor één te hebben aangekeken. 'Olivia, omdat zij ies 'éél knap en 'éél mooi, zij zal kiezen mooi paard, ja? Jij paard getekend, iek denken.'

Olivia vouwde haar stuk papier open en onthulde een vaardig getekend paard.

'Eigenlijk is het een pony,' zei ze.

Cotter sloeg zich tegen zijn voorhoofd. 'Ach, iek zo dom! Natuurlijk ies pony. Niet paard. Mij spijten, meisje, iek niet zo goed ien de morgen. Eens kijken nou, Gulia. Gulia iek denken kiezen appel. Ja. Iek ben 'eel zeker. Een appel. Halve appel.'

Julia keerde haar stuk papier om en verrukt gelach klonk door de keuken.

'Goed. Wij gaan vooruit, ja? Nu beurt aan Rupert. Rupert ies 'eel spiritueel. Hij nog niet weten, maar ies meest spirituele persoon 'ier. Iek denken, hij kiezen haard, want haard zijn voor hem symbool van zijn hart. Symbool van vuur.'

'Het is godverdomme niet te gelóven!'

'*Rupert!*'

'Sorry, moeder, maar hoe doet-ie het?'

'En dan nu India. India ook grote schoonheid, India wijs, India slimmer dan al haar broers en zusters samen...'

Oliver wisselde een blik met zijn vrouw. Zij straalde en hij knikte met een glimlachje terug.

'…dus India kiezen heel slim. Wat ies heel slim, iek vraag mijzelf? *Niets*. Niets ies het slimst en stoutst. Geef mij jouw papier, slimme, stoute meisje.'

Met een blos en onder klaterend applaus vouwde India haar blanco papier open.

'Ten slotte, señorita Maria. Wat zij tekenen? Maria ies een goede vrouw. Maria ies lief. Maria ies heilig. Iek denken, Maria tekenen kip. Kip ies heilige dier van God, als zij.'

Maria legde haar stuk papier op tafel en sloeg een kruis, druk ratelend in het Spaans, waarop Cotter alweer moeiteloos antwoord gaf. Ze gaf hem een zoen en liep giechelend de keuken uit.

'Nóg een. Nóg een, hè, toe!'

Cotter keek op naar Oliver en glimlachte. 'Het spijt me, maar ik moet nu even met je vader praten,' zei hij. '*Zaken!*' fluisterde hij hen vertrouwelijk toe, en hij kreunde theatraal.

De kinderen kreunden ook en persten hem de belofte af dat hij nog eens terug zou komen.

'We gaan naar boven,' zei Oliver, waarna hij Simon voorging over de trap. 'Hier worden we niet gestoord.'

'Prachtig huis,' zei Simon, terwijl hij goedkeurend om zich heen keek.

'Het is eigenlijk van mijn moeder.'

'Ah.'

Oliver zag dat Cotter belangstellend naar de stoellift keek. 'Ze heeft een paar jaar geleden een aantal hersenbloedingen gehad. Ze is nog helemaal bij de tijd, maar…'

'Treurig. En Maria verzorgt haar?'

'Ja. Hierheen, graag.'

'Dank u. Wat een mooie kamer. U hebt een fantastisch gezin, Sir Oliver. Dat zie je niet vaak meer, tegenwoordig.'

'Tja, ik moet zeggen, u haalt het beste in ze naar boven. Het spijt me dat ik net zo nieuwsgierig ben als zij, maar hoe zit die truc verdomme in elkaar?'

'Nou, kijk,' zei Simon en hij tikte tegen zijn zonnebril. 'Ik heb ze zelf het papier gegeven waarop ze moesten tekenen. Ordinaire scheikunde, meer niet, het spijt me. Dat is alles. Het soort trucjes dat jullie bij MI6 vroeger altijd gebruikten, denk ik. Zult u het ze niet verklappen?'

'Beloofd. Maar…'

'Ja?'

'Wat u zei, dat India slimmer is dan de anderen. Dat klopt, maar hoe wist u dat?'

'Dat is zonneklaar. Een intelligent mens kan zich heel moeilijk van den domme houden. Dat weet u toch zelf ook wel?'

'Nou, u kunt niet meer stuk bij ze, neemt u dat maar van mij aan. Gaat u zitten.'

'Dank u. U zult zich wel afvragen wat de reden is van mijn bezoek.'

Oliver die al een kwartier op zijn tong had zitten bijten van nieuwsgierigheid, haalde gemoedelijk zijn schouders op. 'Het is een verrassing, natuurlijk. Maar een aangename, kan ik u verzekeren.'

'Mm, ik vrees dat mijn manier van zakendoen een beetje onorthodox is, maar dat heeft u misschien al gehoord.'

'Nieuwe regels voor een nieuwe bedrijfstak.'

'Precies. Ik zal heel open zijn tegenover u. Zoals u wellicht weet, heeft CotterDotCom moeten afzien van de verdere diensten van het hoofd van zijn internetbeveiliging.'

'Cosima Kretschmer?'

'Een nare zaak. Het mens wordt door menigeen behandeld als een soort cyberheldin, maar, zoals ik iedereen ook duidelijk heb laten weten, ze is haar boekje volledig te buiten gegaan. Ze heeft geheel zonder toestemming van het bedrijf gehandeld.'

'Ik begrijp dat Barson-Garlands familie een proces wil?'

'Ik heb hun advocaat ervan weten te overtuigen dat Cosima haar research volledig in haar eigen tijd heeft verricht, niet in die van het bedrijf. De juridische stappen die worden ondernomen, zijn nu uitsluitend tegen haar gericht. Ze is ergens ondergedoken. Duitsland, geloof ik. Ik ben bang dat Mevrouw Garland haar geen cent zal kunnen aftroggelen. Tenslotte zijn haar beschuldigingen allerminst ongegrond gebleken. Een treurige zaak.'

'Hm… Ik moet bekennen dat ik het wél het meest fascinerende avondje televisie vond dat ik ooit heb meegemaakt.'

'U kende Barson-Garland goed, geloof ik?'

Oliver bestudeerde zijn vingers en peuterde een velletje onder een nagel vandaan. 'Ach ja, ik kende hem. Maar góéd is een beetje overdreven.'

'Het gerucht gaat dat hij u probeerde te werven als medestander in de strijd voor zijn beoogde controleorgaan voor het internet. Dat hij u had beloofd dat u dat zou mogen opzetten, als het ooit van de grond zou komen.'

'O ja? Ik –'

Oliver spitste zijn oren toen hij opeens een traptree hoorde kraken. Hij liep snel door de kamer en trok de deur open.

'Ah, Maria. Kunnen we je ergens mee helpen?'

'Spijt mij iek u storen, Sir Oliver. Iek wiel weten, u en señor Cotter wielen mieskien koffie? Of koekjes. Iek giesteren koekjes bakken. Iek kom binnen.'

Oliver leunde een beetje ongemakkelijk tegen de haard, terwijl Maria stapels kunstboeken en tijdschriften van de salontafel tilde om plaats te maken voor haar blad. Cotter babbelde er met haar lustig op los in het Spaans, en toen ze de kamer weer uitliep, leek ze wel een verliefd schoolmeisje.

'Een kanten kleedje op het blad!' zei Oliver terwijl hij de deur achter haar sloot. 'Bij haar kunt u ook niet meer stuk. Ik meen in een of ander tijdschrift te hebben gelezen dat u negen talen spreekt. Is dat inderdaad waar?'

'Het probleem is,' zei Simon, terwijl hij een koekje pakte, 'ik heb zo veel tijd verdaan met het leren van talen, dat ik nooit heb leren tellen, zodat ik u niet kan zeggen hoeveel ik er spreek.'

Oliver glimlachte droog.

'U vraagt zich waarschijnlijk af,' ging Simon verder ' – werkelijk héérlijke koekjes, ze smelten gewoon in je mond – hoe ik er in hemelsnaam achter ben gekomen dat Barson-Garland u voor zijn karretje heeft willen spannen.'

'Die vraag is inderdaad bij me opgekomen.'

'Ik heb geen microfoontjes laten monteren onder de tafeltjes van Mark's Club en ik heb ook het personeel dat daar op donderdag werkt niet omgekocht, maakt u zich daar geen zorgen over. Nee, het feit is dat die goeie ouwe Barson-Garland ook met mij heeft aangepapt. Hij zorgde er altijd voor om meer ijzers in het vuur te hebben, de rat.'

'Juist.'

'Hij wist niet goed of hij op de overheid moest gokken of op het particulier initiatief. Dat had hij overigens goed gezien. Waar zal het op uitdraaien? Sommige mensen vinden dat de regeringen van alle landen moeten toezien op het formeren van een wereldwijde internetpolitiemacht. Velen vrezen dat dit precies is wat er zal gaan gebeuren en hebben de mond vol van privacy en burgerlijke vrijheden. U weet vermoedelijk dat de recente epidemie van computervirussen, wormen en e-mailbommen en dergelijke de internationale gemeenschap heeft gebracht tot één onontkoombare en onherroepelijke conclusie. Ze kunnen er niets tegen doen. Niets werkt. Het is te duur. Het is onuitvoerbaar. De juridische consequenties van grenzen, copyrightverdragen enzovoort zijn veel te ingewikkeld. De enige oplossing is dat het particuliere ondernemerschap, op lokaal niveau, gaat voorzien in zijn eigen bewaking en vaccinatie, en zijn eigen voorzorgsmaatregelen treft. Alleen de particuliere sector kan grenzen overschrijden, alleen de particuliere sector heeft de middelen en de capaciteit om de verantwoordelijkheid op zich te nemen. De positie van Hoofd Internetbewaking bij CotterDotCom wordt belangrijker dan ooit. Eerlijk gezegd, als Cosima niet gek was geworden, zou ik u deze baan ook hebben aangeboden. Want dat is, als u dat nog niet had geraden, wat ik hier doe. Het is in feite dezelfde baan die Ashley Barson-Garland u aanbood, maar veelomvattender, reëel, per meteen te aanvaarden, vrij van politieke bemoeienis en gênant goed betaald. Maar ik verlang niet meteen een antwoord. Ik vlieg over een paar uur naar Afrika, en ik zou heel graag van u horen dat u aan het werk kunt, zodra u het met uw mensen in orde hebt kunnen maken... maar, sorry, ik moet ontzettend nodig plassen. Kunt u mij misschien...'

'O, ja, natuurlijk. In de gang, tweede deur aan uw rechterhand.'

Simon liep de kamer uit en stak de overloop over, zoals hem was gezegd. Toen hij langs het trappenhuis liep, zag hij dat de stoellift zich van de voet van de trap naar boven had verplaatst. Een deur die op een kier stond, trok Simons oog. Hij duwde hem open en liep naar binnen.

Oliver Delfts moeder zat eenzaam en roerloos in een rolstoel bij het raam over Heron Square uit te kijken. Ze sloeg haar ogen naar hem op. Simon liep naar haar toe en ging naast haar staan. Hij verbeeldde zich dat haar gezicht nog emoties kon uitdrukken, want hij meende een glinstering van verbaasd genoegen te bespeuren.

'Philippa Blackrow,' fluisterde hij. 'Wat vreemd dat ik u ontmoet. Ik ben Ned Maddstone. Weet u dat u verantwoordelijk bent voor de vernietiging van mijn leven? Weet u dat ik door u twintig jaar opgesloten heb gezeten in een krankzinnigengesticht? Twintig jaar, dank zij u en die smeerlap van een zoon van u.'

De lucht kwam sissend en bubbelend uit Philippa's longen, en hij merkte hoeveel inspanning het haar kostte om haar ingevallen wangen en neerhangende mond te modelleren tot een vorm die tot spraak zou kunnen leiden. Het speeksel droop van haar lippen, en haar klauwende vogelhandjes beefden als droge bladeren in de wind.

'Ik moest een jaar of twintig geleden een brief aan u afgeven. Van uw vrienden van Sinn Fein. Uitgerekend uw zoon heeft hem bij toeval onderschept. Zo wreed kan het lot zijn. Om u te beschermen en zijn eigen vege lijf te redden heeft hij me op een eiland tussen gekken laten wegrotten. En nu ben ik teruggekomen. Ik ben veel wreder dan het lot. Ik vind dat u dat moet weten. Oneindig veel wreder. Uw zoon heeft me verteld dat binnen dat afgeleefde karkas van u uw geest nog geheel onaangetast is. Die heeft nu dan iets om zich de rest van zijn dagen mee bezig te houden. Ik groet u.'

Het laatste beeld van Philippa dat Simon met zich meenam, was dat van een moeder langs wier gerimpelde wangen tranen stroomden. Hij zag niet, toen hij het toilet doortrok en zich via de overloop weer naar Oliver begaf, dat haar mond zich tot een glimlach probeerde te plooien, en hij kon evenmin weten dat de tranen die uit haar ogen dropen vreugdetranen waren.

Albert wierp de voordeur met een smak achter zich dicht en riep van onder aan de trap:

'Pap! Mam! Waar zijn jullie?'

Pas nadat hij drie keer had geroepen zonder antwoord te krijgen besefte hij dat Gordon en Portia zijn grootvader, die bij hen zou eten, aan het ophalen waren. Dat was ook de reden dat Albert zo vroeg thuis was uit zijn werk, maar de gruwelen van zijn tochtje in de metro hadden al dat soort gedachten totaal uit zijn hoofd gebannen. Toen hij de telefoon hoorde, stormde hij de keuken in, smeet zijn tas op de tafel zonder zich erom te bekommeren of het scherm van zijn laptop brak, keilde de hoorn van de haak en liet hem heen en weer bengelen tegen de muur. Java, de kat, wond zich rond zijn enkels en hij trapte hem weg.

'Shit,' gilde hij. 'Shit, shit, shit.'

Zwaar ademend trok hij de krant uit zijn jas, ging aan tafel zitten en begon het artikel voor de zoveelste keer te lezen. Java zat kil in de hoek en negeerde hem met grote waardigheid.

CAFÉ ETHICA: GEEN ZUIVERE KOFFIE

Er broeide vanochtend een koffieschandaal in de wereld van het 'ethisch handeldrijven', toen de *London Evening Press* de primeur kreeg dat George Fendeman, oprichter van het bedrijf Café Ethica en oogappel van New Labour en de milieubewust blatende klassen, een hele Afrikaanse gemeenschap van haar landrechten heeft beroofd, en het bestaan van een heel volk vernietigd, om zijn bedrijf op poten te zetten. De zogenaamde 'coöperaties' die Café Ethica beweert te steunen, bestaan in feite, aldus plaatselijke bronnen, uit per bus aangevoerde leden van een stam op *driehonderd* kilometer ten oosten van de plantage. Bovengenoemde bronnen zeggen dat dit het resultaat is geweest van een deal tussen Fendeman (41) en het plaatselijke bestuur, dat geheel bestaat uit leden van de rivaliserende stam, die de meerderheid vormt.

Deze onthullingen zullen de snel expanderende wereld van de ethische goederenhandel op zijn kop zetten en nieuwe twijfels doen rijzen aan het economisch inzicht van New Labour. Nog geen twee weken geleden heeft de Premier in een toespraak in de city naar Fendemans onderneming verwezen als een 'baken van licht dat de weg wijst naar nieuwe handelsvormen met de Derde Wereld', woorden die hij inmiddels wel diep zal betreuren.

Naar verluidt heeft Fendeman, die is getrouwd met de kunsthistorica Portia Fendeman, in 1998 een overeenkomst gesloten met de leiders van de minderheidsstam, die een lucratief aanbod van een wereldwijd consortium hadden afgeslagen ten einde zaken te kunnen doen met Fendeman. Ze waren in de waan gebracht dat een contract met Café Ethica voordeliger voor hen zou zijn, omdat het hun winstdeling bood, betere werkomstandigheden en de belofte van een veilige toekomst voor hun volk. Tot hun ontzetting merkten ze dat Fendeman hen krachtens de bepalingen van het contract van het land kon zetten dat ze talloze generaties hadden bezeten, en kon vervangen door arbeiders uit andere delen van het land. Deze ontheemden gaan nu een toekomst tegemoet van hongersnood, ziekten en dakloosheid in een land waarin hun stam toch al vrijwel geen rechten heeft. Fendemans persoonlijke winst dankzij deze mensonterende deal met het lokale bestuur en dankzij de toenemende omzet van Café Ethica overstijgt volgens de schattingen de één miljoen pond per jaar. (*Commentaar op pag. 12*)

Het 'commentaar' op pagina twaalf was schandalig, in één woord schandalig. Albert had het gevoel dat de hele wereld rondom hem in elkaar stortte. Het leek onmogelijk om de diverse componenten van zijn wanhoop van elkaar te scheiden.

Zijn vader: hoe kon zo'n stuk geschreven worden? Hoe durfden ze? Het moesten leugens zijn. Hij kende zijn vader te goed om iets anders te kunnen geloven. Maar het zou hem zo diep grieven. Hij was een trotse man. Hoe het ook afliep, er zou modder aan hem blijven kleven.

Zijn werk: vijf maanden had Albert gezwoegd op de akker van het Ethisch Handeldrijven. Hij had nieuwe grond omgeploegd en grote dingen tot stand gebracht. Hij was trots op wat hij deed en hoe het de wereld zou helpen. Een verhaal als dit, hoe volkomen onwaar het overduidelijk ook was, zou voor altijd bij het publiek blijven hangen. De hand van de consument zou zich beginnen te sluiten om een product met het woord 'ethisch' op de verpakking en zich dan, als door een wesp gestoken, terugtrekken. 'O ja,' zouden ze bij zichzelf zeggen. 'Was er niet iets mis met dat soort bedrijven? Laat ik maar gewoon weer Nescafé kopen.' En al zijn inspanningen zouden voor niets zijn geweest.

Simon: de *London Evening Press* was zíjn krant. Hij was natuurlijk een druk bezet man. Albert had nog nooit een man gekend met zo'n energie en oog voor detail. Gisteren nog, in een wijnlokaal, had Albert over hem zitten opscheppen tegen zijn vrienden. Hij had juist het woord 'detail' keer op keer gebruikt om Simons geduchte kwaliteiten te omschrijven. Dat was de eigenschap waardoor genieën zich onderscheiden: hun oog voor het detail. En dat was het probleem. Albert kon zich geen moment voorstellen dat Simon, hoe druk hij het ook had, niet zou hebben geweten van de aanval in de LEP op Gordon. Hij móest ervan hebben geweten. Maar als hij ervan had geweten, hoe had hij het dan kunnen toestaan, zonder Albert te waarschuwen, zonder hem onder vier ogen van te voren op de hoogte te stellen? De vrienden die Albert gisteren eindeloos over Simon had doorgezaagd, waren cynisch geweest. 'Geloof me,' had een van hen gezegd, 'geen mens kan zo rijk worden zonder dat hij diep in zijn hart een ontzettende klootzak is.' 'Je vergist je volkomen!' had Albert volgehouden. Maar nu kwam de herinnering in hem boven aan de merkwaardige gewaarwording die hij had gehad toen hij naast Simon had gestaan bij de publieke executie van Barson-Garland. Albert had niets op Simons gezicht gezien dat een speciale emotie verraadde, maar hij was zich wel bewust geweest van een speciaal gevoel, een bepaalde sfeer. Simon had sterke vibraties uitgezonden, maar Albert had ze naar de achtergrond van zijn gedachten proberen te duwen. Het was zo ongeveer alsof hij de geur had geroken van angst, seksuele begeerte, of schuld, en toch was het dat allemaal niet geweest. Het was iets anders geweest. En dan die geruchten die door het bedrijf hadden gecirculeerd. Cosima? Op eigen houtje handelen? Ga weg! Ze mocht nog niet eens naar het toilet zonder Cotters toestemming, laat staan op de televisie verschijnen. Albert had dat allemaal afgedaan als kantoorroddel. Maar misschien, misschien was er iets met Simon. Als Albert zijn gevoelens eerlijk analyseerde, dan was wat hij die avond had geroken misschien wel *wreedheid* geweest.

Gordon was zijn vader. Ethisch Handeldrijven was zijn leven. Simon was zijn god. Vaders zijn zwak. Het leven bestaat uit verraad. Goden zijn wreed. Albert had genoeg gelezen en genoeg gezien om te weten dat dat objectieve feiten waren, maar hij had niet gedacht er zo snel mee geconfronteerd te worden, en ook nog met alle drie tegelijkertijd. Alle drie waren ze hem door één klap van het lot ontnomen. De ene minuut had hij nog vrolijk in de metro naar muziek zitten luisteren en de krant zitten doorbladeren – hij had dat vod nota bene alleen maar gekocht omdat het van Simon was – en de volgende minuut waren de drie steunpilaren van zijn leven in elkaar gestort.

Hij stond op toen hij de voordeur hoorde dichtslaan.

'Waar is hij? Waar is mijn kleinzoon?'

Albert vouwde de krant op en stak hem weer in de zak van zijn jasje. 'In de keuken, grootvader. Iets te eten pakken, voordat jij het allemaal opeet.'

'Brutale aap! Dat joch is zo brutaal. Heerlijk toch?'

Albert aanbad zijn grootvader. Hij werd door hem constant herinnerd aan zijn joodse afkomst. Het was moeilijk te geloven wat zijn ouders hem vertelden, dat grootvader jaren geleden geschiedenis had gedoceerd aan de universiteit en in de politiek had gezeten. Rabiaat links, volgens Portia, wat moeilijk voorstelbaar was. Er was iets gebeurd, Albert had het fijne er nooit van begrepen, iets als een arrestatie die op een misverstand had berust, maar Peter had de academische wereld de rug toegekeerd en zich op de religie en de plaatselijke synagoge gestort. Ze vormden het spreekwoordelijke hechte gezin. Als de zoon van een neef en een nicht, had Albert heel lang de plagerijen moeten verduren van vrienden omdat zijn grootvader tegelijkertijd zijn oudoom was, met alle opmerkingen over genetische risico's van dien, maar hij was dol op zijn familie en genoot van de speciale band die tussen hen bestond doordat ze geen twee strijdende partijen kenden. Bij de Fendemans werden geen grappen gemaakt over schoonfamilie.

Hij omhelsde zijn grootvader en zag, over diens schouder, dat Portia en Gordon nog van niets wisten.

'Zo, lieverds. Wat eten we?'

'Dat merk je vanzelf, pap, dat merk je vanzelf...' Portia lachte en gaf haar vader en haar zoon een zoen. 'Je kijkt een beetje bezorgd, Albert, is er iets?'

'Niets, mam, niets. Hard gewerkt.'

Albert wist dat het uiteindelijk geen moeilijke beslissing zou zijn. Bloed telde meer dan aanbidding. Dit was zijn familie. Die was belangrijker dan welke held dan ook. Tenslotte was Oxford er ook nog steeds. Het was nog niet te laat. Het was nooit te laat.

'Hé, de telefoon hangt van de haak.'

'Laat maar, pap. Nee, echt, laat maar. Het is vrijdagavond. De zon is onder. Geen werk. Geen telefoontjes.'

Peter legde een hand tegen de wang van zijn kleinzoon.

'De engel. Is hij niet om op te eten? Ja of nee?'

Albert stak de kaarsen aan en trok de gordijnen dicht. Hij wist dat het huis gauw genoeg belegerd zou worden.

'Welkom aan boord, Oliver. Ik weet dat we allebei de juiste beslissing hebben genomen. Als je wilt, leid ik je even rond en stel je aan een paar mensen voor. Hoe sta je tegenover hoogte?'

'Hoogte?'

'Er is een prachtige kamer boven in het gebouw met zo'n beetje het mooiste uitzicht van Londen, maar als je wilt, kun je ook een beetje dichter bij de grond worden gehuisvest.'

'Nee, nee. Hoogte is prima.'

'Je bent natuurlijk een mooi uitzicht gewend. Trouwens, je kunt vanuit mijn raam hier je oude kantoor zien. Wil je nog even naar je opvolger zwaaien?'

'Eerlijk gezegd niet,' zei Oliver. 'Pas als je het stof van de ambtenarij van je schoenen hebt geborsteld, besef je hoe erg je er al die tijd de pest aan hebt gehad. O ja, mijn kinderen vermoorden me als ik vergeet om je voor volgende week voor het diner uit te nodigen. Donderdag, schikt je dat?'

'Met genoegen, breng mijn hartelijke dank over. Zullen we nu even rondwandelen? Ah, goedemorgen, Albert. Laat me je voorstellen aan Sir Oliver Delft. Virus-, worm- en hackerbestrijder.'

'Hoe maakt u het? Simon, ik moet meteen met je praten. Het is heel erg dringend.'

'Ah. Oliver, het spijt me, vind je het erg als...?'

'Nee, nee, als je er geen bezwaar tegen hebt, loop ik zelf een beetje rond. Ik doe dat wel zo graag. Ik neem aan dat ik met deze pas overal toegang heb?'

'Overal. Stel je zelf ondertussen vast voor aan de mensen. Ze hebben vanochtend de heuglijke tijding al per e-mail ontvangen.'

'Dan zie ik je straks wel weer.'

'Albert, ik heb zo'n vermoeden waarom je hier bent. Laat me je vertellen –'

'Hoe heb je zoiets kunnen doen?!'

'Ik ben de uitgever, Albert, niet de hoofdredacteur. Ik mag me niet bemoeien met...'

'Ach, gelul. Dat is gewoon gelúl! Ik ben niet gek. En dit stuk hier, in de *Times* van vandaag, heb je dat gezien? Ze beweren hier dat mijn vader aandelen LEP heeft gekocht op de dag voordat jij hebt aangekondigd dat je de krant ging kopen, en dat hij met voorkennis heeft gehandeld. Dat ben ík geweest. Bij het eerste gesprek dat ik met jou heb gehad, heb je me verteld dat je die krant ging kopen, en ik... ik heb het aan hém verteld. Wist ik veel? En nu schilderen ze hem af als een bedrieger. Dat is hij niet. Hij is mijn vader. Hij is een fatsoenlijke man. Wat doe je hem aan?'

'Albert, kalmeer een beetje. Ik weet zeker dat dit op den duur allemaal weer in orde komt.'

'Nou ja, ik – ik kwam je zeggen dat ik hier wegga.'

'Maar Albert, dat is belachelijk.'

'Het is een kwestie van... van... *eergevoel*. Ik kan onmogelijk nog voor jou werken. Jij bent mijn vijand. Het gaat om de eer van mijn familie. We zullen mijn vaders naam zuiveren, al kost het ons onze laatste cent. Ik zal je ontmaskeren, ik zal iedereen laten zien wat jij bent. Een levensvernietiger. Een beest. Ik zal jouw leven tot een hel maken. Ik groet je.'

'Albert, dit is allemaal theatrale onzin. Veeg die tranen weg. Kom terug.'

Albert had negen dagen op zijn kamer gezeten. De pagina's werden geladen. De wereld zou binnenkort te weten komen wat voor man Simon Cotter in werkelijkheid was. Hij had elk roddeltje verzameld, elke hint, elk gerucht en elke theorie die ooit de ronde had gedaan over zijn doodsvijand. Er zou nog meer volgen, zo was dat met het internet. Het deed er niet toe of zijn onderwerp Moeder Theresa was, er liepen altijd wel ergens op de wereld mensen rond met schandalen, complottheorieën of redenen tot haat. Albert had het voordeel dat hij dingen wist. Niets verschrikkelijks, maar genoeg om Cotter belachelijk te maken.

Hij zag hoe de laatste pagina werd geladen. Hij had een gratis webserver in Australië uitgekozen. Het maakte weinig verschil, maar de site kon beter zo ver mogelijk uit de buurt liggen. Dat wekte de indruk dat Cotters vijanden over de hele wereld verspreid waren. Wanneer hij de volgende maand naar Oxford ging, zou hij zijn campagne voortzetten. Ze hadden dan misschien het geld van Wafiq Said aangenomen, dat van Cotter zouden ze nooit accepteren, niet als Albert met hem klaar was. Simon Cotter. De arrogantie van de schoft. De ijdele, achteloze arrogantie.

'Albert! Doe open. Alsjeblieft...'

Waarom niet? Zijn moeder mocht best zien dat hij niet als Achilles in zijn tent had zitten mokken. Hij had zich gewapend en toegerust voor de strijd.

'Goed, mam. Het is hier een beetje een troep, ben ik bang.'

Albert stond op en draaide de sleutel om. Portia stond met een blad in haar handen in de gang.

'Lieve hemel! Wat heb jij hier uitgespookt?'

'Ja, ik weet het. Ik ben erg druk bezig geweest. Hallo, Java.'

Portia liep aarzelend naar binnen en bleef midden in de kamer staan, een beetje wankel op haar benen alsof ze haar evenwicht dreigde te verliezen. 'Waar moet ik dit blad in vredesnaam neerzetten?'

'Ehm… daar.' Albert veegde een stapel cd-roms, foto's en ondergoed opzij. 'Ga weg, Java!'

Java was op het bureau gesprongen en sloeg met zijn poot naar de muis; katten zijn nu eenmaal katten.

'Lunch,' zei Portia vastberaden. 'Liever gezegd, avondeten van gisteren en ontbijt van vandaag door elkaar. Ik blijf kijken terwijl je eet. Het kan me niet schelen of ik op een karikatuur van een Jiddische Mama lijk. Ik wil gewoon dat je éét.'

'Ja, ja. Goed hoor. Kijk, mam.'

'Niks "Goed hoor"! Ik blijf net zolang kijken tot je alles hebt opgegeten. En dan ga je slapen. Je bent vannacht helemaal niet naar bed geweest, hè?'

'Oké, oké… maar kijk nou even.' Albert grijnsde. 'U komt op een historisch moment binnen. De formele opening van de eerste anti-Cotter-site ter wereld. Moet je zien, mam.'

Albert ging weer achter zijn computer zitten, en zijn muis begon te schaatsen.

'Zie je wel? *www.ihatecotter.co.au*. Hier is de homepage. "Welkom in mijn spreekkamer." Dat is Cotter, in het middelpunt van dit web, ik heb hem voorgesteld als een spin. Als je de muis over de spin beweegt schuifelt hij van één stuk van zijn web naar een ander. Als je dan klikt krijg je informatie over dat stuk, zie je wel? En je kunt verschillende stukken bekijken, als kasten in de spreekkamer. Hier is een pagina "Sla Cotter op zijn smoel". Wanneer je over zijn gezicht klikt, krijgt hij een mep, en dan hoor je dit. Wacht even.'

Het tekenfilmgeluid van een oorvijg klonk door de computerspeakers, gevolgd door een drievoudig 'oef!'.

'Gepikt van de Simpsons, eerlijk gezegd, maar wat zou dat? Ik heb ook een roddelpagina. Mensen die erop inloggen, kunnen hun eigen verhaal erop kwijt. Zie je wel? Ik heb er dingen in gezet als "hij drinkt alleen maar melk", "Hij verft zijn haar". Hij probeert zich in te kopen in het establishment. Hij heeft geld gegeven aan St. Mark's College in Oxford. Ook aan de Marleybone Cricket Club, zodat hij niet in de rij hoeft te staan om lid te worden, dus heb ik links gelegd naar de officiële sites van mcc en St. Mark's, zodat de echte leden van binnenuit actie tegen hem kunnen voeren.'

'Lieverd, dat kun je niet doen. Hij zal een proces tegen je beginnen.'

'Laat hem maar opkomen. Ik wil niets liever. Schitterend toch? Wat voor indruk zou het maken! Procederen tegen een jongen van zeventien wiens vader hij in zijn krant door het slijk heeft gehaald? Zelfs al zou de rechter mij, op straffe van een dwangsom, gelasten ermee op te houden, denk je eens in wat het zou losmaken. Je weet hoe het internet werkt. Zijn naam zou binnen een paar dagen te grabbel liggen. Hij zou door de hele wereld gehaat worden. Zijn aandelen zouden kelderen. Moet je dit eens zien, dit is een pagina met complottheorieën. Cosima Kretschmer, ja? Hier zeggen ze dat ze de opdracht had om Barson-Garland te ontmaskeren. Ze was Cotters vriendin. Dat werk. O, en hier, deze zal je ook leuk vinden. Hier is een pagina met foto's van hem, als hij kaal zou zijn... je weet wel, net als dat jochie met de magneetman en het ijzervijlsel. Je kunt hem een baard geven en een snor om te zien of hij misschien geen gezochte crimineel is, of zoiets. Je weet maar nooit, misschien dat iemand hem herkent. Dat is het griezelige aan die Cotter. Niemand weet wie hij is. Misschien is hij wel een nazi-oorlogsmisdadiger. Ik zal je eens wat zeggen, laten we hem eens Arisch blond haar geven...'

'Schat, hij is een beetje jong om...'

Portia brak haar zin af, heel abrupt. Albert draaide zich om en keek haar aan. Ze stond totaal gebiologeerd naar het scherm te staren.

'Het lijkt wel alsof je een geest hebt gezien, mam. Wat is er?'

Portia sloot even haar ogen.

'Mam?'

'Kom, eet je bord leeg, *nu meteen.*'

'Ja, ja. Maar wat vind je ervan?'

Portia leunde voorover en gaf haar zoon een zoen, verbaasd dat ze zo kalm kon spreken. 'Het is natuurlijk briljant, schat. Ik begrijp niet hoe je zoiets voor elkaar krijgt.'

'Zal ik het pap laten zien?'

'Nog niet meteen, lieverd.'

'Is hij… Waar is hij?'

'Thuis, in de eetkamer. Hij mankeert niets, maak je niet ongerust. Er is volgende week een vergadering van de raad van bestuur. Ze willen hem de kans geven om alles uit te leggen. Hij werkt aan zijn… zijn…'

'Verdediging?'

'Nou, zo ligt het niet helemaal. De raad van bestuur staat vierkant achter hem.'

'Dat mag godverdomme ook wel.' Nu Albert eenmaal was gaan eten, merkte hij dat hij rammelde van de honger. 'Heerlijk allemaal, mam.'

'Maar er wordt kennelijk veel druk uitgeoefend door de aandeelhouders.'

'Hij overweegt toch niet om ontslag te nemen?'

'Tja, hij denkt dat het misschien in het belang is van het bedrijf. Hij moet ook aan de goede naam van Café Ethica en aan de aandelenkoers denken.'

'Maar dat is net iets als schuld bekennen! Hij mág eenvoudig geen ontslag nemen!'

'Tja, daar gaat die bestuursvergadering nou juist over. Om een manier van terugtreden te bedenken die niet de indruk wekt dat hij schuld bekent. De hele raad van bestuur wil hem steunen. Moet ik nog wat meer voor je klaarmaken?'

'Nee, mam. Dit is meer dan genoeg.'

'Goed dan. Ik ga nu uit. Ik –' Portia schraapte haar keel tegen het trillen van haar stem. 'Ik kom straks wel terug en dan verwacht ik je als een roos te zien slapen. Hoor je me?' Ze boog zich naar hem toe en kuste hem, haar vuisten ballend om het beven van haar handen te verbergen. 'Ik hou heel veel van je. Dat weet je toch, hè?'

Albert had zich alweer omgekeerd naar zijn scherm en antwoordde met zijn mond vol: 'Ik ook van jou, mam. Ook van jou. Hé, kijk nou eens! Ik heb al een e-mail van iemand. Kijk, met een attachment. "Ik haat Cotter ook." Ik vraag me af wat dat is.'

Albert klikte. Het scherm werd meteen zwart.

'Wat krijgen we godverdomme nou?'

Een helderrode tekst trok over het scherm.

WIL JE DUELLEREN? AKKOORD.
ALLE DOCUMENTEN BESMET. CIAO!

'Nee… néé!' Albert zette zijn computer uit en startte hem opnieuw.

'Lieverd, wat is er aan de hand?'

'Het is Cotter, het is Cotter! Hij heeft me godverdomme een virus op mijn dak gestuurd. Ik kan het niet geloven. Hij heeft het hele systeem vernietigd. O, jezus.'

'Maar hij kan toch niet…'

'Hij heeft blijkbaar een permanent zoekprogramma. Hij heeft die Australische site gevonden en weet dat die van mij is. Shít!'

'Kom, Albert. Rustig.'

'Ik heb mijn laptop nog. Daar kan hij niet bij. Ik begin overnieuw. Nee, nog beter, ik ga ermee naar een internetcafé. Dit is nog maar het begin. Iedereen is gelijk op het net!'

'Albert…'

'Geen tijd, mam. Werk aan de winkel.'

Portia deed de deur dicht en liep langzaam naar de keuken. De hele, verschrikkelijke waarheid was als een bom bij haar ingeslagen. Ashley en Rufus Cade. Ze had het verband eerder moeten leggen en op haar hoede moeten zijn. Ashley en Rufus Cade. En toen Gordon.

Uit het dienluik naar de eetkamer kwam een geluid als van een boer die met een hooivork zijn hooi keert. Gordon zat aan de tafel in een stapel faxen te bladeren. Volgens Portia had hij er nog nooit zo energiek en vitaal uitgezien. Ze dacht maar liever niet aan de angst die ze soms in zijn ogen las.

'We vechten door tot de naam van mijn man is gezuiverd.'

Hoe vaak had ze dat de laatste jaren niet gehoord uit de mond van de vrouwen van Aitken, Hamilton, Archer, Clinton, Nixon en talloze anderen die geconfronteerd waren met een schandaal terwijl hun echtgenotes 'achter hen stonden'?

Ze wist dat Gordon geen slechte man was. Zoals de meeste mensen, was hij een kind dat haakte naar liefde en, zoals de meeste mannen, een jongen die zich koste wat kost in de wereld wilde bewijzen. Ze kon zich van hem voorstellen dat hij allerlei slechte dingen deed om even zovele goede redenen. Zijn leven was voornamelijk een inhaalrace geweest. De man die wist dat hij de tweede keuze was van een vrouw van wier verdiensten hij leefde en die met hem was getrouwd uit medelijden en wanhoop. In het begin van haar huwelijk was alles uit Hillary's zak gekomen. Portia was de briljante, jonge studente geweest met een doctorstitel en een vaste aanstelling aan de universiteit, Gordon was de Amerikaanse eend geweest in de Engelse bijt, waarin hij zich nooit helemaal thuis had gevoeld. Tien jaar grootspraak tegen zijn vrienden hadden hun tol geëist van zijn trots.

'Op het ogenblik zit ik in het financiële advieswerk.' Hij verkocht levensverzekeringen op provisiebasis. Op de een of andere manier nog erger, in Portia's ogen, dan dubbele beglazing of homeopathische geneesmiddelen.

'Ik kan een zaak overnemen. Ik denk er ernstig over na. Heel ernstig.' Wat hij ernstig overwoog was het beheren van een op Amerikaanse leest geschoeide coffeeshop.

'*Business consultancy*, daar komt het eigenlijk op neer.' Niets.

'Goederenmakelaardij.' Termijnhandel in koffie met het laatste geld dat Hillary had nagelaten. En dat ook verspeeld.

En een laatste gok. Het idee was in feite van Portia gekomen, hoewel hij dat liever vergat. Ze had een radioprogramma gehoord over de lage prijzen voor thee en koffie op de wereldmarkt, een onderwerp waar Gordon al jaren over aan het zaniken was.

'Lieverd, ik weet dat het rot voor je is dat de prijzen zo laag zijn. Maar hoe staat het met de plukkers?'

'Tja, voor die is het uiteraard ook rot.'

'Maar er moeten toch genoeg mensen in het Westen zijn die wat meer willen betalen voor koffie en thee als ze het idee hebben dat ze daar de Derde Wereld mee helpen?'

'Een briljant idee, mam.'

'Het lijkt me een logische gedachte.'

'Porsh, zo werken die dingen niet –'

'Nee, pap, zeg nou zelf!'

'Ik weet nog,' was Portia doorgegaan, 'dat we van Peter altijd koffie uit Nicaragua moesten kopen. Om de revolutie te steunen en een lange neus te trekken tegen Amerika. Je kon het overal kopen. Linkse boekhandels, wereldwinkels, dat soort bedrijfjes. Ze adverteerden altijd in de *New Statesman*. Peter hing zelfs posters op in de bibliotheek in Hampstead.'

'Dat klinkt in theorie misschien allemaal heel mooi...'

'Waarom noemde je grootvader Peter?'

'Deed ik dat? Het is de moeite waard om eens over na te denken, Gordon, vind je ook niet?'

Eindelijk had hij iets bereikt. Succes op eigen kracht.

Portia stak haar hoofd door het dienluik.

'Gordon, ik moet een paar uur weg. Heb je nog iets nodig?'

'Nee, dank je wel, Porsh. Het gaat hier goed. Prima. Ik krijg heel wat positieve berichten binnen uit Afrika, Zuid-Amerika, Indonesië. Het ziet er goed uit.'

Portia glimlachte en stak haar duim in de lucht. Ze had altijd gevonden dat er een melancholieke sfeer van verlatenheid hing in eetkamers die zelden gebruikt worden om in te eten. Gordon had zich daar wel vaker met stapels papieren aan die tafel teruggetrokken, en nooit met enig resultaat. De geur van boenwas en kaarsvet deed Portia aan de dood denken. Dode vliegen waren gekonfijt en geconserveerd aan de schenktuit van een halflege portkaraf blijven kleven, en spinnenwebben hingen als sluiers om de droogbloemen en sparappels in de haard. Ze herinnerde zich die keer dat er een zwart laken was gedrapeerd over de spiegel boven het dressoir. Peter, Albert en Gordon hadden met losgetrokken stropdas op lage houten krukjes sjivah gehouden bij Hillary, Albert met zo'n ernstig en wit gezicht dat ze het met kussen had willen overladen en hem tegen zich aan had willen trekken. Peter was daar zeven hele dagen blijven zitten, rouwend om zijn vrouw en misschien ook om het atheïsme en de minachting voor rituelen van zijn enige dochter. Er was geen hoop te verwachten van eetkamers. Geen enkele.

Simon had genoten van een drukke morgen aan de telefoon. Hij bestudeerde zijn agenda op zijn *Palm Pilot*.

Brief aan St. Mark's ✔

John ✔

Floyd ✔

Drapers ✔

Makelaar ✔

Mbinda ✔
     (Hotel?) ✔

Albert ✔

CE-Aandelen ✔

DM ✔

Voor zover hij wist, was hij helemaal bij en had hij alles onder controle. Hij overwoog vroeg weg te gaan en naar Lords te gaan voor een partijtje cricket. Een klein stemmetje had hem, toen hij zijn agenda nalas, het woord 'verveling' ingefluisterd. Nog even, en het was allemaal achter de rug.

Simon vloekte hartgrondig op zichzelf in het Russisch. Toen in het Zweeds. Een man van zijn kwaliteiten zou zich nooit hoeven te vervelen. Het idee was bespottelijk. Hij kon alles worden wat hij wou. Schrijver. Uitvinder. Vertaler. Staatsman. Omroepdirecteur. Filantroop. Verzamelaar. Playboy. Als hij zich nooit had verveeld in een kamertje in een ziekenhuis op een afgelegen eiland in het Kattegat, hoe kon hij dan bang zijn dat hij zich zou vervelen nu de hele wereld zijn speeltuin was?

De telefoon op zijn bureau ging over en hij drukte de knop in.

'Ja?'

'Het spijt me, Simon. Ik weet dat je niet gestoord wilde worden. Er staat hier een vrouw. Ze zegt dat ze je beslist moet spreken. Ik zou haar hebben afgewimpeld, maar het is Alberts moeder. Ik wist niet goed of ik...'

'Ogenblikje.'

Hij drukte de knop nogmaals in. Zijn plannen waren zo compleet, zo afgerond, zo duchtig doordacht. Hij had dit bezoek niet verwacht, maar er natuurlijk wel rekening mee gehouden. Hij was klaar.

'Goed, Lily. Breng haar maar hierheen.'

Simon stond op van zijn bureau en liep naar de zithoek.

'Mevrouw Fendeman, komt u binnen. Een kop koffie, misschien? Nee, natuurlijk niet. Sorry, dat was... Water misschien? Vruchtensap?'

'Een glas water, graag.'

'Zou je zo vriendelijk willen zijn, Lily? Gaat u zitten, mevrouw Fendeman. Wat kan ik voor u doen?'

Portia ging zitten. Ze vond het moeilijk om haar hoofd op te heffen en hem in zijn ogen te kijken.

'Volgens mij weet u heel goed wat u kunt doen, meneer Cotter. U kunt mijn gezin met rust laten.'

Simon liet zich in de fauteuil tegenover haar zakken. 'Ach, jee,' zei hij. 'Dit wordt heel lastig. Voor u verder gaat, wil ik u verzekeren dat ik geen enkele behoefte voel om uw zoon te kwetsen. Hij is een bijzonder aardige, intelligente jongen. U kunt heel trots op hem zijn.'

'Ik bén trots op hem. Ik heb uw aanmoediging niet nodig.'

'Natuurlijk niet.'

'Het valt me op,' zei Portia, 'dat u niet hebt gezegd dat u geen behoefte voelt om mijn man te kwetsen.'

'Mevrouw Fendeman, het is heel belangrijk dat u de complexe

relatie begrijpt die er bestaat tussen de uitgever van een krant en zijn redactie.'

'Ach, kom…'

'Ah, dank je wel, Lily. Dat was alles. Beslist geen telefoontjes nu, goed? Dank je, schat.'

Simon zag haar het water in een glas schenken. Ze keek hem aan met een treurig glimlachje.

'Als ik het niet had geweten toen ik binnenkwam, had ik het nu geweten,' zei ze.

'Pardon?'

'Die gewoonte om met je been te wippen. Ik zie je weer zoals je was. Een verdwaald jongetje.'

Simon stond op. Hij haalde diep adem. 'O, Portia,' zei hij. 'Portia. Ik kan je niet zeggen…' Hij begon door het vertrek heen en weer te lopen. 'Ik ben afgelopen april naar een lezing van je geweest. Ik heb vanaf de straat naar je staan kijken, wanneer je in de keuken bezig was. Datzelfde huis in Plough Lane. Ik heb je boeken gelezen. Ik heb het licht van jouw ogen gezien in die van Albert. Maar dat je nu hier bent. Het is heel…'

'Er schijnt geen licht meer in Alberts ogen. Niet meer. Jij hebt het gedoofd.'

Simon was niet van zins om zich op door Portia ingeslagen zijpaden te laten meevoeren. 'Het zal die pagina op zijn website wel zijn geweest, hè? Ik heb het zelf ook geprobeerd. Mezelf blond haar gegeven. Nogal angstaanjagend. Daardoor ben je erachter gekomen, nietwaar? Of wist je het al eerder?'

'Dat weet ik niet. Ik had je alleen maar op de televisie gezien, en in tijdschriften. Maar er speelde iets door mijn hoofd. Wantrouwen. Angst, denk ik…'

'Wantrouwen?' Simon ging weer tegenover haar zitten. 'Hoe kun je dat nu zeggen?'

'Een gevoel van onbehagen. Het had wantrouwen moeten zijn. Toe, Ned. Ik wil het met jou alleen maar over mijn gezin hebben. Mijn zoon.'

'Hij had míjn zoon moeten zijn!'

'Maar dat is hij niet. Hij is voor de helft Gordon, voor de helft mij. Hij is nul komma nul jou.'

'Ik weet het. Ik weet het. Ik dacht... het is bij me opgekomen... dat je misschien had gelogen over zijn leeftijd. Misschien was hij twee jaar ouder. Misschien was hij verwekt...'

'Daar gaan je knieën weer...'

Simon stond op. 'Maar ik weet heel goed dat hij Gordons zoon is. Wat je moet begrijpen,' zei hij en hij begon weer te ijsberen, 'is wat er met mij is gebeurd. Wat ze me hebben geflikt.'

'Ashley, Gordon en Rufus. Ik weet wat ze je hebben geflikt.'

'Je wéét het? Hoe kun je dat in godsnaam weten? Het is totaal uitgesloten dat je het weet.'

'Gordon heeft het me verteld.'

Simon bleef met een ruk staan en draaide zich om. 'Hij heeft het je verteld?' Hij begon weer rond te lopen. 'Zo. Dus hij heeft het je verteld. Dat is misschien wel logisch. Jij had geraden wie ik was en hebt het hem verteld. En toen heeft hij jou alles bekend en je naar mij toe gestuurd. Begrijpelijk.'

'U mag dan een heleboel weten, meneer Cotter, maar...'

'Portia, alsjeblieft, je weet hoe ik heet.'

'U mag dan een heleboel weten, meneer Cotter,' hield Portia vol, 'u mag veel talen spreken, veel bedrijven leiden, en veel levens dicteren, maar u weet niets van mensen. Gordon heeft het me jaren geleden verteld. Jaren geleden. Rond de tijd dat Albert werd geboren, nu ik erover nadenk. Het had als een tumor in zijn hersenen gezeten. Hij had me dag in dag uit naar het ziekenhuis zien gaan om met je vader te praten, en hij wist dat hij verantwoordelijk was. Dat heeft hem verteerd. Hij hield van me, namelijk. Hij is al die tijd naar je blijven zoeken. Ik had het al lang opgegeven voordat hij het ten slotte ook heeft gedaan.'

'Een heel handige manier om jou te winnen. Ik heb nooit aan zijn hersens getwijfeld.'

'Dat had je dan wel moeten doen. Hij heeft er niet zo veel. Een goed hart, maar geen hersens. Moet je zien in wat voor nesten hij zich heeft gewerkt.'

'Hij? Moet je zien hoe die Afrikaanse stam eraan toe is. Een goed hart?'

'O, in hemelsnaam. Je hebt toch geen behoefte aan een discussie over morele verantwoordelijkheid? Moeten we de Afrikanen voortdurend als kinderen behandelen? Als ze hun eigen mensen misbruiken, is het dan altijd per se *onze schuld*? Valt hem meer te verwijten dan het plaatselijke bestuur dat het heeft uitgevoerd? Is hij slechter omdat hij blank is en "beter had moeten weten" dan die arme kleine zwartjes? Natuurlijk, hij is in de fout gegaan. Wij gaan de fout in, telkens als we een pop kopen die door kinderen in de Derde Wereld in elkaar is gezet. Brave, fatsoenlijke, moreel hoogstaande, liberale mannen en vrouwen hebben eeuwenlang suiker door hun koffie geroerd, in de wetenschap dat die door negerslaven was geplukt. Jij draagt leren schoenen, ooit zal dat worden beschouwd als het toppunt van immoraliteit. We kopen dingen, we leven in de wereld, we zijn er allemaal bij betrokken, we zitten allemaal tot onze nek in dezelfde morele soep. In godsnaam, hoe kun je zo *arrogant* zijn? Heb je dan geen greintje medelijden met een man die weg dreigt te zakken in het drijfzand?'

'Drijfzand dat hij zelf heeft gestort.'

'Dat maakt het alleen maar treuriger. Als het zijn schuld niet was, zou hij net als jij kunnen zwelgen in de luxe van goddelijke razernij. Als het lot je met stenen bekogelt, is het eenvoudig. Wanneer het je eigen stenen zijn en ze komen op je eigen hoofd terecht, is het hopeloos. Het ís zijn schuld, dus wat doet hij... hij speelt de onschuld. Je zou hem moeten zien... hij is helemaal gebroken. Volkomen hulpeloos.' Portia was razend toen ze haar stem hoorde breken, en ze wist dat er nu zichtbare tranen in haar ogen stonden.

'Het spijt me, Portia. Het spijt me oprecht.'

'Ik wil geen medelijden van je. Ik wil een belofte van je. Ik denk dat het te laat is om nog iets aan Gordons goede naam te doen, maar Albert. Laat hem met rust. Laat hem in godsnaam met rust.'

'Hij is zelf begonnen,' zei Simon. Hij leunde tegen de muur tegenover Portia. 'Als ik hem een beetje ken, zit hij nu met een laptop ergens in een internetcafé en gebruikt hij een schuilnaam en accepteert hij geen e-mail uit angst voor nog meer virussen. Het is intellectueel een grote uitdaging.'

'Albert is een kind. Je hoeft er niet op in te gaan.'

Simon dacht even aan de brief die hij die ochtend naar Oxford had gestuurd. Een brief die de beslissing van het college om Albert als student in te schrijven, zeker zou omkeren.

'Het spijt me, Portia,' zei hij. 'Alles is al in beweging gezet.'

Portia keek naar de ruimte boven zijn hoofd. 'Alles duchtig doordacht, dus.'

'Ooit zal je het begrijpen.'

'Ik beweer niet dat ik alles weet wat jou is overkomen. Maar ik zie het resultaat. Misschien moet je Gordon eigenlijk dankbaar zijn. Je hebt een vrijwel grenzeloze rijkdom en een brein waarvan iedereen me verzekert dat het angstaanjagend is in zijn reikwijdte, kennis en denkkracht. Je schijnt alles te hebben waar de wereld naar haakt.'

'Niet jou, Portia. Jou heb ik niet. Ik heb je kinderen niet. Ik heb geen familiegeschiedenis, geen jeugd.'

'Weet je hoe Ned zou hebben gereageerd, wát hem ook zou zijn overkomen? Als Gordon zijn arm had afgehakt, in een woedeaanval bijvoorbeeld? Ned zou hebben gebloosd en gestameld: "Hé joh, geeft niks. Mijn eigen schuld. Maak je niet druk. Het spijt me verschrikkelijk." Zo zou Ned hebben gereageerd op de slagen van het lot. Met een stralende glimlach en verlegen schuifelend met zijn voeten.'

'Ik ben Ned, en zo heb ik nooit gereageerd.'

'Ik weet niet wie u bent, meneer Cotter, maar ik kan met absolute zekerheid verklaren dat u Ned Maddstone niet bent. Ik heb hem heel goed gekend, namelijk.'

'Je zult het begrijpen. En spoedig.' Simon liep naar haar toe. 'Ik ben niet verantwoordelijk voor wat er gebeurt. Het zal allemaal spoedig voorbij zijn en dan zal je alles helemaal begrijpen. Dan zullen we tijd hebben om te praten en herinneringen op te halen. Je zult zien dat ik niet meer ben dan een werktuig. Een werktuig van God.'

Met de knop van de deur al in haar hand huiverde Portia.

'O, lieve hemel,' fluisterde ze. 'Arme man. Ik heb met je te doen.'

Simon bleef een tijd staan nadenken in zijn kamer. Toen belde hij Lily via de interne lijn.

'Die post die ik had klaargelegd. Is die al weggebracht?'

'Hij ligt er nog, Simon.'

'Breng hem even, wil je?'

Hij merkte dat hij nog steeds niet kon gaan zitten zonder dat zijn benen gingen wippen, dus leunde hij tegen het raam en las zijn brief aan St. Mark's over. Toen hij hem uit had, legde hij hem met een glimlach op zijn bureau. Dat kon wachten.

V

Coda

Albert en Portia hadden een kwartier stil in de keuken gezeten, zonder dat ze spraken over de geur van Gordons angst, die nog steeds in de lucht hing. Hij was om half negen het huis uitgegaan voor de vergadering van de raad van bestuur.

'Het helpt niet om al te gretig over te komen,' had hij gezegd, terwijl hij opgewekt papieren in zijn tas propte.

Moeder en zoon waren trots op elkaars hypocrisie. Albert had zijn moeder niet in staat geacht tot een aanmoediging als: 'Pak ze, Tijger!' en Portia op haar beurt had niet gedacht dat ze ooit nog de dag zou beleven waarop Albert zijn vader een por in zijn ribben gaf met de woorden: 'Geef ze van katoen, pap!'

Gordon was met een monter knikje de deur uitgegaan, als om aan te geven dat het een dag was als alle andere. Op elke andere dag, zoals Albert en Portia maar al te goed wisten, zou hij hen allebei een zoen hebben gegeven en iets gezegd hebben in de trant van: 'Tijd om weer wat parels voor de zwijnen te gooien,' 'Wens me maar succes,' of zelfs: 'Bah, weer zo'n rotdag voor onze held.'

Terwijl de koffie koud stond te worden in hun kopjes en Java vergeefs jammerde om te worden binnengelaten, had Portia alles verteld wat ze over Ned Maddstone wist.

'Waarom heb je me dit niet eerder verteld?' had hij willen weten. 'Waarom heeft *pap* het me niet verteld?'

'We zouden het je op een goed moment wel verteld hebben. Het leek ons niet… nodig. Maar pap weet niet dat Ned terug is gekomen. En hoe zou hij het ook moeten weten? Ik heb het zelf pas gisteren beseft. Niemand weet wat er met Ned is gebeurd sinds hij is verdwenen. Ik denk ook niet dat we het ooit zullen horen. Maar je vader heeft er jaren lang verschrikkelijk mee gezeten. Misschien doet hij dat nog steeds. We hebben het er nooit over.'

'Hou je… hou je nog steeds van Ned?'

'Ik houd heel erg veel van je vader. En van jou.'

'En van grootvader?'

'En van grootvader, natuurlijk.'

'En van Java?'

'Natuurlijk ook van Java.'

Ze hadden er allebei om moeten lachen. Portia had Albert even in zijn hand geknepen om te laten merken dat ze het waardeerde dat hij haar probeerde op te vrolijken, en hij had een kneepje teruggegeven.

Nu zat hij in zijn slaapkamer met zijn laptop open en wachtte met een tevergeefs op een muis loerende Java op zijn knieën op een e-mail. Zijn moeder had geen antwoord gegeven op zijn vraag, en hij veronderstelde dat ze nog steeds van Simon hield, of van Ned… nou ja, hoe hij dan ook heette.

De computer gaf een signaal. Albert vloog overeind en Java sprong kwaad van zijn schoot. Hij zag de brief in zijn inbox.

Simon Cotter re: Ned

Er zat geen attachment aan. Het kon hem niets schelen of Cotter ook een manier wist om virussen per normale e-mail te versturen. Hij ging met zijn vinger langs de lijst en klikte.

on 10/10/00 09:20 am, Albert Fendeman at
aef@anon_anon_anon.co.tm. wrote:

> Geachte meneer Cotter
>
> Mijn moeder heeft mij het een en ander uitgelegd, maar
> weet niet dat ik u schrijf.
>
> Het spijt me heel erg dat mijn vader u in het verleden

> misschien leed heeft berokkend.

>

> Ik begrijp waarom u doet wat u doet en beloof u voortaan
> met rust te laten.

>

> Dank u voor de waardevolle ervaring die ik heb opgedaan
> door met u te werken. Ik wens u en uw bedrijf alle goeds...

>

> Ga alstublieft door met het goede werk dat u verricht op het
> gebied van Ethisch Handeldrijven.

>

> Met vriendelijke groeten,

>

> Albert Fendeman

Albert

Bedankt voor je e-mail. Start je computer. Trek je er niets van aan dat het scherm leeg is. Toets Alt-Control-Shift N, wacht een paar tellen en toets dan Shift-Delete. Toets na de prompt het wachtwoord "Babe" in (Denk eraan: hoofdletter B). Als het goed is zal je merken dat al je documenten nog intact zijn.

Amuseer je in Oxford. Als je na je studie op zoek mocht zijn naar werk, weet je waar je terecht kunt. Een briljante carrière ligt voor je in het verschiet. Beschaam je moeders verwachtingen niet.

Met vriendelijke groeten,

Simon

PS: Een prachtig e-mail adres. In mijn adresboek lees ik dat tm Turkmenistan is. Een subtiel detail.

—

Simon Cotter simoncotter@cotdotcom.com

* *

* *

Simon klapte zijn laptop dicht en legde hem voorzichtig naast zich op de achterbank.

'Wacht hier op mij, John,' zei hij terwijl hij het portier opende. 'Het duurt niet lang.'

'Goed, meneer.'

Simon stapte uit en keek op naar het hoge gebouw aan de overkant van de straat. Hij liep dwars door de batterij camera's heen, en keek in geen enkele lens, zonder dat hij ze probeerde te ontwijken.

Een half uur tevoren had Gordon Fendeman op vrijwel dezelfde manier omhooggekeken naar hetzelfde gebouw. Hij had de vergissing gemaakt om zijn tas voor zijn gezicht te houden terwijl hij langs de pers liep, wat hem tegelijkertijd een schuldig en belachelijk voorkomen gaf.

Hij was van huis gegaan met een gevoel in zijn maag dat hij al twintig jaar niet meer had gehad, sinds de dagen waarin voortdurend de angst op de loer had gelegen voor een bezoek van de politie, met nieuws over Ned Maddstone en een arrestatiebevel voor hemzelf.

Zijn vrouw en zijn zoon hadden hem aan het ontbijt geen rad voor ogen kunnen draaien met hun luchtige plagerijtjes en montere klopjes op zijn arm. Hij had de angst in hun ogen gelezen, zo duidelijk als maar kon. Ze geloofden niet in hem. Ze geloofden op twee manieren niet in hem. In de eerste plaats achtten ze hem schuldig aan een gruwelijk, ethisch verraad en in de tweede plaats hadden ze er geen vertrouwen in dat hij het vermogen bezat om zich hier doorheen te slaan. Hij had het gebrek aan vertrouwen op Portia's gezicht gelezen. 'Maak het niet erger, Gordon. Maak het alsjeblieft niet erger.'

De *minachting* die ze voor hem hadden! Het leek alsof de letters M-I-S-L-U-K-K-E-L-I-N-G in zijn voorhoofd gebrand stonden. 'Moeten jullie mij zien. Ik ben een zak!' had hij de andere mensen in de lift willen toeroepen. 'Ik ben een stuk stront. Lach me maar uit. Ga je gang. Iedereen doet het.'

Wanneer hij van streek was, dacht Gordon nog steeds in het Amerikaans. Dan voelde hij zich beter. Misschien... misschien dat hij, als zijn ouders niet zo vroeg waren overleden, het tot iets had kunnen brengen. Wat voor een opvoeding had hij nu helemaal gehad in dat gekkenhuis in Hampstead? Jezus, hij woonde er nog steeds! In datzelfde donkere, vreselijke huis. Hij had met Porsh en Albie jaren geleden al naar de States moeten gaan. Voor de prijs van dat huis aan Plough Lane had hij iets kunnen kopen in het noorden van de staat New York. Ithaca, misschien. Albie zou als een Amerikaan zijn opgegroeid. Portia had een baan kunnen krijgen aan de universiteit, en Gordon had daar iets kunnen *bereiken*. Amerikanen hadden niet die snobistische blik in hun ogen. Die Engelse particuliere-school-beleefdheid die als een mes door je darmen sneed. Dat gefluisterde 'Pardon, het spijt me zeer' en dat o zo verontschuldigende glimlachje. Verontschuldigend, m'n reet! Ze wisten wie de baas was, ze wisten wie erbij hoorde en wie niet.

Zijn gezin hield van hem, zeker. Maar wat voor liefde was dat, die naar je keek als naar een gewond hert? Te bang om te zeggen wat ze denken, omdat ze denken dat jij te bang bent om het te horen. Niemand had hem ooit om advies gevraagd bij wat dan ook. Zelfs niet de loodgieters en elektriciens die in huis iets kwamen repareren. Altijd vroegen ze Portia naar de hoofdkraan of de stoppenkast, of wat dan ook. Tegenwoordig vroegen ze er Albie naar. Het was alsof ze het róken. Hij kon daar staan, midden in de kamer, heer des huizes, maar denk je dat ze hém vroegen of hij MDF of triplex wilde? Jezus, de stank van mislukking die van hem af moest slaan! Zijn eigen zoon verdiende op zijn zeventiende meer dan hij de meeste jaren van zijn leven had gedaan. Die klootzak van een Simon Cotter. Hij hield niet op Gordon te vernederen.

Op de drieënveertigste verdieping zat de raad van bestuur te wachten om hem te ontvangen met de gebruikelijke hartelijke grappen en gespeelde beleefdheid. Purvis Alloway kwam naar hem toe om hem de hand te drukken en tegelijkertijd − onloochenbaar teken van aanstaand verraad − een hand op zijn schouder te leggen.

'Waarschijnlijk beter, voorzitter,' − wat hechtten ze toch aan formele aanspreekvormen − 'als ik deze bijeenkomst voorzit, aangezien het voornamelijk zal gaan over... eh...'

'Zeker, zeker...' Gordon wuifde de wellevendheid weg. 'Ik wilde het zelf al voorstellen.'

'Zullen we dan maar beginnen?'

Gordon loosde een diepe zucht en voelde hoe het zweet hem uitbrak toen hij recht tegenover Alloway ging zitten. Hij gespte zijn tas open en stapelde de ene bundel stukken na de ander voor zich op tafel. Er daalde een gegeneerde stilte neer, en hij wist dat hij een tactische fout had gemaakt. Alleen halfgare aangeklaagden en politieke fanaten sjouwden zo veel documenten mee, besefte hij. Hij voelde het zweet uit alle poriën van zijn gezicht druipen, en hij zat te hijgen alsof hij de trap had genomen.

Hij ging met een rood hoofd zitten, terwijl Alloway met een kuchje het woord nam.

'Heren, ik open deze buitengewone verandering. Krachtens artikel negen kunnen we de notulen voor kennisgeving aannemen en overgaan tot het enige punt dat vandaag op de agenda staat. Ik heb rond twaalf uur de pers een verklaring beloofd, zodat we naar mijn mening genoeg tijd hebben om alle facetten te, eh, belichten. Wil iemand misschien nog iets naar voren brengen, voordat ik het woord geef aan de heer Fendeman?'

Iedereen was vriendelijk en tactvol en meelevend. Niemand wenste de geringste twijfel te uiten aangaande Gordons integriteit. Verschillende leden van de raad van bestuur wisselden wrange opmerkingen over de Britse pers en haar gebrek aan verantwoordelijkheidsbesef.

Suzie, Gordons secretaresse, zat ter linkerzijde van Alloway en notuleerde in steno.

'Volgens mij, waarnemend voorzitter,' zei een van de bestuursleden, 'beschikt de *London Evening Press* niet eens over een correspondent in Afrika.'

'Dat klopt!' kwam Gordon gretig tussenbeide. 'Ik heb een vriend die in Nairobi werkt voor de BBC World Service, en die heeft me verzekerd dat geen enkele Britse journalist...' Hij zweeg toen hij besefte dat hij voor zijn beurt had gesproken. 'Goed, dat komt later nog wel ter sprake.'

Anderen wensten de raad van bestuur erop te wijzen dat het toch maar Gordon Fendemans vooruitziende blik, Gordon Fendemans rechtvaardigheidsgevoel, Gordon Fendemans idealisme en Gordon Fendemans pure lef waren geweest die de onderneming überhaupt van de grond hadden gekregen. Hij had het bedrijf uit het niets opgebouwd tot een achtenswaardige koffie-exporteur, en vervolgens tot een beursgenoteerde onderneming. Een bekend merk. De kwestie van zijn aankoop van aandelen *London Evening Press* – o ironie – viel buiten het bestek van deze vergadering. Als Gordon tijd nodig had om de beschuldigingen van de mensen die zijn goede naam in opspraak brachten te weerleggen, zou hij dan misschien tijdelijk terug kunnen treden? Het bestuurslid wenste de nadruk te leggen op het woord 'tijdelijk' en dat uitdrukkelijk in de verklaring aan de pers opgenomen te zien. Wanneer Gordon zijn naam had gezuiverd – en het bestuurslid twijfelde er persoonlijk geen moment aan dat hij daarin zou slagen – zou de weg naar het voorzitterschap weer voor hem openstaan. Wat dachten de heren van dat voorstel?

Het instemmend gemompel en het geroffel op de tafeltjes volgde zo snel en unaniem op deze woorden, dat Gordon meteen besefte dat dit compromis achter zijn rug om was voorgekookt.

'Alvorens tot een stemming over dit voorstel over te gaan...' zei Purvis Alloway – Gordon slikte en haalde diep adem voordat hij aan zijn grote toespraak zou beginnen – '...heb ik een speciaal verzoek aan de raad van bestuur. Het is misschien een beetje ongebruikelijk, maar aangezien dit een buitengewone vergadering is die onder buitengewone omstandigheden bijeen is geroepen, neem ik aan dat er geen bezwaren zullen zijn.'

Iedereen keek naar Purvis, en deze keer wist Gordon dat hij niet de enige was voor wie dit als een verrassing kwam.

'Ik heb vanochtend een brief gekregen van een dame die verblijft in Hotel Hazlitt,' ging Alloway verder. 'Haar naam is prinses M'binda en ze zegt te beschikken over informatie die van essentieel belang is voor de reputatie van deze onderneming. Ze wacht op het ogenblik in mijn kamer. Ik vind dat we haar het woord moeten verlenen.'

Gordons mond was kurkdroog geworden en hij nam een slok water, wetend dat iedereen in het vertrek hem aankeek. Hij zette het glas neer en deed alsof hij verbaasd was aller ogen op zich gericht te zien.

'Natuurlijk,' zei hij op neutrale toon. 'Waarom niet? Laat haar vooral binnen.'

Alloway drukte op de zoemer die ter hoogte van de voorzittersstoel onder de tafel was aangebracht, en de deur naar de bestuurskamer ging open.

Iedereen aan de tafel stond verlegen op, Gordon het laatst, en het onhandigst.

'Goedemorgen, uwe... eh... prinses.' Alloway was niet helemaal zeker van het protocol en net als iedereen van zijn stuk gebracht door de buitengewone schoonheid van het meisje dat was binnengekomen en nu verlegen tegen een muur leunde. Ze was ruim één meter tachtig en gehuld in een katoenen gewaad met groene, rode en gele tinten. De leden van de raad van bestuur waren zich opeens pijnlijk bewust van de om hen heen aan de muren hangende foto's van precies zulke meisjes in precies zulke kleding, meisjes die met manden vol bessen op hun hoofd met hagelwitte tanden in de camera lachten.

Alloway liep naar voren, pakte een stoel en zette die rechts van zijn eigen stoel, iets verder van de tafel vandaan. '*Madam*, wilt u zo goed zijn plaats te nemen?'

Ze verroerde zich niet, maar bleef met gestrekte armen staan, haar handen plat tegen de muur, haar grote ogen strak op het raam gericht. Alloway begreep het meteen.

'Is het de hoogte? Wilt u dat we de gordijnen dichttrekken?'

Het meisje knikte, en een van de bestuursleden sloot de gordijnen, terwijl een ander het licht aanknipte. Ze ontspande zich onmiddellijk en gleed uiterst bevallig op de stoel neer. Haar ogen ontmoetten die van Gordon aan de andere kant van de tafel en hielden zijn blik vast.

Gordon had amper adem kunnen halen vanaf het moment dat haar naam was gevallen, en zijn mond was droog en plakkerig, maar hij wist dat het nemen van alweer een slok water gelijk stond aan het verliezen van een psychologische strijd. Hij beantwoordde de blik van het meisje, en ze sloeg haar ogen langzaam neer.

'Goed dan.' Alloway keek naar een brief die voor hem op tafel lag. 'U zegt hier dat u informatie hebt die van essentieel belang is voor de goede naam van onze onderneming. Misschien wilt u zo goed zijn ons te zeggen wie u bent en wat voor informatie u voor ons hebt?'

'Ik ben Prinses M'binda van de Ankoza,' begon ze. 'We zijn een volk van de heuvels. Mijn vader B'Goli was hun koning...'

Terwijl zij aan het woord was en Suzie's pen over het papier vloog, gingen Gordons gedachten terug naar Oost-Afrika. Hij had daarheen moeten gaan omdat een vracht koffiebonen waarin hij zijn – Hillary's – laatste geld had geïnvesteerd was opgehouden, naar hij had verondersteld in de haven. In werkelijkheid bleken de bonen ergens anders opgeslagen te liggen en waren ze al bijna aan het rotten. Het was zíjn fout geweest. Hij had acht maanden eerder in Londen verzuimd een schriftelijke opdracht voor verzending te versturen. Typisch een geval van Gordon-pech.

Het was uiteindelijk allemaal uitgezocht, tegen hoge bijkomende kosten, en hij was in een bar een man tegengekomen die hem had verteld over de Ankoza-stam. 'Ze hebben de koffieplantage zelf van de grond af opgebouwd en hij begint nu juist vruchten af te werpen. Wat Robusta, maar merendeels Arabica. Topkwaliteit ook nog. Goede, hoge lucht, maar ze weten geen bal van hoe ze hun koffie moeten verkopen. Ze verkopen het op de plaatselijke markt, kan je dat geloven? Verspilling van schitterende cultuurgrond. Ik ga proberen of ik mijn mensen ervoor kan interesseren.'

Om kort te gaan, Gordon was hem vóór geweest en had B'Goli, het stamhoofd, weten over te halen hem te accepteren als exclusieve inkoper van de producten van hun lichtpaars gekleurde heuvels. Hij had zich teruggerept naar de beschaving om zijn oorspronkelijke vracht te verkopen, tegen een fabelachtig verlies, en had met zijn laatste kapitaal zijn eigen makelaardij opgezet en advocaten gecontracteerd om van B'Goli's concessie een waterdicht contract te maken. Hij kreeg prompt B'Goli's handtekening, en het gerucht begon de ronde te doen dat er een nieuwe kaper op de kust was. Veertien dagen nadat hij zijn makelaardij had ingeschreven bij de kamer van koophandel kreeg Gordon bezoek van een regeringsfunctionaris.

'Ach nee. U gaat toch geen zaken doen met de Ankoza? Iedereen weet toch hoe corrupt die zijn? Ze zullen u bedriegen en kaalplukken. Míjn volk daarentegen, de Kobali, zijn door en door betrouwbaar. Veel gemakkelijker om met hen zaken te doen. Alle leden van de regering zijn Kobali. Stelt u zich eens voor hoeveel sneller en efficiënter uw koffie door de douane zal worden afgehandeld als u alleen maar met Kobali te maken heeft! Als u met de Ankoza handelt is het nog maar de vraag of ook maar één koffieboon in het pakhuis terechtkomt. Nee, nee, mijn vriend, u kunt veel beter met ons te maken hebben. En wat is dít? Het contract heeft geen betrekking op de Ankoza... het heeft betrekking op het lánd! Mijn beste man, het kan niet eenvoudiger! Het land ís helemaal niet van de Ankoza! Nee, nee, echt niet. Ik zal u vertellen wat we gaan doen. We zullen u schadeloos stellen voor al het extra werk – honderdduizend pond sterling – en we helpen u om die Ankoza-ratten te verdrijven van de grond die ze wederrechtelijk bezetten.'

Niet zijn schuld. Niet zijn schuld. Het was die man in de bar geweest. Als Gordon er niet op af was gegaan, had iemand anders het wel gedaan, onvermijdelijk. De Ankoza zouden hoe dan ook van hun land zijn verdreven. Niet zijn schuld. Maar M'binda...

Zodra zijn oog op haar was gevallen, had hij haar begeerd. Hij had de voorwaarde gesteld dat zij achter gehouden moest worden. Ze was ontroostbaar geweest toen haar vader en zijn gezin als aardappelen in vrachtauto's waren geladen en weggevoerd werden, de heuvel af.

Maar hij had haar niet verkracht. Als ze dat zei, loog ze. Ze was... zo niet gewillig, dan toch zeker niet onwillig geweest. Ze was niets geweest. Een levenloze pop.

Haar woord tegen het zijne, dat was het. Haar woord tegen het zijne. Voorlopig kwam het erop aan verbaasd en verontwaardigd te kijken bij alles wat ze zei, alsof elke nieuwe beschuldiging als een schok kwam. De aanwezigheid van Suzie maakte hem een beetje zenuwachtig. Ze had niet één keer opgekeken, haar pen schreef maar door en haar lippen bewogen onmerkbaar onder het stenograferen. Het hele verhaal stond daar in Pitman-hiëroglyfen, en later die dag zou ze het uitwerken tot getypte notulen. Gordon had het stenoblok liefst onder haar vingers vandaan getrokken en in stukken gescheurd.

Niemand keek nog naar Gordon nu M'binda aan het eind kwam van haar verhaal. Dat was niet waar. *Zij* keek naar hem. Geen afkeer, geen flits van wraakzuchtige haat in haar ogen. Ze keek alleen maar, met een strakke, koele blik die zijn longen in elkaar deed schrompelen.

'Toen ik weg mocht, vond ik na lang zoeken mijn familie terug. Ze woonden in krotten van golfplaat in een stoffig dorp aan de voet van de bergen. Wanneer de regens kwamen, stroomde het water van de bergen het dorp binnen, en werd het stof modder. Mijn moeder en twee van mijn broers zijn gestorven aan malaria. Mijn vader en mijn zusters aan cholera. Dat is mijn verhaal. Mijn vader, de koning, vertrouwde meneer Fendeman, en nu is hij dood en mijn volk is ziek, lijdt honger en huilt omdat het zijn land is kwijtgeraakt.'

Alloway leunde voorover en gaf haar een klopje op haar hand. 'Dank u, Hoogheid. Dank u zeer.'

Gordon kuchte onwillekeurig en probeerde het te laten klinken als een meewarig lachje.

'Belachelijk,' sputterde hij, en hij bette zijn gezicht met een zakdoek. 'Ik bedoel, heren, in hemelsnaam!' Hij keek hen in de ogen, een voor een. 'Ik denk... ik sta erop dat het tijd wordt dat ik iets in het midden breng. In de eerste plaats moet ik u zeggen dat ik deze vrouw van mijn leven nog nooit heb gezien.' Hij gebruikte het woord 'vrouw' omdat hij zich er pijnlijk bewust van was hoe jong ze eruitzag. Hij wist dat iedereen aan tafel had zitten rekenen en tot de slotsom was gekomen dat ze vijf jaar geleden, toen Gordon in Afrika had gezeten, niet ouder kon zijn geweest dan dertien of veertien. 'Ten tweede is wat ze zegt over het contract met Koning B'Goli een sluw samenraapsel van halve waarheden. Zeker, het contract had betrekking op het land, niet op het volk. Maar dat is de normale gang van zaken. Dat weet u allemaal. Ze schetst een roerend beeld van eenvoud, naïviteit en eerlijke waardigheid, maar *armoede*? Neem me niet kwalijk. Deze dame is uit Afrika komen vliegen en verblijft nu – waar zei je ook weer, Purvis? – in het Waldorf. Het Waldorf, nota bene. Waren we allemaal maar zo arm, prinses. Maar, wat belangrijker is, hoe wilt u dit allemaal bewijzen? Moet ik worden veroordeeld op het woord van een niet onverdienstelijke toneelspeelster die op uw schuldgevoelens inspeelt? Christus nog aan toe, ik ben getrouwd. Ik heb een gezin. Waar is het bewijs? Zonder bewijs is dit allemaal niets meer dan pure laster.'

'Misschien kan ik u hierin van dienst zijn, heren.'

Alle hoofden draaiden zich naar de deur, vanwaar de interruptie had geklonken. Simon Cotter schreed binnen, ging met een glimlach achter M'binda staan en legde zijn hand op de rugleuning van haar stoel.

Gordon knipperde het zweet uit zijn ogen en wilde iets zeggen, maar kreeg geen woord door zijn keel.

Purvis Alloway was opgesprongen. 'Ik weet niet wie u heeft binnengelaten – meneer Cotter, als ik het wel heb? – maar dit is een besloten vergadering, en ik moet u verzoeken de kamer te verlaten. Als u iets hebt in te brengen, stel ik u voor om u formeel, schriftelijk, tot de voorzitter te wenden.'

'Meneer Alloway,' zei Simon beminnelijk, 'ik heb niet de gewoonte om aan mezelf te schrijven, formeel of anderszins.'

'Pardon?'

'Sinds tien uur vanochtend ben ik meerderheidsaandeelhouder van deze onderneming. Volgens mij geeft mij dat alle recht om hier aanwezig te zijn.'

Aan de vergadertafel ontstond een geroezemoes en één bestuurslid reikte tersluiks naar zijn mobiele telefoon. Alloway kletste met zijn vlakke hand op tafel.

'Heren, mag ik u verzoeken!' Hij wendde zich weer tot Cotter.

'Is dat waar?'

Simon overhandigde hem een stuk papier. 'Een verslag van mijn transactie met mijn effectenmakelaar. U kunt desgewenst contact opnemen met uw eigen mensen.'

'Nee, nee… dit lijkt me in orde… om u de waarheid te zeggen, meneer Cotter, we hadden geen idee van uw bedoelingen ten aanzien van ons bedrijf. U hebt een moeilijk moment uitgekozen.'

'U moet me maar niet kwalijk nemen dat ik de verdediging van de heer Fendeman woordelijk kon volgen. Zijn stem draagt nogal ver, als ik zo vrij mag zijn.'

Gordons gezicht zag grauw en hij had moeite met zijn ademhaling. Zijn boord plakte aan zijn hals en het koude zweet droop van zijn oksels langs zijn bovenlichaam naar zijn middel.

'Ik zei dat ik u kon helpen,' zei Simon, 'en dat is ook zo. Laat ik het meteen over het bewijs hebben. Ik heb hier' – hij legde met zorg drie stukken papier op tafel – 'ten overstaan van een notaris onder ede afgelegde verklaringen, zoals u aan het zegel kunt zien. De eerste bevestigt dat de heer Fendeman een bedrag van honderdduizend pond van de regering heeft ontvangen. Het is getekend door de man die de omkoopsom aanbood. De tweede draagt de handtekening van een tweede regeringsfunctionaris, die verklaart dat de heer Fendeman erop heeft gestaan dat een van de voorwaarden van de overeenkomst zou zijn dat de dertienjarige Prinses M'binda zou worden achtergehouden bij de deportatie van het volk van de Ankoza. De derde is ondertekend door twee chauffeurs en een soldaat, die elk persoonlijk de heer Fendeman de prinses een hut binnen hebben zien dragen. De soldaat, die op dat moment nog jong was, heeft, het spijt mij het te moeten zeggen, door een gat in de muur gekeken en de hele verkrachting gadegeslagen. Deze mensen kunnen stuk voor stuk op elk gewenst moment naar het Verenigd Koninkrijk worden overgevlogen indien de heer Fendeman hun getuigenverklaring wenst te bestrijden.'

Ondanks het hameren van zijn hart en het suizen van zijn oren, slaagde Gordon erin het woord te nemen. Zijn stem was schor en kwam nauwelijks boven een gefluister uit, maar iedereen in het vertrek hoorde hem, en Suzie's potlood noteerde het woord plichtsgetrouw.

'Waarom?'

Simon glimlachte. 'Waarom? Simpele rechtvaardigheid, meneer Fendeman. Simpele rechtvaardigheid.'

Het zweet liep Gordon in zijn ogen, maar met een schok die zijn longen leek open te scheuren, drong het besef tot hem door.

Hij had hem maar één keer eerder ontmoet, twintig jaar geleden, maar het beeld had hem nooit losgelaten. Het was het beeld van alles wat Gordon haatte aan Engeland, en alles wat hij haatte aan zichzelf.

'*Jij* bent het,' kraste hij.

Hij had nu nog maar één gedachte. Het raam. De gordijnen waren dicht, maar als hij er hard genoeg op afrende, met zijn schouder vooruit, moest het lukken. Hij zou erdoorheen springen en een laatste daad verrichten waarvoor Albie misschien nog bewondering zou hebben.

Hij stormde als een dolle stier op het raam af. Hij hoorde kreten van 'Hou hem tegen!' achter zich en uit zijn ooghoek zag hij Suzie's verschrikte gezicht eindelijk opkijken van haar stenoblok.

Hij knalde keihard tegen het raam op en, verachtelijke, waardeloze lul die hij was, mislukkeling van begin tot eind, hij stuiterde terug als een tennisbal. Toen hij tegen de grond dreunde werd zijn keel in een ijzeren wurggreep geklemd, en schoot een bliksemschicht van pijn door de linkerkant van zijn lichaam. Zo had hij zijn vader twintig jaar eerder zien sterven. Dezelfde schreeuw van pijn, hetzelfde klauwen naar zijn keel. Suzie, God zegene haar, knielde als eerste naast hem neer, trok zijn das los en tilde zijn hoofd op. De anderen dromden achter haar samen, en op de achtergrond zag hij het gezicht van Simon op hem neerkijken.

'Ned Maddstone, klootzak,' waren zijn laatste woorden. 'Loop naar de hel.'

Simon was de vergaderkamer uitgelopen voordat Gordon zijn laatste adem had uitgeblazen. De tijd vloog, en hij had een strak schema. Hij moest nog naar de kapper, en kilometers rijden voordat hij kon gaan slapen.

'Twee!' fluisterde hij, terwijl hij tactvol de deur achter zich dichttrok.

Oliver Delft had de opdracht gekregen om een hacker op te sporen in Knightsbridge. Niet om hem te arresteren, maar om hem in dienst te nemen.

'Cosima is hem op het spoor gekomen en we zijn hem vanaf dat moment uit de verte in de gaten blijven houden. Een goede stroper die een nog betere jachtopziener kan worden,' had Cotter hem gezegd. 'Heel jong nog, maar echt briljant.'

Oliver kon het adres niet vinden. Op nummer 46 zat een ijssalon, en op nummer 47 een Engels Instituut. Van nummer 46B was geen spoor te bekennen. Hij stond voor de deur van het Instituut en dacht na over het probleem. Het was onwaardig om zich weer in de wereld van het straatwerk te moeten begeven. Hij had Cotters zilverlingen maar al te graag geaccepteerd, maar hij had moeten beseffen dat er een prijskaartje aan vastzat. In zijn eigen wereld was Oliver opperbevelhebber geweest. Het werk werd afschuwelijk slecht betaald, en de bureaucratische beperkingen waren verstikkend. Was hij nu niets meer dan een vogel in een vergulde kooi?

Terwijl hij naar de deurbellen stond te kijken, werd er een hand op zijn schouder gelegd. Oliver wilde hem afschudden, maar de hand wist wat hij wilde en had die beweging voorzien; hij greep de schouder steviger beet.

'U gaat rustig met ons mee, meneer. Micky, portier open. Ik zal deze heer vertellen wat zijn rechten zijn.'

Als dit de particuliere sector was, wilde Oliver er niets mee te maken hebben. De twee kerels aan weerszijden van hem, met hun bloemkooloren en gebroken neuzen, waren in weerwil van hun uniform, plastic handboeien en bombastische taal geen agenten. Oliver kende zijn pappenheimers en hij had er zijn hoofd onder durven verwedden dat alles wat dit tweetal wist van politiebureaus, de kleur van de tegels in de cellen was. Maar hij rook het geweld dat in hen school, en was niet van plan om meteen te gaan tegenstribbelen. Als ze voor die hacker werkten, dan had CDC zich behoorlijk gecompromitteerd. Die moffin, zijn voorgangster, was duidelijk niet voor haar taak berekend geweest, dat had iedereen bij Cotter hem verteld. Ze was over iets gestruikeld waar ze geen weet van had. Maar goed. Delft vertrouwde op zijn koelbloedigheid en rook winst aan het eind van de rit. Wanneer Delft achter je aan een draaideur door gaat, placht hij te zeggen, komt hij er altijd vóór je uit.

Ze reden zwijgend in noordelijke richting. De chauffeur intrigeerde Oliver. Hij zag dat de man hem in het spiegeltje observeerde. Rond de zestig, van een ander kaliber dan die twee gorilla's achterin. Hij zou heel goed bij de politie kunnen zijn. Iets bekends aan hem? Waarschijnlijk inbeelding.

De auto reed het pad op naar een boerderij, en opnieuw voelde hij een steekje van déjà vu in zijn maagstreek. Een jeugdvakantie? Het werd vreemder en vreemder.

Oliver werd een kale keuken binnengebracht en men zei hem dat hij moest gaan zitten.

'Geen beweging.'

'Ik kan moeilijk gaan zitten zonder me te bewegen.'

Ai, kleine vergissing. Een enorme vuist dreunde neer in zijn nek. Oliver ging zitten. Onverwachte slagen in de nek, net als tegen de neus, kunnen de traanbuizen doen springen. Oliver knipperde met zijn ogen en sperde ze wijd open om het vocht te laten lopen zonder dat zijn ogen rood zouden worden. Hij weigerde te laten zien dat hij huilde. Dat zou al te belachelijk zijn. Hij keek naar het plafond, spreidde zijn neusvleugels en terwijl ze hem zijn schoenen en das uittrokken snoof hij als een man die in de zon kijkt wanneer hij moet niezen. Dachten ze soms dat hij, Oliver Delft, het type was om zichzelf op te hangen? Juist wanneer alles zo spannend werd? De twee bruten liepen de keuken uit en hij hoorde ze de deur op slot draaien.

De tranen hielden op, en hij keek om zich heen. Een Aga-fornuis en een koelkast. Was het een vakantie geweest? Een clandestien weekendje, jaren geleden? Hij wist zeker dat hij hier eerder was geweest. Het was een ouderwetse koelkast, een vierkante Prestcold.

Toch zat er op de muur achter de koelkast een lichte plek, die suggereerde dat er eerder een smaller exemplaar had gestaan. Het was allemaal heel vreemd.

Er lag een *London Evening Press* op tafel. De ochtendeditie van die dag.

MENSONTERENDE TOESTANDEN IN
ZWEEDS HORRORHOSPITAAL

Het was niet de kop, maar de foto halverwege het stuk, die Olivers aandacht trok.

Mallo!

Wat een geluk dat hij de dienst had verlaten. God zegene Simon Cotter. Dat zou een schandaal geven!

Zou Mallo zijn mond opendoen? Als ze zouden dreigen hem te arresteren waarschijnlijk wel. Stomme lul, het enige wat hij moest doen was de regels volgen. Diploma's aan de muur, overheidsinspecties, alles keurig en legaal. Wat had hij in hemelsnaam gedaan dat hij de toorn van de Zweedse regering over zich heen had gekregen?

Zat er nog iemand in die gecapitonneerde cellen die iets kon vertellen wat een grondig onderzoek in de richting van het departement op gang kon brengen? Ja, je had natuurlijk die krankzinnige idealist van Porton Down, die theoretische chemicus – hoe heette hij ook weer? – Michaels, Francis Michaels. En Babe Fraser, als die nog in leven was, wat hij betwijfelde. De enige keer dat Oliver hem had gezien, toen hij aan het begin van zijn carrière achter al dat geld aan was gegaan dat de schoft had verdonkeremaand, was de grote legende knettergek geweest, zijn hersens totaal naar God. Toen was Oliver ook achter het bestaan gekomen van 'het eiland van Dr. Mallo'. Nee, van de kant van Babe dreigde geen gevaar. Ten slotte had je dan nog die knaap van Maddstone. Oliver kon hem zich herinneren als een mentale zwakkeling. Die was vast en zeker al jaren geleden uit zijn bol geknald dankzij de zegeningen van de elektroconvulsieve therapie.

In het stuk stonden weinig bijzonderheden. Alleen dat de omstandigheden 'middeleeuws' waren geweest, en dat er beschuldigingen waren gevallen van fysiek geweld en seksueel misbruik. Nauwelijks voorpaginanieuws. Als het ergens in Groot-Brittannië had plaatsgevonden, had Oliver nog kunnen begrijpen dat zo'n bericht in een Engelse krant verscheen, maar waarom zou je de inwoners van Londen lastig vallen met iets wat in Zweden was gebeurd? De factor seksueel misbruik, besloot hij. Die kreet alleen al verkocht door het hele land miljoenen krantenexemplaren. De gezagsgetrouwe burgers lazen zulke berichten graag aan het ontbijt en in hun forensentrein. Ze schudden afkeurend het hoofd, maar tegelijkertijd werden hun diepste, duisterste fantasieën geprikkeld.

'Sorry dat ik je heb laten wachten. Ik hoop dat ze je het niet al te lastig hebben gemaakt. Je hebt gehuild, zie ik, neem mijn zakdoek even.'

'Simon?' Oliver keek hem met grote ogen aan. Cotter zette zijn zonnebril af. Hij had zijn haar blond geverfd. Nee, hij had juist de donkere spoeling er uit laten wassen. Het blond was doorschoten met grijs.

'Simon?' zei Ned. 'Ik ken geen Simon. Kijk nog eens.'

Oliver keek opnieuw en zag dat hij in de blauwe ogen keek van Ned Maddstone.

'Niet helemáál dezelfde koelkast,' zei hij na een tijdje.

'Nee,' gaf Ned eerlijk toe. 'Maar het scheelt niet veel. Ik dacht dat het je het gevoel zou geven dat je thuis was.'

'O, zeker, zeker.' Oliver hield zich heel goed. 'Je bent druk in de weer geweest,' merkte hij op.

Ned wierp een blik door de keuken. 'Dank je. Ik zeg altijd maar, voor een goed ontwerp moet je weghalen, niet toevoegen. Zoals je ziet, staat er hier, behalve de ijskast, verder geen meubilair of iets anders, om redenen die je later duidelijk zullen worden. Het was hier trouwens niet erg veranderd. O, de Aga, natuurlijk. Nog steeds dezelfde van toen. Tja! Die Aga's, hè? Waar zouden we zijn als we die niet hadden?'

'Nee, nee. Ik bedoelde Ashley Barson-Garland en nu die arme

Gordon Fendeman. Ik had het verband moeten leggen.'

'Dat hoor ik maar steeds. Je moet het jezelf niet verwijten, het is allemaal zo lang geleden. Maar je moet het niet hebben over "die arme Gordon Fendeman", weet je. Hij is nu gelukkig. Vertrokken naar vrediger oorden.'

'Op en top de engel der wrake, hè?'

'Ik doe mijn best, Oliver, ik doe mijn best. Zoals je zult merken.'

'Je bent dus ontsnapt uit dat "Zweedse Horrorhospitaal".' Oliver knikte in de richting van de krant.

'Ah, ja, ik dacht al dat je dat leuk nieuws zou vinden. Allemaal flauwekul, trouwens, ik heb die krant uitsluitend voor jouw plezier laten drukken. Het zal je genoegen doen te horen dat dokter Mallo nog steeds ter plekke is. Hij werkt nu voor mij. Ik heb een paar documenten in mijn bezit waarvan hij de inhoud liever niet onder de aandacht van derden ziet gebracht. Hij is een heel redelijk man. Omschrijft zichzelf graag als een realist. Bombastisch, maar eigenlijk wel roerend.'

'Moet ik hier naar een lezing zitten luisteren? Als dat je bedoeling is, kan ik je beter vertellen dat ik er heel goed in ben mijn oren op oneindig te zetten.'

'Mijn beste jongen, stond ik je te vervelen? Wat buitengewoon onaardig van me. Laat me een glas melk voor je pakken. Nee? Dan neem ik er zelf een. Weet je het zeker? Goed dan. Vers en vol deze keer. Geen halfvolle gepasteuriseerde. Er zijn per slot van rekening grenzen aan de authenticiteit.'

Oliver dacht koortsachtig na. De plastic handboeien om zijn polsen waren te sterk voor hem alleen. De man achter het stuur had hij inmiddels thuis kunnen brengen als Floyd, de agent van de narcoticabrigade die hij had omgekocht om zijn mond te houden over Neds aanhouding. Wie de twee andere mannen waren, wist hij nog niet, al begon hij wel een angstig vermoeden te krijgen.

'Knap van je dat je hebt weten te ontsnappen. Ik moet toegeven dat ik je daartoe niet in staat had geacht.'

Ned ging tegenover Oliver aan tafel zitten. 'Je hebt Babe wel eens ontmoet, denk ik. Jij was een van die lui die uit hem hebben proberen te slaan wat hij met al dat verdwenen geld had gedaan.'

'Dus de Geheugenkunstenaar zelf heeft de puzzel voor je in elkaar gezet? Ik dacht al dat het jouw beperkte vermogens te boven zou gaan.'

'Zijn vermogens zijn nu de mijne.'

'Dat denk ik niet, beste jongen. Babe was een klasse apart.'

'Inderdaad,' zei Ned die niet van plan was zich op de kast te laten jagen. 'Daar zijn we het in ieder geval over eens. Hij wist zich zelfs jouw moeder nog te herinneren, wist je dat? Eén blik in een dossier, dat was genoeg voor hem. Geboortedatum, alles.'

'Het moet leuk voor hem zijn geweest om een leeg doek te hebben waarop hij kon schilderen,' zei Oliver. 'Een dom schooljochie, hunkerend naar kennis. Hij heeft je al die talen geleerd. Beetje wiskunde, beetje filosofie. En hij heeft ook je ontsnapping in elkaar gezet, wed ik. In je eentje had je het nooit klaargespeeld. Niet sterk genoeg om zelf over de muur te klimmen. Komt hij straks misschien ook door die deur naar binnen? "Hallo, verwende snotneus, ik heb grote dorst vandaag." Dat werk? Mijn vroegere chef kon hem prachtig nadoen.'

'Babe is dood. Ja, hij heeft die ontsnapping in elkaar gezet. Ja, hij heeft me van alles geleerd. Ja, ik was een dom schooljoch. Dacht je soms dat ik mij zo onnozel uit mijn tent liet lokken?'

'Daar sta je allemaal boven? Alle emoties onder controle? Wie of wat ben je nu? Nemesis? De Hamer van God? De Kille Hand van het Noodlot?'

'Zoiets,' zei Ned. 'Je zult tijd genoeg hebben om uit te maken wie of wat ik ben. En tijd genoeg om uit te maken wie jezelf bent. Jaren. Je zult Martin en Paul en Rolf en die brave dokter Mallo hebben om je te helpen tot een besluit te komen. De beste verzorging. Verder niemand, moet ik tot mijn spijt bekennen. Weinig personeel, maar aangezien je de enige patiënt zult zijn, denk ik dat je over de service niet te klagen zult hebben.'

'Jezus nog aan toe...'

'Je reis zal een beetje pijnlijk zijn. Maar niet meer dan de mijne is geweest. Mijn chauffeur John, zijn twee vrienden, de gebroeders

Draper, en oud-hoofdinspecteur Floyd zullen je naar de andere kant van het water brengen. John – jij kent hem nog als meneer Gaine, hij is een beetje aangekomen, maar heeft niets van zijn beminnelijkheid verloren – John zal je schouder uit de kom drukken, wat een martelende pijn veroorzaakt. Je zult er een beetje van uit je evenwicht raken bij het lopen, en dat kunnen we niet hebben, zodat Rolf de andere schouder voor zijn rekening zal nemen.'

'Je bent krankzinnig.'

'Als ik krankzinnig ben, ben jij het ook. Er zal je niets overkomen dat mij niet is overkomen. Jij bent een volwassen man. Ik was een bang kind.'

'Mijn gezin! Ik heb een gezin. Je hebt nota bene spelletjes zitten doen met mijn kinderen.'

'Ik had ook een gezin, Oliver. De Fendemans hadden een gezin. Toen je mij de naam Peter Fendeman op die band liet inspreken, heb jij toen aan Portia's familie gedacht?'

'Maar haar vader maakt het uitstekend! Hij is na een week vrijgelaten. Ze hebben hem een beetje hard aangepakt bij zijn arrestatie, maar hij is heel snel vrij gelaten. Hij leeft toch nog? Hij is gelukkig. En denk hier eens aan…' Oliver klampte zich nu aan strohalmen vast. 'Waarom heeft hij zijn dochter Portia genoemd? Herinner je je de Portia uit *De koopman van Venetië*? "Genade wordt niet mondjesmaat verleend, zij valt als zachte regen uit de hemel hier op aarde. Zij is tweewerf gezegend. Zij zegent wie haar schenkt, alsook wie haar ontvangt."'

'Buitengewoon toepasselijk van je dat je Shakespeare citeert. Een gelukkig toeval, ik wou juist beginnen over de enige mogelijkheid die je rest, als je werkelijk weigert om levenslang dokter Mallo's gast te zijn.'

'Ja? Wat? Vertel!'

'Er komen, voor geval je dat was vergeten, twee Portia's voor bij Shakespeare. De ene, zoals je zojuist terecht hebt gememoreerd, in *De koopman van Venetië*. Maar ben je die andere vergeten, de Portia uit *Julius Caesar*?'

Het duizelde Oliver. 'Ik kan je niet volgen.'

'Ze kiest ervoor zich het leven te benemen door, als je je dat nog kunt herinneren, gloeiende kolen in te slikken. Dat heeft me als kind altijd gefascineerd. Hoe moet je dat voor elkaar krijgen? Maar ja, die Aga daar is ouderwets. Het type dat nog op vaste brandstof werkt. Er bevindt zich in dit vertrek verder geen zelfmoordmiddel, vrees ik. Ik heb alles gecontroleerd, en ik heb er verstand van hoe kamers ingericht moeten worden om zelfmoord te voorkomen. De vloer en de muren zijn met rubber bekleed, en er is geen enkel metalen, stenen of houten voorwerp hier. Je kunt natuurlijk met je hoofd tegen de Aga aan bonken, maar ik denk niet dat je daar dood van gaat, en bovendien zou het een streep halen door onze afspraak. Het hangt van jou af. Die plastic boeien van je smelten zo van je polsen als je ze tegen de kachel houdt. Het zal even zeer doen, denk ik, maar het lukt. Je tilt gewoon het deksel op en tast toe. Echt, Oliver, het is jóuw beslissing. Slik gloeiende kolen, net als Portia, of breng de rest van je leven door in een krankzinnigengesticht. Je hebt tien minuten om te beslissen.'

'Je bent écht krankzinnig.'

'Dat zeg je steeds maar. Ik snap niet wat voor verschil het maakt dat je het blijft herhalen. Als het niet zo is, kun je bezwaarlijk van mij verwachten dat ik me door een belediging op andere gedachten laat brengen. En als het wel zo is, lijkt het me helemáál zinloos om een beroep op mij te doen. God zij je ziel genadig, in beide gevallen, daar komt het wel op neer. Nog negen minuten en vijfenveertig seconden.'

De anderen hadden zich in de zitkamer geschaard rond Gaine, die moeite had met een kruiswoordpuzzel. Ned hielp hem uit het probleem.

'Dat moet "tor" zijn. "Zat als een" – tor. Je hebt daar "lam" ingevuld. Je zegt niet "zat als een lam", maar "lamzat".'

Ned verbaasde zich vluchtig over Gaines gedachtekronkels, waarna hij naging of alles in gereedheid was gebracht.

'Busje warm gedraaid? Mooi. De boot ligt klaar. Iedereen weet wat hem te doen staat?'

'Alles in orde, meneer,' zei Floyd ijverig. 'Wanneer we in Levington zijn, is het donker genoeg om –'

Het gegil was afschuwelijker dan iemand in de kamer ooit had gehoord. Gaine en de Drapers waren wel wat geweld gewend en Floyd had genoeg meegemaakt voor een heel leven, maar dit... dit was ongekend. Hij wilde de keuken in lopen, maar Ned hief zijn hand op om hem tegen te houden.

'Geef hem even de tijd,' zei hij. 'Hij heeft er zelf voor gekozen.'

De Drapers keken elkaar met grote ogen aan. Gaine staarde naar het kleed, en Floyd naar Ned. Het schreeuwen hield op.

'Nu maar, denk ik,' zei Ned en hij was als eerste bij de keukendeur.

Delfts haar en kleren stonden in brand, blaren ter grootte van een sinaasappel zwollen op van zijn lippen, en zijn mond was opengesperd tot een schreeuw. Hij had geen tong en geen stembanden meer om enig geluid te produceren. Hij wierp zich tegen de muur en klauwde aan zijn lichaam.

Toen hij Ned ontwaarde, strompelde hij op hem af. Ned deed netjes de deur dicht en op slot. Ze hoorden het lichaam aan de andere kant tegen het rubber bonken.

'We geven hem nog vijf minuten,' zei Ned. 'Dan is hij er wel geweest.'

Floyd legde zijn hand tegen Neds borst. 'Het spijt me, meneer Cotter,' zei hij. 'Het kan me niet schelen hoeveel u me betaalt, maar iemand moet naar binnen om hem uit zijn lijden te helpen.'

Ned deed een snelle stap opzij en liep de zitkamer weer in. 'Eén ogenblik,' zei hij. Hij ging met zijn rug naar de haard staan en keek hen aan. 'Goed, zullen we even alles op een rijtje zetten? Meneer Floyd, u hebt de huur van het huis geregeld?

'Dat weet u, maar wat –'

'U hebt contant betaald. De huur van de auto en het busje ook?'

'Natuurlijk.'

'Niemand weet dat u hier bent geweest. Als we alle vingerafdrukken hebben weggeveegd, is het huis schoon.'

'Daar gaat het niet om, meneer...'

'Daar gaat het wel om, meneer Floyd.' Ned trok een kleine revolver uit zijn zak en schoot Floyd door zijn keel. Zich tegen de klok in bewegend, schoot hij vervolgens Gaine en de Drapers door het hoofd. Hij doopte de loop van de revolver in Gaine's kop thee op het tafeltje naast de bank, en het metaal siste aangenaam. Ned dronk de thee op en knielde naast Gaine's lijk neer. Hij trok een bos autosleutels uit de zak van Gaine's jasje, stopte ze in zijn eigen zak en liep naar de keuken.

Delft lag op de vloer te kronkelen en te schoppen.

'Eén,' fluisterde Ned, terwijl hij een laatste schop gaf tegen de verkoolde ruïne aan zijn voeten.

Hij reed de auto naar Petersborough, waar hij hem achterliet in de parkeergarage van het station, pal naast de Lexus die hij daar met Gaine acht uur eerder had achtergelaten. Een drukke dag en nog steeds niet voorbij.

Ned merkte tot zijn verbazing dat hij trilde, hoewel hij zich heel kalm voelde. Hij had die ware kalmte over zich die alleen beschoren is aan hen die hun nachtrust hebben verdiend. De rust die voortvloeit uit eerlijk werk.

Nu was het moment gekomen om zijn gedachten te richten op goede dingen. De nagedachtenis aan Babe zou worden geëerd in elke grote stad tussen Kopenhagen en Canberra. Bibliotheken, scholen, ziekenhuizen. Een internationale universiteit. Researchcentra. Weeshuizen, gedreven volgens nieuwe, verlichte principes. De kinderen van de wereld zouden naar lichaam en geest verrijkt worden. Portia zou aan zijn zijde staan. Samen zouden ze het grootste liefdadigheidsrijk op aarde bestieren. Al het goeds dat uit hen zou voortkomen! Misschien was alles wat er was gebeurd op een onverklaarbare manier wel onderdeel geweest van een veelomvattend plan. Hoe saai zou zijn leven zijn geweest zonder deze grote zaak die hem al zo veel jaren van binnen had verlicht. De sterren hadden hem goed geleid. Ze hadden hem naar dit hoogtepunt gevoerd.

Hij keek naar het huis aan de overkant van de straat. In het donker zag hij dat er maar achter één raam licht scheen. Misschien zaten Portia en Albert in de keuken rustig met elkaar te praten.

Hij belde aan, maar er werd niet opengedaan. Hij belde nog eens. Een kat sprong van de muur en streek klagelijk miauwend langs zijn benen. Ned hoorde van binnen nog een klagelijk geluid, een laag, eentonig jammeren dat hij niet kon thuisbrengen. Hij duwde tegen de deur, die openzwaaide. De kat sprong voor hem uit naar binnen.

'Portia? Ben je daar? Portia, ik ben het, Ned.'

Het gejammer werd luider. Ned zag licht schijnen door het dienluik tussen de keuken en de eetkamer en hij liep naar binnen.

'Portia, ik ben het. Wat doe je hier?'

Een zwarte doek was over de spiegel boven het dressoir gedrapeerd, en op een laag krukje zat Peter, zijn jasje en das aan flarden gescheurd. Hij staarde naar de grond en zong een monotoon Hebreeuws gebed.

'Peter, ik ben het. Weet je nog wie ik ben?'

Peter sloeg zijn ogen op. 'Ned. Ik weet het nog. Jij bent Ned.'

'Waar zijn Portia en Albert?'

'Weg. Ze zijn weggegaan. De zoon van mijn broer is overleden, wist je dat?'

'Waarheen? Waar zijn ze heen gegaan?'

'Wie zal het weten?'

Ned liep de kamer uit en rende de trap op. Kleren lagen her en der op de grond, kasten hingen open, flessen shampoo en tubes tandpasta waren in de wastafel onder het badkamerkastje gevallen, en de vloer lag bezaaid met pillendoosjes en kammen en stukken zeep. Ze waren haastig en in een vreselijke paniek het huis ontvlucht. Dachten ze dat ze iets van hem te vrezen hadden? Van Ned?

Hij stormde weer naar beneden. De klaagzang van de oude man maakte hem gek.

'Waar zijn ze heen gegaan? Ze hebben het u toch wel verteld?'

Peter zei niets, maar bleef heen en weer schommelen, terwijl hij zijn gebeden zong. Ned ging in de keuken op zoek naar melk. Het licht van de koelkast scheen op de tafel en daar zag hij de envelop liggen.

Hij herinnerde zich haar handschrift! Na al die jaren herinnerde hij zich haar handschrift nog. Hij hield de envelop tegen zijn wang.

'Ga nu,' klonk Peters stem door het dienluik. 'Ga, en kom nooit meer terug. Je hebt genoeg gedaan. Ga.'

Hij zat in de auto en huilde. Niets voor hem. Alleen de oude brieven. Zelfs geen klein berichtje. Ze kon zich niet voor hem verbergen. Zijn macht zou haar overal ter wereld weten te vinden, waar ze ook was.

En dan? Stel dat hij haar vond? Wat zou hij dan doen? Haar gevangen houden? Haar dwingen met hem te trouwen? Het was te laat. Het was altijd te laat geweest.

Ned wist precies wat hij moest doen. Hij moest naar huis. Het was zo eenvoudig. Hij moest naar huis, ver van het lawaai en de verschrikkingen van de wereld. Naar huis, waar het licht en helder was, of knus en donker. Naar huis, waar ze hem begrepen. Naar huis, waar vrede was, en gemak, en vriendelijkheid en liefde. Naar huis, in elke taal die hij sprak, klonk het als het krachtigste en verleidelijkste woordenpaar. Naar huis. Naar zijn Zweedse eiland. Waar zijn vrienden woonden en waar de geest van Babe tot hem zou komen om hem nog meer te leren.

Hij stond op het dek en keek om naar Engeland. Hij liet de snippers papier uit zijn hand waaien en als vlinders boven het kielzog dartelen. Ze kwamen uit de vorige eeuw, uit een tijd waarin geliefden elkaar nog brieven schreven die ze in enveloppen staken. Soms gebruikten ze gekleurde inkt om uiting te geven aan hun liefde, of besprenkelden ze hun schrijfpapier met parfum.

Hij versnipperde de laatste ervan en wierp nog een vluchtige blik op een doormidden gescheurd vel.

Ik stel me voor hoe je haar over je voorhoofd valt, wanneer je schrijft, en dat is genoeg om me... om me... daar heb ik het nog wel eens over met je. Ik denk aan je benen onder de tafel, en miljoenen, triljoenen cellen bruisen en sprankelen binnen in me. De manier waarop je een puntje op een i zet doet me naar adem snakken. Ik houd de envelop tegen mijn lippen en stel me voor hoe jij hem dichtlikt, en mijn hoofd tolt. Ik ben een mal, maf, mesjokke, melodramatisch romantisch meisje en ik houd zielsveel van je.

Ned liet de wind de woorden van zijn hand blazen.